MW01011824

Acquisition.com Volume II

$100M Leads

Comment amener des inconnus
à vouloir acheter ce que tu vends

ALEX HORMOZI

Copyright © 2024 par Alex Hormozi

Tous droits réservés. Aucune partie de cette publication ne peut être reproduite, distribuée ou transmise sous quelque forme ou par quelque moyen que ce soit, y compris la photocopie, l'enregistrement ou d'autres méthodes électroniques ou mécaniques, sans l'autorisation écrite préalable de l'éditeur, sauf dans le cas de brèves citations incorporées dans des critiques ou d'autres utilisations non commerciales autorisées par la loi sur le droit d'auteur. Pour toute demande d'autorisation, veuillez écrire à l'éditeur à l'adresse ci-dessous.

Acquisition.com, LLC
7710 N FM 620
Building 13C, Suite 100,
Austin Texas 78726

Titre original :
$100M Leads : How to get strangers to want to buy your stuff
Alex Hormozi

Pour la version française :
(VF) Networker Edition
15 rue de Marcille
35440 FEINS FRANCE

Traduit de l'anglais par Cassandre Tran & Sarah Al Johani
Correction par Oumaima Jarhdoura
Maquette française : Amin Lebiad
d'après la mise en page d'Alex Hormozi

CLAUSE DE NON-RESPONSABILITÉ

Le contenu de ce livre est destiné à fournir des informations utiles sur les sujets évoqués. Ce livre n'est pas censé être utilisé, et ne devrait pas être utilisé, pour diagnostiquer ou soigner une quelconque condition médicale. Les chiffres de ce livre sont hypothétiques et ne sont utilisés qu'à des fins de démonstration. L'éditeur et l'auteur ne sont pas responsables des actions que vous faites ou ne faites pas suite à la lecture de ce livre, et ne peuvent être tenus pour responsables pour tout dommage ou conséquence négatifs suite aux actions ou inactions de toute personne qui lira ou suivra les informations de ce livre. Les références ne sont données qu'à titre informatif, et ne valent pas approbation d'un site web ou de toute autre source. Les lecteurs doivent aussi savoir que les sites web dans ce livre peuvent changer ou devenir obsolètes.

Principes directeurs

Fais davantage.

Copyright © 2024 par ACQUISITION.COM LLC. NON DESTINÉ À LA DISTRIBUTION.

Remerciements

À Trevor :

Merci pour ta véritable amitié. Merci pour tes efforts inlassables pour extraire les idées de ma tête. Et, pour ton soutien continu dans la lutte contre le monstre du nihilisme. On dit que l'on est chanceux si l'on a un vrai ami dans toute sa vie. Merci d'être le meilleur ami qu'un homme puisse souhaiter.

À Leila :

Même si Lady Gaga l'a dit en premier, cela ne le rend pas moins vrai.
« Tu as trouvé la lumière en moi que je ne pouvais trouver.
Cette partie de moi qui est toi ne mourra jamais. »

Copyright © 2024 par ACQUISITION.COM LLC. NON DESTINÉ À LA DISTRIBUTION.

Table des matières

Copyright © 2024 par ACQUISITION.COM LLC. NON DESTINÉ À LA DISTRIBUTION.

Copyright © 2024 par ACQUISITION.COM LLC. NON DESTINÉ À LA DISTRIBUTION.

Section I : Commencer ici

« Il est difficile d'être pauvre lorsque les prospects frappent à ta porte »
— Le slogan de la famille Hormozi

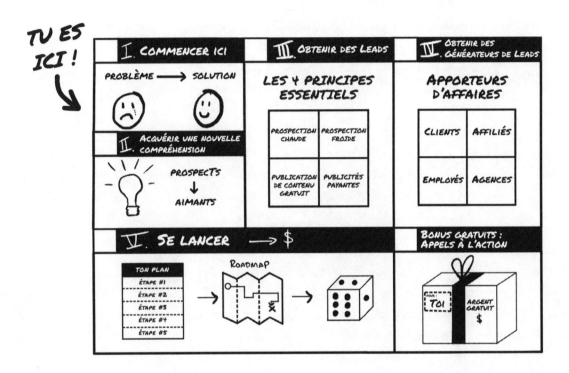

Il faut vendre des choses pour gagner de l'argent. Cela semble assez simple, mais tout le monde essaie de passer directement à la partie « gagner de l'argent ». Ça ne marche pas. J'ai essayé. Tu as besoin de *toutes* les pièces. Tu as besoin de choses à vendre - une offre. Tu as besoin de personnes à qui vendre - des leads. Ensuite, il faut convaincre ces personnes d'acheter - des ventes. Une fois que tu as tous ces éléments en place, *alors* tu peux gagner de l'argent.

Mon premier livre, « *L'Offre à 100M $* », couvre la première étape et te donne une idée *d'actions*. Il répond à la vieille question « *Que devrais-je vendre ?* ». Réponse - une offre tellement irrésistible que les gens se sentiraient bêtes de dire non. Mais les inconnus ne peuvent acheter tes produits que s'ils savent que tu existes. Cela nécessite des leads. Le terme « leads » revêt différentes significations selon les individus. Mais la plupart conviennent qu'ils sont la première étape pour obtenir plus de clients. En d'autres termes, cela signifie qu'ils ont un problème à résoudre et de l'argent à dépenser.

Si tu lis ce livre, tu sais déjà que les leads n'apparaissent pas par magie. Tu dois aller les chercher. Plus précisément, tu dois les aider à te trouver pour qu'ils puissent acheter tes produits ! Et le meilleur, c'est que tu n'as pas à attendre qu'ils te trouvent… Tu peux les *forcer* à te trouver. Tu fais cela grâce à la publicité. **La publicité**, *le processus de faire connaître*, permet aux inconnus de découvrir les produits que tu vends.

Copyright © 2024 par ACQUISITION.COM LLC. NON DESTINÉ À LA DISTRIBUTION.

Si davantage de personnes connaissent les choses que tu vends, alors tu vends plus de choses. Si tu vends plus de choses, alors tu gagnes plus d'argent. *Avoir beaucoup de leads rend difficile le fait d'être pauvre.*

La publicité te permet d'avoir un produit terrible, et de quand même gagner de l'argent. Elle te permet d'être nul en vente... et de quand même gagner de l'argent. Elle te permet de faire une tonne d'erreurs, et de *quand même gagner de l'argent.* En résumé, posséder cette compétence te donne d'innombrables chances de *bien faire les choses.*

Et dans le monde impitoyable des affaires, les deuxièmes chances sont rares. Autant en profiter au maximum. *La publicité est une compétence précieuse.*

Et ce livre, *$100M Leads,* te montre *exactement* comment le faire.

***

$100M Leads repose sur le socle de mon premier livre, *L'Offre à 100 M $.* Il suppose que tu as déjà une *Offre Grand Chelem* à vendre - les produits. Une fois que tu as une offre à vendre, cela crée le problème suivant : *À qui vais-je le vendre ?* Ce livre est ma réponse à cette question. Des leads. Beaucoup de leads.

Et avant de savoir comment obtenir des leads, la vie est *difficile.* Tu ne sais pas d'où viendra ton prochain client. Tu te bats pour payer le loyer et les factures. Tu t'inquiètes de devoir licencier des employés, de mettre de la nourriture sur ta table et... *de faire faillite.* Tu fais des efforts considérables pour réussir, pendant que d'autres se moquent de tes tentatives. Cela peut sembler décourageant. J'ai vécu cela, je le comprends. Ce livre te met dans une position plus favorable, là où tu as plus de clients potentiels que tu ne peux en gérer et plus d'argent que tu ne peux dépenser.

Voici Comment :

Premièrement, il t'explique comment fonctionne la publicité.

Deuxièmement, il te révèle les quatre principales façons d'obtenir des leads.

Troisièmement, il te montre comment faire en sorte que d'autres le fassent à ta place.

Enfin, il se conclut par un plan publicitaire d'une page que tu peux aller voir dès aujourd'hui pour développer ton entreprise.

***

Une fois que tu sais comment obtenir des leads, la vie devient plus facile.

En ce qui concerne la raison pour laquelle tu devrais aveuglément écouter mes conseils sur l'obtention de plus de leads - ne le fais pas. Fais-toi ta propre opinion ! Mais, dans l'esprit de « passer à l'action », voici mon historique :

J'ai fait de la publicité dans diverses industries via ma société mère Acquisition.com. Notre portefeuille comprend des logiciels, du commerce électronique, des services aux entreprises, des services aux consommateurs, des chaînes de magasins physiques, des produits numériques et bien d'autres encore. Ensemble, ils

Copyright © 2024 par ACQUISITION.COM LLC. NON DESTINÉ À LA DISTRIBUTION.

génèrent plus de 250 000 000 $ de chiffre d'affaires annuel. Et ils le font en obtenant plus de 20 000 leads par jour en vendant des offres de 1 $ à 1 000 000 $.

Sur le plan personnel, j'ai un rendement moyen à vie de 36:1 en matière de publicité. Cela signifie que pour chaque dollar que je dépense en publicité, je récupère 36 dollars. Soit un rendement de 3600 %. Certains ont construit leur richesse en bourse. D'autres dans l'immobilier. J'ai construit la mienne grâce à la publicité.

Cette année, j'ai dépassé les 100 000 000 $ de valeur nette à l'âge de 32 ans. Et si tu viens du futur, c'est en dollars américains de 2022. Ce qui, à mon grand désarroi, n'est accompagné d'aucun prospectus. Aucun prix. Aucun défilé. Je reste toujours 2000 fois plus pauvre que l'homme le plus riche du monde. Ma vie est à peu près la même. Je fais toujours la même taille, marié à la même femme et je grisonne plus rapidement que quand j'étais pauvre.

Dans ces pages, je partage les compétences responsables de la majeure partie de mon succès. J'ai tout accompli en utilisant les méthodes de publicité que je partage dans ce livre. Je n'ai rien laissé de côté. Ce n'est pas un livre de théories ou d'analyses. Ce livre est basé sur ce qui a fonctionné pour moi. Et je l'ai écrit en espérant qu'il fonctionnera encore mieux pour toi.

Pour répondre à une question que j'ai reçue après la publication de mon premier livre : « Pourquoi tes livres ont-ils l'air d'être écrits pour des enfants ? ». La réponse est simple : mes livres doivent être des livres que je pourrais lire. Et j'ai une courte attention. En conséquence, je compare mes préférences de lecture à celles d'un enfant, des écrits : courts en longueur, simples en termes, et avec beaucoup d'images. Ces livres représentent ma démarche pour y parvenir.

$100M Leads explique comment avoir des inconnus qui s'intéressent aux choses que tu vends. Et une fois que je t'aurai transféré cette compétence, ce sera à ton tour de l'utiliser.

Cela étant dit... Allons nous enrichir, d'accord ?

Conseil de Pro : Apprendre plus rapidement et plus profondément en lisant & en écoutant en même temps

Voici une astuce que j'ai découverte il y a des années. Si tu écoutes un livre audio tout en lisant le livre physique ou l'e-book en même temps, tu lis plus rapidement et tu te souviens de plus de choses. Tu stockes le contenu dans plus d'endroits de ton cerveau. C'est malin. C'est ainsi que je lis les livres qui en valent la peine.

Je fais également les deux parce que j'ai du mal à rester concentré. Si j'écoute l'audio, tout en lisant, cela m'aide à éviter de décrocher. Il m'a fallu deux jours pour enregistrer ce livre à voix haute. Je l'ai fait ainsi pour que, si tu es comme moi, tu n'aies plus à avoir ces difficultés.

Si tu veux essayer, n'hésite pas à prendre la version audio et vois par toi-même. J'espère que tu le trouveras aussi précieux que moi. J'ai fixé le prix de mes livres aussi bas que les plateformes me le permettent donc ce n'est pas un stratagème pour gagner quelques pièces supplémentaires, je te le promets.

J'ai pensé mettre cette « astuce » tôt dans le livre. Ainsi, tu aurais l'occasion de le faire si tu trouves le premier chapitre d'une assez grande valeur ajoutée pour mériter ton attention.

Conseil de Pro : Astuce pour finir les livres

Je me laisse facilement distraire. Donc, j'ai besoin de petites astuces pour maintenir mon attention. Celle-ci m'aide beaucoup : termine les chapitres. Ne t'arrête pas au milieu. Terminer un chapitre te donne un renforcement positif. Cela te maintient dans la lecture. Donc, si tu rencontres un chapitre difficile, termine-le pour pouvoir commencer le suivant avec un regard neuf.

Copyright © 2024 par ACQUISITION.COM LLC. NON DESTINÉ À LA DISTRIBUTION.

Comment j'en suis arrivé là

« L'espoir, c'est pouvoir voir la lumière malgré toute l'obscurité «
— Desmond Tutu

Mars 2017.

Je ressentais des tapes empressées sur mon épaule pendant que je travaillais à mon bureau. C'était Leila, ma petite amie et partenaire d'affaires.

« Qu'est-ce qui se passe ? Tu vas bien ? » demandai-je.

« On a un problème », dit-elle.

Quoi maintenant ? pensai-je.

« Regarde ça » Elle repoussa une pile de livres pour faire de la place pour son ordinateur portable.

« Qu'est-ce que je regarde ? », plissai-je les yeux.

« Un désastre. »

Elle fit glisser son doigt sur l'écran pour diriger mon regard.

- 99 \$... - 499 \$... - 499 \$... - 299 \$... - 399 \$... - 499 \$... - 499 \$...

Chaque autre chiffre était supérieur à mon loyer.

« Qu'est-ce que c'est que ça ? »

Elle commença à faire défiler. « Des remboursements. Chacun d'entre eux. Provenant des deux salles de sports que nous avions lancées le mois dernier. »

« Attends. Comment ? Pourquoi ? »

Elle fit défiler davantage.

« J'ai reçu plein de messages bizarres la nuit dernière des membres que nous avons recrutés pour la salle de sport du Kentucky. Je suppose que le propriétaire s'est levé sur une chaise et a dit à tout le monde de se faire rembourser et de rentrer chez eux. Il ne voulait pas gérer tous les nouveaux clients. »

« C'est insensé », j'ai dit.

Elle continuait de faire défiler.

« Oui, et l'autre propriétaire de salle de sport a dit à ses nouveaux clients qu'il les prendrait à moitié prix s'ils demandaient des remboursements chez nous et le payaient à la place. »

« Attends quoi ? Ils n'ont pas le droit de faire ça», ai-je dit.

« Eh bien, ils l'ont fait. »

Copyright © 2024 par ACQUISITION.COM LLC. NON DESTINÉ À LA DISTRIBUTION.

Elle défilait plus rapidement, les chiffres devenaient flous.

« Les as-tu appelés ? Ce n'est pas autorisé dans l'accord. » dis-je.

« Oui. Je sais. Ils ignorent mes appels. »

Je mis ma main sur la sienne. La cascade de remboursements se figea. C'étaient des rappels, de la taille de gouttelettes d'eau, de combien j'étais nul.

« À quel point c'est grave ? Combien de remboursements ? Seulement une réduction des profits ? Ou assez pour être dans le négatif et devoir de l'argent ? » J'essayai de garder ma voix stable. En vain.

Leila fit une pause avant de répondre. « C'est cent cinquante mille. » Le nombre resta suspendu dans l'air. «...nous ne pourrons pas payer mes amis. »

Leurs visages défilèrent dans mon esprit, et le peu d'espoir que j'avais s'évanouit de ma poitrine. Un mois plus tôt, j'avais convaincu ses amis de démissionner pour cela. Maintenant, je devais leur dire que je n'avais pas l'argent pour les payer.

« Nous ne pouvons pas résoudre cela simplement en vendant plus. Cela ne ferait qu'entraîner davantage de remboursements à gérer. Et nous sommes à court d'argent. » Ses yeux rencontrèrent les miens, cherchant les réponses qu'elle méritait. Je n'avais rien.

Je me sentais malade.

Un an plus tôt -

J'étais doué pour obtenir des leads pour mes salles de sport. J'ai étendu mon activité à cinq emplacements en seulement trois ans. Ma fierté résidait dans le fait d'ouvrir mes salles de sport au maximum de leurs capacités dès le premier jour. Ainsi, j'en ai ouvert autant que possible, aussi rapidement que possible.

Mon rythme rapide a commencé à attirer l'attention. On m'a demandé de prendre la parole lors d'une conférence sur ma méthode publicitaire. Pourtant, à mes yeux, je ne pensais pas que ma démarche était particulière. Je supposais que tout le monde faisait de même. Ainsi, j'ai parcouru ma présentation en espérant ne pas ennuyer l'auditoire. Ils sont restés silencieux.

Le moment où j'ai quitté la scène, une foule s'est formée autour de moi. Ils me lançaient des questions de tous côtés. J'avais du mal à suivre. Ils m'ont même suivi aux toilettes. Je me sentais comme une célébrité. C'était fou. À ce jour, je n'ai jamais été aussi assailli de ma vie. Tout le monde voulait que je leur apprenne comment faire ce que je venais de présenter. Ils voulaient mon aide. Moi. Mais je n'avais rien à leur vendre. Cependant, plus d'une centaine de personnes m'ont laissé leurs numéros de téléphone et leurs cartes de visite au cas où. Puis, une idée saugrenue m'est venue.

Je pourrais gagner de l'argent en faisant cela...

3 mois plus tard - une idée se transforme en entreprise

Copyright © 2024 par ACQUISITION.COM LLC. NON DESTINÉ À LA DISTRIBUTION.

Comme j'avais utilisé la publicité pour lancer mes salles de sport à pleine capacité, je me suis dit que peut-être je pourrais « lancer » les salles de sport d'autres personnes à pleine capacité aussi. J'ai appelé la société Gym Launch. Original, je sais.

Mon offre était simple. *Je remplirai ta salle de sport en 30 jours gratuitement. Tu ne payes rien. Je prends tout en charge. Je vends de nouveaux abonnement et conserve les frais d'adhésion des six premières semaines comme rémunération. Tu reçois tout le reste. Si je ne remplis pas ta salle de sport, je ne gagne pas d'argent. Tu ne dépenses rien, de toute façon.*

C'était une offre facile à vendre. Je prendrais l'avion, je mettrais en marche ma machine à leads, je travaillerais sur les leads, puis je vendrais les leads. Sauf qu'au lieu de les vendre pour ma salle de sport, je les vendrais pour n'importe quelle salle de sport où je campais pour le mois. Chaque mois, je me rendais dans une nouvelle salle de sport. Ça *a marché.*

La nouvelle concernant ce gamin qui remplirait ta salle de sport gratuitement s'est rapidement répandue. À moins d'engager de l'aide, les recommandations m'auraient booké pour plus de deux ans d'affilée. Je ne pouvais pas continuer à gérer mes salles de sport et à faire cela, alors j'ai vendu mes salles de sport *et* je me suis entièrement consacré à Gym Launch.

Cependant, j'ai identifié un problème. Je remplissais leurs salles de sport, et *ils* pouvaient garder tous les bénéfices à long terme. J'ai laissé tellement d'argent sur la table. Mais, si j'étais copropriétaire de certaines des salles de sport, je pourrais accumuler des revenus mois après mois. *Bingo.* Peu de temps après, l'un des propriétaires de salle de sport m'a fait une telle offre. Nous serions à cinquante-cinquante. Je remplirais la salle de sport avec des membres, et il la remplirait avec du personnel. Avec ce nouveau modèle, je pourrais ouvrir 1 à 2 salles de sport par mois et toutes les posséder. Cela fonctionnerait beaucoup mieux que de collecter uniquement l'argent initial. Un partenariat gagnant-gagnant.

Toutefois, il y a eu un léger imprévu dans le plan. Mon nouveau partenaire avait des « difficultés financières ». Alors, le gentil Alex a offert de payer toutes les dépenses et d'assumer toute la responsabilité pour le premier lancement. J'ai personnellement garanti le bail et j'allais consacrer *mon* temps et mon argent pour le remplir de membres. Une fois rempli, je remettrais la salle de sport entre ses mains. J'ai investi tout l'argent provenant de la vente de mes salles de sport, y compris mes économies de toute une vie, dans ce modèle « lance et va ». Cela a pris tout ce que j'avais.

Quelques semaines plus tard, à mi-chemin du lancement, je me suis réveillé pour découvrir que tout l'argent du compte avait disparu. Tout. Le partenaire m'a accusé de vol et a pris l'argent comme « sa part » des bénéfices. Cependant, *nous n'avions réalisé aucun profit.* Ensuite, il a envoyé l'argent à un contact étranger et a déposé le bilan. C'est du moins ce qu'il m'a dit. Lorsque j'ai proposé de passer en revue les états financiers et de rendre compte de chaque dollar, il a refusé. C'est à ce moment-là que j'ai compris que j'avais commis une terrible erreur.

Il s'est avéré qu'il avait été inculpé pour fraude quelques années auparavant. Et pour aggraver les choses, *je le savais déjà.* Il m'a dit que c'était « juste un gros malentendu ». Je l'ai cru. Comme dit le dicton, *quand l'argent rencontre l'expérience… l'argent acquiert l'expérience, et l'expérience acquiert l'argent.* Leçon apprise.

Copyright © 2024 par ACQUISITION.COM LLC. NON DESTINÉ À LA DISTRIBUTION.

Je suis passé de propriétaire de salles de sport prospères, avec plusieurs emplacements à la vente de toutes mes salles de sport, puis à une nouvelle aventure excitante de lancement de salle de sport pour enfin arriver complètement fauché. Tout ce que j'avais gagné en vendant mes salles de sport avait disparu. Mes économies de toute une vie avaient disparu. Effacées. Tout. Quatre années de travail, d'économies, de nuits passées à dormir par terre - effacées en un... oh non... *Leila.*

Leila a abandonné sa vie telle qu'elle la connaissait pour m'accompagner dans cette aventure. Elle a résisté à mes changements constants. Elle m'a soutenu dans ce partenariat bancal même si elle y était opposée. Même avec cet échec majeur, elle n'a jamais laissé entendre, ne serait-ce qu'une fois, *Je te l'avais bien dit* . Au lieu de cela, elle m'a dit : « Le modèle de Gym Launch est toujours valable. Faisons-en plus. » Alors, c'est ce que nous avons fait.

J'ai mis 3 300 dollars *par jour* sur une carte de crédit pour payer les annonces, les billets d'avion, les hôtels, les voitures de location, etc. pour six représentants commerciaux. Les amis de Leila. Je dis cela légèrement, mais j'ai détaillé à quel point c'était un cauchemar dans le premier livre. Je ne le répéterai donc pas ici.

Au cours du premier mois, nous avons lancé six salles de sport et avons collecté 100 117 dollars. Nous avons gagné suffisamment pour couvrir la facture de carte de crédit de 100 000 dollars. Et pour être clair, cela signifiait que j'étais toujours fauché. Le mois suivant, nous avons réalisé 177 399 dollars avec un bénéfice de 30 000 à 40 000 dollars. Cela m'a donné un peu d'air. *Enfin.*

Et c'est à ce moment-là que Leila m'a tapé sur l'épaule pour partager 150 000 dollars de mauvaises nouvelles.

Maintenant, tu es à jour.

Le lendemain, après que Leila m'a dit que nous avions 150 000 dollars de remboursements et que nous avions perdu tout notre argent. Encore une fois.

Un klaxon assourdissant m'a réveillé à 3 heures du matin. Mes problèmes ont ressurgi. *Eh bien, je suis réveillé maintenant.* Je me suis levé et je suis allé furtivement vers mon coin de travail. J'ai marché par habitude plus que par désir. J'ai tiré la chaise et je me suis laissé tomber - carnet et stylo prêts. Je devais générer 150 000 dollars de bénéfices, pas de revenus, en trente jours. Et je devais le faire sans un sou en poche et sans expérience pour réaliser un tel bénéfice en un mois. Aucune. Alors j'ai commencé à griffonner des idées :

...Facturer des frais initiaux pour les nouvelles salles de sport

...Demander un pourcentage des revenus des anciennes salles de sport

...Faire payer d'avance les salles de sport que j'avais déjà lancées pour un lancement futur

...Appeler chaque ancien client et lui vendre des compléments alimentaires par téléphone

Je continuais à faire des calculs au crayon. Aucune de ces options ne rapporterait assez d'argent. Surtout pas en trente jours. J'avais l'impression d'être collé à la chaise. ***Il faut que je trouve une solution.*** Je fixais le carnet, espérant qu'il savait quelque chose. Il ne savait rien. *Mon Dieu, je suis nul.*

 Copyright © 2024 par ACQUISITION.COM LLC. NON DESTINÉ À LA DISTRIBUTION.

Quelques heures plus tard, Leila s'est réveillée. Comme une horloge, elle est entrée dans la cuisine et s'est servi une tasse de café. Elle s'est mise au travail directement à la table de la cuisine derrière moi.

« Que fais-tu ? », ai-je demandé, essayant de me distraire.

« Des suivis avec des clients de fitness en ligne », dit-elle.

« Combien ça rapporte déjà ? »

« 3 600 dollars le mois dernier. »

« Combien tu factures ? »

« 300 dollars par mois. Pourquoi ? »

« Combien de temps cela te prend-il ? »

« Quelques heures par semaine. »

« Et il n'y a pas de frais généraux ? Juste du temps ? »

« Oui... Pourquoi ? »

J'ai continué : « Je sais que ce sont d'anciens clients de coaching personnel, mais penses-tu pouvoir le faire avec des inconnus ? »

« Je ne sais pas... probablement... qu'est-ce que tu as en tête »

« Je pense avoir quelque chose. » ai-je dit.

« Attends, pour quoi faire ? »

« Pour réunir les cent cinquante mille dollars. »

« Quoi, mon entraînement en ligne ? Comment ? » Elle avait l'air sceptique.

« Nous éliminons simplement l'intermédiaire et vendons directement. Je pense que je peux simplement diffuser des annonces vers une page de vente qui planifie des rendez-vous téléphoniques. Ensuite, nous pouvons vendre les programmes de fitness que nous vendions dans les salles de sport, mais les proposer comme un programme en ligne. Nous avons déjà les matériaux. Nous savons déjà que les annonces fonctionnent. Et il n'y aura aucun coût d'exécution. De plus, plus de vols. Pas de locations. Pas de motels. Et aucun propriétaire de salle de sport pour leur dire de rembourser... »

Elle hésita. « Tu penses que ça pourrait marcher ? »

« Honnêtement... aucune idée. Mais chaque jour où l'on ne fait rien est un jour de moins pour réunir l'argent. »

Elle réfléchit sérieusement. « D'accord, faisons-le. »

C'était tout ce dont j'avais besoin.

Copyright © 2024 par ACQUISITION.COM LLC. NON DESTINÉ À LA DISTRIBUTION.

J'ai travaillé pendant trente-huit heures d'affilée pour lancer l'offre. Quelques heures plus tard, les leads ont commencé à affluer.

Elle a pris son premier appel le lendemain. Je suis entré alors que l'appel se terminait :

« 499 dollars... ouais... et quelle carte voulez-vous utiliser ? »

Elle avait la franchise d'une professionnelle.

Quelques minutes plus tard, j'ai demandé avec anticipation : « C'était une vente ? »

« Oui. » *Bon sang, c'est vraiment une pro.*

J'ai même pris une photo de Leila concluant notre première vente parce que c'était un moment important.

En quelques jours, nous faisions 1 000 dollars par jour de vente de fitness en ligne. Nous obtenions également l'argent à l'avance avec presque aucun risque de remboursement. *Cela fonctionnait.* Cependant, nous étions encore loin des 150 000 dollars.

Au déjeuner, elle écoutait mon plan global entre deux bouchées. « D'accord, les commerciaux peuvent rester chez eux et vendre cela par téléphone. S'ils font les mêmes 1 000 dollars par jour que toi, avec huit gars, nous devrions atteindre 8 000 dollars par jour. En trente jours, nous ferons 240 000 dollars. Après les dépenses publicitaires et les commissions, nous aurons assez pour couvrir les 150 000 dollars. »

« Et que dire des salles de sport que nous sommes censés lancer ? »

« Je les appellerai et leur dirai que nous prenons une autre direction. Ils ne nous ont rien payé, donc il n'y a pas grand-chose à quoi ils peuvent s'opposer. Je commencerai à les appeler après le déjeuner. »

Le premier appel était à un propriétaire de salle de sport à Boise, Idaho.

 Copyright © 2024 par ACQUISITION.COM LLC. NON DESTINÉ À LA DISTRIBUTION.

« Bonjour ? »

J'ai baissé les yeux pour lire les points de mon petit script. « Salut mec, nous ne faisons plus de lancements. Nous vendons directement des programmes de perte de poids aux consommateurs. Donc, nous ne viendrons pas et – »

Il m'a interrompu. « Mais j'ai *vraiment* besoin de ça en ce moment. Je viens de refinancer ma maison et j'ai épuisé toutes mes cartes de crédit pour maintenir ma salle de sport à flot. J'ai investi toutes mes économies dans cet endroit. Y a-t-il un moyen pour que vous puissiez m'aider ? Vous avez lancé la salle de sport de mon pote. Je sais ce que vous pouvez faire. »

Étant donné *ma situation pire que la sienne*, je me fichais de savoir à quel point ses finances étaient mauvaises. J'ai donc essayé de paraître poli. « Je comprends que c'est une période difficile, mais nous ne faisons pas de déplacements. Désolé. »

« D'accord, d'accord. Je comprends que vous ne pouvez pas venir sur place. Mais y a-t-il un moyen que vous puissiez simplement me montrer quoi faire ? On a vraiment besoin de ça. »

J'étais meurtri, épuisé, fauché, et je me sentais trahi par toute l'industrie. J'aurais dû dire « non », mais au lieu de cela, j'ai dit... « D'accord. Je vais vous montrer comment obtenir des leads, mais je ne viendrai pas vous sauver si vous ne pouvez pas vendre. »

« Je comprends parfaitement. La responsabilité me revient. Je suis compétent pour conclure des ventes mais, actuellement, je n'ai personne qui franchit la porte. J'ai besoin de LEADS. Combien cela coûterait-il de m'apprendre à les générer ? »

J'ai regardé mon script. *Ce n'est pas ainsi que cela aurait dû se passer.* Je voulais dire non et raccrocher. Notre offre de perte de poids fonctionnait, et je ne voulais pas de distractions. Il m'avait déjà dit qu'il était fauché, alors j'ai dit le plus gros chiffre auquel je pouvais penser pour le faire raccrocher.

« 6 000 dollars. Considérez cela comme ma vente de « vente de mes secrets » »

« 6 k ? »

« Oui. Six mille » ai-je dit, articulant le nombre entier, espérant le dissuader.

« 6 k ? Ok, d'accord. »

Quoi. Je suis resté là, bouche bée, figé d'incrédulité. *Six. Mille. Dollars.* Je me suis détaché de moi-même et j'ai regardé la conversation se dérouler. J'ai encore du mal à retenir mes larmes en y pensant.

« Oh... euh... super... quelle carte voulez-vous utiliser ? » Maintenant, essayant de *ne pas* faire fuir les Six. *Mille. Dollars.* Paniqué, j'ai écrit les informations de sa carte sur le rabat d'une boîte en carton.

« Quand est-ce que je commence ? » demanda-t-il.

« Je vous enverrai tout lundi matin » Me donnant la tâche insensée de conditionner l'intégralité de mon système de leads et de vente de salle de sport en quarante-huit heures. Il a accepté. J'ai raccroché et je suis resté assis, choqué. Une fois revenu à la réalité, j'ai traité la carte de crédit. *6 000 dollars.. succès. Est-ce réel ?*

Copyright © 2024 par ACQUISITION.COM LLC. NON DESTINÉ À LA DISTRIBUTION.

Je voulais désespérément le dire à Leila, mais elle était en appel commercial. Quinze minutes plus tard, elle est entrée.

« J'en ai vendu un autre » dit-elle.

« Tu ne vas pas y croire. Je viens de vendre notre système Gym Launch pour 6 000 dollars à la salle de sport de Boise ». « Quoi ? Je pensais qu'on faisait de la perte de poids. »

« Ouais, je sais. Moi aussi, mais... » Elle attendait. « ... je pense qu'on est toujours dans le business des salles de sport... je pense simplement qu'on le faisait mal. » Elle avait besoin de plus de détails. Je n'en avais pas encore. « Je vais appeler les salles de sport que nous avions prévu de lancer le mois prochain et voir si elles voudront l'acheter aussi. »

« Euh... d'accord. » dit-elle.

L'appel suivant s'est déroulé de la même manière, sauf que quand il a demandé « Combien ? », j'ai dit « 8 000 dollars ». Il a accepté.

L'appel suivant, même chose, sauf que j'ai dit « 10 000 dollars ». Il a accepté.

Les huit salles de sport que nous avions prévu de lancer ont accepté de souscrire une licence pour les ressources de lancement. *En une seule journée, j'ai collecté 60 000 dollars en vendant quelque chose sans coût d'exécution.* En une seule journée, j'étais au tiers du chemin pour sortir de ma prison de 150 000 dollars. J'avais passé cinq ans à développer ce système publicitaire. Cela a enfin payé. Faire la chose qui me faisait le plus peur - donner mes secrets - a conduit à la plus grande percée de ma vie.

« Je n'arrive pas à le croire », dis-je. « Je pense que nous pouvons nous en sortir. »

« Alors... on ne fait plus le truc de perte de poids ? »

« Non. Je suppose que non... Je pense que nous avions quelque chose ici depuis le début. Nous devions simplement assembler les pièces. »

« Penses-tu que d'autres vont l'acheter ? »

« Je vais appeler les trente salles de sport que nous avons déjà lancées. Elles savent que notre système fonctionne parce que nous l'avons fait devant elles. Nous avons également quelques prospects de propriétaires de salles de sport de la conférence. Cela devrait couvrir les 150 000 dollars et nous donner un nouveau départ. »

« D'accord, et ensuite ? Est-ce que c'est ce que nous allons faire ? » Elle cherchait une stabilité bien méritée.

« Je pense ? Cela rapporte plus d'argent que l'autre truc, et c'est beaucoup plus facile à livrer. » Elle était d'accord. « Alors, après avoir appelé ces prospects, je commencerai à diffuser des annonces. Je posterai nos success stories dans quelques groupes de salles de sport pour obtenir des leads de là-bas. Et je dirai aussi aux salles de sport que je paierai 2 000 dollars en espèces pour chaque salle de sport qu'elles envoient et qui s'inscrit. Cela nous donne des leads d'annonces, des leads de contenu et *des* leads de recommandation. »

***

 Copyright © 2024 par ACQUISITION.COM LLC. NON DESTINÉ À LA DISTRIBUTION.

Au cours des 30 jours suivants, nous avons réalisé 215 000 dollars *de bénéfice*. Nous avons couvert les 150 000 dollars de remboursements avec de l'argent à revendre. Nous avons aussi bien réussi parce que la salle de sport moyenne, utilisant notre système publicitaire, a encaissé 30 000 dollars supplémentaires au cours de ses 30 premiers jours. *Cela leur a rapporté plus d'argent que ce qu'elles ont payé.* Cela a été un énorme succès. De plus, elles ont pu conserver tout l'argent. Elles ont adoré. Les recommandations ont afflué.

J'ai trouvé les relevés bancaires de mai à juin 2017, le mois où tout s'est produit :

	Autorisations en attente		Changes		Remboursements		Retours /rétrofacturations		Vides		Déclinés		Total	
	Montant	Quantité	Montant	Quantité	Montant	Quantité	Montant	Quantité	Montant	Quantité	Montant		Montant	Quantité
01/2017	0	$0.00	348	$102,605.64	7	$-2,488.33	0	$0.00	12	$2,002.98	148	70%	515	$100,117.31
02/2017	0	$0.00	847	$190,809.50	56	$-13,243.77	1	$-166.00	5	$1,247.00	232	78%	1141	$177,399.73
03/2017	0	$0.00	782	$177,820.58	61	$-12,701.50	4	$-997.00	21	$3,458.50	285	73%	1153	$164,122.08
04/2017	0	$0.00	704	$204,461.25	49	$-10,725.00	10	$-6,315.00	2	$-50.00	354	67%	1119	$187,421.25
05/2017	0	$0.00	191	$260,754.00	4	$-797.00	11	$-16,984.00	0	$0.00	42	82%	248	$242,973.00
06/2017	0	$0.00	214	$272,835.00	5	$-1,498.00	30	$-55,375.00	0	$0.00	1	100%	250	$215,962.00
07/2017	0	$0.00	282	$316,917.98	0	$0.00	21	$-23,450.00	0	$0.00	7	98%	310	$293,467.98
08/2017	0	$0.00	346	$393,370.62	0	$0.00	28	$-32,998.99	1	$100.00	45	88%	420	$360,371.63
09/2017	0	$0.00	478	$543,376.29	1	$-1,000.00	64	$-65,792.00	0	$0.00	41	92%	584	$476,584.29
10/2017	0	$0.00	799	$828,709.31	7	$-5,798.00	50	$-49,887.00	8	$8,000.00	31	96%	895	$773,024.31
11/2017	0	$0.00	1076	$1,132,319.31	8	$-8,000.00	66	$-64,296.00	1	$1.00	92	92%	1243	$1,060,023.31
12/2017	0	$0.00	1315	$1,363,956.31	13	$-17,296.00	83	$-82,099.00	1	$1,000.00	111	92%	1523	$1,264,561.31
01/2018	0	$0.00	1609	$1,621,972.81	15	$-28,175.00	97	$-88,995.00	8	$9,000.00	102	94%	1831	$1,504,802.81
Totals	0	$0.00	8991	$7,409,908.60	226	$-101,722.60	465	$-487,354.99	59	$24,759.48	1491	86%	11232	$6,820,831.01

Nous avons terminé cette première année avec un chiffre d'affaires de 6 820 000 dollars. L'année calendaire suivante, nous avons réalisé un chiffre d'affaires de 25 900 000 dollars et un bénéfice de 17 000 000 dollars. Oui, des *dizaines de millions*. C'était insensé. Comme fou. L'entreprise fonctionne toujours avec, jusqu'à aujourd'hui, plus de 4 500 salles de sport et ce nombre augmente. Et personne n'est plus surpris que moi. Quelque chose que j'ai fait a enfin fonctionné... *enfin*.

En 2018, nous avons créé Prestige Labs pour vendre des compléments alimentaires à notre clientèle de salle de sport. Nous avons utilisé Prestige Labs et les salles de sport comme un réseau d'affiliation pour générer des prospects de perte de poids les uns pour les autres. En 2019, nous avons lancé ALAN, un nouveau type d'entreprise de logiciels qui travaillait sur des leads pour les entreprises locales. En 2020, nous avons fondé Acquisition.com, une holding pour nos intérêts commerciaux. En 2021, nous avons vendu 75 % de ALAN à une plus grande entreprise. Je ne suis pas autorisé à dire pour combien, mais ALAN a réalisé un chiffre d'affaires de 12 000 000 dollars au cours des douze mois précédents. Alors, tu peux imaginer. Nous avons vendu 66 % de notre entreprise de compléments alimentaires et de licences de salle de sport à American Pacific Group pour une valorisation de 46 200 000 dollars. Et cela après avoir reçu 42 000 000 dollars en rémunération de propriétaire au cours des quatre premières années.

Je partage cela parce que je peux encore à peine le croire. Tout cela est arrivé à cause d'une fille qui avait foi en moi, d'une carte de crédit et de la capacité à *obtenir des leads*.

Copyright © 2024 par ACQUISITION.COM LLC. NON DESTINÉ À LA DISTRIBUTION.

Avertissement important

Savoir comment obtenir des leads a sauvé mon entreprise, ma réputation et probablement ma vie. C'était la seule façon pour rester à flot. C'était la raison pour laquelle j'ai continué à avoir des deuxièmes, des troisièmes, des quatrièmes et cinquièmes chances.

Alex Hormozi ✔
@AlexHormozi

Pendant mes jours les plus difficiles, je me suis répété la même phrase :

Je ne peux pas perdre si je n'arrête pas

J'ai fait de la publicité pour beaucoup de choses différentes, de beaucoup de façons différentes. J'ai fait de la publicité pour obtenir des leads membres pour les salles de sport locales. J'ai fait de la publicité pour obtenir des prospects en ligne pour la perte de poids pour Leila. J'ai fait de la publicité pour obtenir des prospects des propriétaires de salles de sport afin de vendre des services commerciaux. J'ai fait de la publicité pour obtenir des prospects affiliés pour notre société de compléments alimentaires. J'ai fait de la publicité pour obtenir des leads pour notre logiciel. Et ainsi de suite. Obtenir des leads a été ma carte « *sortie de prison* » sans date d'expiration. Et à ce stade, elle est décolorée et usée.

J'aimerais partager cette compétence avec toi. Je peux te montrer comment obtenir plus de leads. Et voici ta première bonne nouvelle : en lisant ces mots, tu es déjà dans le top 10 %. La plupart des gens achètent des choses et ne les ouvrent jamais. Je vais également te donner un indice : plus tu lis, plus les conseils sont impactants. Attends de voir.

Merci du fond du cœur. Merci de me permettre de faire un travail que je trouve significatif. Merci de me prêter ton atout le plus précieux, ton attention. Je promets de faire de mon mieux pour t'offrir le rendement le plus élevé possible. Ce livre tient cette promesse.

Le monde a besoin de plus d'entrepreneurs. Il a besoin de plus de combattants. Il a besoin de plus de magie. Et c'est ce que je partage avec toi - de la magie.

Copyright © 2024 par ACQUISITION.COM LLC. NON DESTINÉ À LA DISTRIBUTION.

Le problème résolu par ce livre

« Des leads, beaucoup de leads. »

Tu as un problème :

Tu n'obtiens pas autant de leads que tu le souhaites parce que tu ne fais pas assez de publicité. Point final. En conséquence, tes clients potentiels ignorent ton existence. Quelle tristesse ! Cela signifie moins d'argent qui afflue dans ta direction.

Maintenant que tu sais que tu as un problème, à moins que tu n'aimes pas aider les gens et gagner de l'argent, tu dois le résoudre.

Comment ce livre le résout :

Pour gagner plus d'argent, tu dois faire croître ton entreprise. Tu peux faire croître ton entreprise que de deux manières :

1) Obtenir plus de clients

2) Augmenter leur valeur

C'est tout. J'ai fais croître notre portefeuille d'entreprise avec ce même modèle.
$100M Leads se concentre sur le premier point - obtenir plus de clients. Tu obtiens plus de clients en obtenant :

1) Plus de leads

2) De meilleurs leads

3) Des leads moins chers

4) De manière fiable (pense 'à de nombreux endroits')

Copyright © 2024 par ACQUISITION.COM LLC. NON DESTINÉ À LA DISTRIBUTION.

En résumé : toutes choses étant égales par ailleurs... <u>Lorsque tu doubles tes leads, tu doubles ton business.</u>

Ce livre te montre comment transformer ton entreprise en une machine à obtenir des leads. Une fois que tu appliques ces modèles, tu *augmentes* instantanément le flux de leads. Et, comme le flux de trésorerie, lorsqu'il y a un flux de leads, il est difficile de ne pas gagner d'argent. Ce livre résoudra définitivement ton problème de « ne pas obtenir assez de leads ».

En un mot : Je vais te montrer comment faire en sorte que des inconnus *veuillent* acheter tes produits.

Qu'est-ce que j'y gagne ?

En un mot : <u>confiance</u>.

Je propose ce livre et le cours qui l'accompagne gratuitement (à un certain coût) dans l'espoir de gagner ta confiance. Je veux que ce livre offre plus de valeur que n'importe quel cours à 1000 $, programme de coaching à 30 000 $ ou diplôme à 100 000 $. Bien que je pourrais vendre ces conseils de cette manière, *je ne veux pas.* J'ai un modèle différent, que j'explique ci-dessous.

Qui est-ce que je cherche à aider ?

Je veux apporter de la valeur à deux types d'entrepreneurs. Le premier est en dessous de 1 000 000 $ par an de <u>bénéfice</u>. Mon but est de t'aider à réaliser un bénéfice annuel de 1 000 000 $ (gratuitement) et, en même temps, de gagner *ta confiance*. Essaie quelques tactiques de ce livre, obtiens quelques leads, puis essaie en quelques autres, et obtiens plus de leads. Plus tu obtiens de leads, mieux c'est.

Fais-le assez, et tu deviendras le deuxième type d'entrepreneur : celui qui réalise un bénéfice de plus de 1 000 000 $ en EBITDA (un terme sophistiqué pour désigner le profit) par an. Une fois que tu y arrives, ou si c'est déjà ton cas, ce serait un honneur pour moi d'investir dans ton entreprise et de t'aider à croître.

Je ne vends pas de coaching, de mastermind, de cours, ni rien de ce genre... J'investis.

<u>J'achète des parts dans des entreprises en croissance, rentables et autofinancées.</u> Ensuite, j'utilise les systèmes, les ressources et les équipes de *toutes mes entreprises* pour accélérer la croissance de *ton* entreprise.

Mais ne me crois pas encore... *nous venons de nous rencontrer.*

 Copyright © 2024 par ACQUISITION.COM LLC. NON DESTINÉ À LA DISTRIBUTION.

Note de l'Auteur : Nos critères d'investissement ont changé depuis le dernier livre

Si tu as remarqué certains changements dans nos critères d'investissement, tu as raison. Nous avons modifié notre seuil d'investissement minimum, passant de 3 000 000 $ de revenus à 1 000 000 $ de bénéfices.

De plus, nous investissions autrefois principalement dans des entreprises éducatives et de services. Mais, notre portefeuille s'est élargi. Nous avons bien réussi en dehors de ces industries. Ainsi, maintenant, tant qu'une entreprise répond à nos critères de taille et est rentable, génère des liquidités et croît, nous envisageons d'investir.

Mon modèle d'entreprise

Mon business model est simple :

    1) Fournir des produits gratuits de meilleure qualité que les produits payants du marché.

    2) Gagner la confiance des entrepreneurs qui réalisent plus de 1 000 000 $ de bénéfices par an.

    3) Investir dans ces entrepreneurs pour accélérer leur croissance.

    4) Aider tout le monde gratuitement, pour toujours.

Notre processus inverse l'ingénierie du succès. Les gagnants savent que mes modèles fonctionneront pour eux parce qu'ils l'ont déjà fait. Et je sais que les gagnants les utiliseront parce qu'ils le font déjà. Nous fonctionnons donc sur la confiance partagée.

Cette approche évite les échecs et augmente la probabilité de réussite. Gagnant-gagnant. Facile à dire, mais laisse-moi te montrer combien notre processus fait la différence…

Au cours des 12 premiers mois, une entreprise moyenne de notre portefeuille a augmenté son chiffre d'affaires de **1,8 fois et ses profits de 3,01 fois.** Et nous nous engageons à long terme, il s'agit simplement des 12 premiers mois. Une entreprise moyenne de notre portefeuille, qui est avec nous entre 12 et 24 mois, a multiplié son chiffre d'affaires par **2,3 et ses profits par 4,7.** Pour une expérience amusante, insère tes chiffres pour voir à quoi cela ressemblerait pour toi. Cela fonctionne.

C'est ainsi que je sais que les modèles que je m'apprête à te montrer fonctionnent. Ils l'ont déjà fait.

La mission d'Acquisition.com

Rendre les vraies affaires accessibles à tous. Les entreprises résolvent des problèmes. Les entreprises améliorent le monde. Il y a trop de problèmes pour qu'une seule personne les résolve.

Et je ne peux pas guérir le cancer, mettre fin à la faim ou résoudre la crise énergétique mondiale (pour l'instant). Mais je *peux* apporter de la valeur aux entrepreneurs qui créent les entreprises qui le feront. Je veux aider à créer autant d'entreprises que possible afin de résoudre autant de problèmes que nous pouvons. Comme cela je peux partager ces modèles de créations d'entreprise plutôt que de les garder pour moi. Assez équitable, non ?

Cool. Poursuivons.

Présentation basique de ce livre

J'ai structuré ce livre en partant de zéro client, zéro leads, zéro publicité, zéro argent, zéro compétence (Section II) jusqu'à un maximum de clients, de leads, de publicité, d'argent et de compétences (Section IV). Nous développons davantage de compétences au fur et à mesure de la progression dans le livre. Et lorsque nous avons plus de compétences, nous pouvons *obtenir plus de leads en même temps.* Ainsi, nous terminons avec les compétences les plus complexes qui nous procurent le plus de leads pour le temps investi. Nous les réservons pour la fin car elles nécessitent beaucoup de compétences *et* d'argent. Et, devenir compétent et avoir de l'argent prend du temps. Je veux que ce livre aide une personne à obtenir ses cinq premiers clients et à atteindre *son* premier mois de dix millions de dollars et au-delà.

Cet ordre rappelle également aux personnes *ayant* des compétences et de l'argent, moi inclus, les bases que nous avons arrêté de faire. *Nos entreprises méritent mieux.* Respecter les méthodes éprouvées qui t'ont permis d'atteindre ton niveau actuel te permettra probablement d'atteindre le suivant. Les maîtres ne négligent jamais les bases. Ainsi, nous passons de l'obtention de ton premier lead à la construction d'une machine à leads de plus de 100 000 000 $.

Voici la répartition :

<u>Section I</u> : *Tu es sur le point de finir de la lire en ce moment même.*

<u>Section II</u> : Je révèle ce qui rend la publicité vraiment efficace. La plupart des entrepreneurs pensent à la publicité de la mauvaise manière. Puisqu'ils pensent à la publicité de la mauvaise manière, ils agissent de la mauvaise manière pour obtenir des leads. Tu veux faire les bonnes choses pour obtenir des leads. Voici la méthode.

<u>Section III</u> : Nous apprenons les « quatre principes fondamentaux » de la publicité. Il n'y a que quatre façons d'obtenir des leads. Donc, s'il y a une section plus importante de « comment faire », c'est celle-ci.

<u>Section IV</u> : Nous apprenons comment faire en sorte que d'autres personnes (clients, employés, agences et affiliés) fassent tout à ta place. Cela achève l'assemblage de ta machine à leads de 100 millions de dollars pleinement opérationnelle.

<u>Section V</u> : Nous concluons avec un plan publicitaire d'une page que tu peux utiliser pour obtenir plus de leads dès aujourd'hui.

TICKET D'OR :

Nous investissons dans des entreprises générant plus de 1 000 000 $ de bénéfices pour les aider à se développer. Si tu souhaites que nous investissions dans ton entreprise pour la faire évoluer, rendez-vous sur Acquisition.com. Tu peux également trouver des livres et des cours gratuits tellement efficaces qu'ils feront grandir ton entreprise sans ton consentement. Et si tu n'aimes pas taper dans la barre de recherche, tu peux scanner le QR code ci-dessous pour les obtenir.

SCANNE MOI

Copyright © 2024 par ACQUISITION.COM LLC. NON DESTINÉ À LA DISTRIBUTION.

Copyright © 2024 par ACQUISITION.COM LLC. NON DESTINÉ À LA DISTRIBUTION.

Section II : Acquérir une nouvelle compréhension

Publicité. Simplifiée.

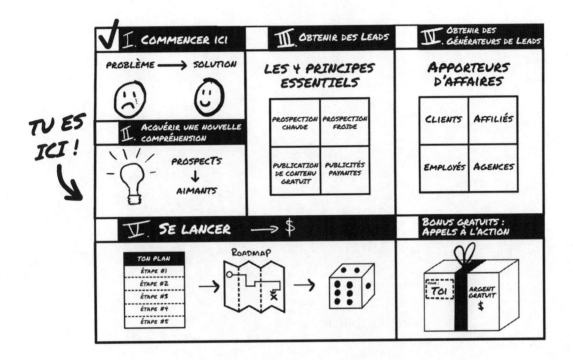

Dans cette section, nous abordons trois éléments pour nous assurer que la publicité fasse exactement ce que nous voulons qu'elle fasse. Premièrement, nous allons parler de ce qu'est réellement un lead. Si nous voulons plus de leads, nous devons être certains de parler de la même chose. Deuxièmement, nous apprendrons à séparer les leads qui te rapportent de l'argent de ceux qui gaspillent ton temps. Troisièmement, je vais te montrer les meilleures façons que je connais pour inciter les leads qui te rapportent de l'argent à *manifester de l'intérêt pour les produits que tu vends…*

Plongeons-y.

Copyright © 2024 par ACQUISITION.COM LLC. NON DESTINÉ À LA DISTRIBUTION.

Copyright © 2024 par ACQUISITION.COM LLC. NON DESTINÉ À LA DISTRIBUTION.

Des leads seuls ne suffisent pas

« Si vous ne pouvez pas l'expliquer simplement, c'est que vous ne le comprenez pas assez bien. »
— *Dr. Richard Feynman, Lauréat du prix Nobel de Physique*

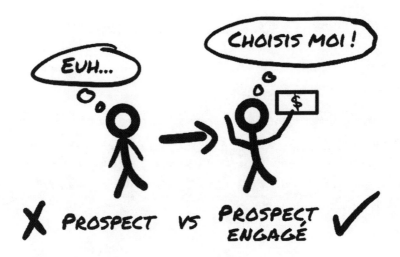

Je vais te révéler un petit secret. Ce livre est né parce que quelqu'un m'a demandé ce qu'était un lead. On pourrait penser que c'est simple, mais je n'ai pas pu donner une réponse claire. Et après six mois à essayer de comprendre, j'étais plus confus qu'auparavant. Il est devenu évident que *je ne savais pas autant de choses sur les leads que je le pensais.* Ma recherche d'une définition *claire* de « lead » a pris de l'ampleur pour devenir le projet massif qu'est devenu *$100M Leads*. Tout cela pour dire que nous devons être d'accord sur ce qu'est exactement un lead avant de plonger tête première dans le processus pour les obtenir…

Alors, qu'est-ce qu'un « lead » ?

Quelqu'un qui clique sur une publicité ?

Un numéro de téléphone ?

Une personne qui planifie un appel ?

Une liste de noms ?

Une porte à laquelle tu frappes ?

Un visiteur ?

Une adresse e-mail ?

Un abonné ?

Une personne qui voit ton contenu ?

Etc…

Copyright © 2024 par ACQUISITION.COM LLC. NON DESTINÉ À LA DISTRIBUTION.

Tu vois, les mots ont de l'importance car ils influent sur notre manière de penser. Notre façon de penser affecte ce que nous faisons. Et si les mots nous poussent à penser de la mauvaise manière, alors nous ferons probablement de mauvaises choses. Je déteste faire de mauvaises choses. Donc, pour faire davantage les bonnes choses et moins les mauvaises, il est préférable de savoir ce que signifient les mots et de les utiliser correctement.

Pour couper le suspense, un **lead** est une personne que tu peux contacter. C'est tout. Si tu as acheté une liste d'adresses e-mail, ce sont des leads. Si tu obtiens des informations de contact à partir d'un site web ou d'une base de données, ce sont des leads. Les numéros dans ton téléphone sont des leads. Les gens dans la rue sont des leads. *Si tu peux les contacter, ce sont des leads.*

Mais ce que j'ai fini par réaliser, c'est *que les leads seuls ne suffisent pas*. Nous voulons **des leads engagés :** des personnes qui 'manifestent' de l'intérêt pour ce que tu vends. Si quelqu'un *donne* ses coordonnées sur un site web, c'est un lead engagé. Si quelqu'un te *suit* sur les réseaux sociaux et que tu peux le contacter, c'est un lead engagé. Si les gens *répondent* à ta campagne d'e-mail, ce sont des leads engagés. Les leads qui *manifestent de l'intérêt* sont des leads qui nous intéressent.

Les leads engagés sont le véritable résultat de la publicité.

Obtenir plus de leads *engagés* est l'objectif de ce livre. Mais je ne pouvais pas appeler le livre « leads engagés » car personne n'aurait compris. Mais maintenant, c'est le cas. Alors la question suivante est : *comment incitons-nous les leads à s'engager ?*

Copyright © 2024 par ACQUISITION.COM LLC. NON DESTINÉ À LA DISTRIBUTION.

Implique tes leads : Offres et lead magnets

« Je ne prends pas de drogue. Je suis la drogue. »
— *Salvador Dali*

Avril 2016.

J'ai payé 25 000 $ pour faire partie de ce groupe, et *tout le monde* m'a conseillé de faire un webinaire. En fait, mon mentor de l'époque m'a dit : « Fais un webinaire chaque semaine jusqu'à ce que tu gagnes un million de dollars. D'ici là, ne me parle de rien d'autre ». *C'était mon seul chemin vers le succès. Il fallait que je le comprenne.*

Un webinaire, tel que je le comprenais, était une présentation magique avec un tas de diapositives. Si quelqu'un regardait, cela l'hypnotiserait pour qu'il achète mon truc.

Il y avait tellement de choses que je ne savais pas. Pages de destination (landing pages). Pages d'inscription. Emails de suivi. Emails de relance. Emails de clôture de commande. Logiciel de présentation. Intégration du site web. Rédaction d'annonces. Création d'annonces créatives. Trouver où placer les annonces. À qui montrer les annonces. Construire une page de paiement. Traiter les paiements. Sans parler de la création *réelle du webinaire*. La liste me submergeait.

Alors, j'ai commencé par ce que je comprenais le mieux, la page de destination (landing page). J'en ai construit quelques-unes pour mes salles de sport. Mon mentor a fait des millions avec des webinaires, alors j'ai modélisé la page de destination. Mais je n'avais pas besoin qu'elle me fasse gagner des millions. Je voulais juste qu'elle fasse *quelque chose*.

D'accord... maintenant, la page de remerciements.

Un dimanche entier plus tard, la page de remerciements a été mise en ligne. *Maintenant, le grand test.* J'ai saisi mon e-mail dans la page de destination, cliqué sur « *inscription* » et j'ai attendu. Ma toute nouvelle

Copyright © 2024 par ACQUISITION.COM LLC. NON DESTINÉ À LA DISTRIBUTION.

page de remerciement s'est chargée avec succès. Bien que je n'aie pas encore atteint le statut de millionnaire, j'en prenais acte. C'était déjà un accomplissement.

Le dimanche suivant, je me suis assis pour ma routine 'travailler *sur* l'entreprise, pas *dans* l'entreprise'. J'avais dix heures pour comprendre la prochaine pièce de ce puzzle du webinaire. Après ma première tasse de café, j'ai décidé que je n'avais pas vraiment envie de travailler, mais je voulais quand même me sentir productif. Alors, je suis allé sur le forum de mon groupe de publicité pour obtenir quelques conseils.

« Je viens de terminer mon webinaire. 32 000 $ en une heure ! J'ai récupéré l'intégralité des frais de scolarité la première semaine ! Les webinaires, c'est génial ! »

Je ne vais jamais réussir. Il a rejoint le groupe le même mois que moi. Il était dans la même industrie que moi. Il a réussi à gagner de l'argent avec son webinaire avant moi. Il volait tous les clients avant que j'aie moi-même une chance. *Tout le monde gagne de l'argent sauf moi.*

Désespéré, j'ai appelé d'autres personnes du groupe. « Je ferai n'importe quoi pour votre entreprise : construire une équipe de vente... rédiger vos scripts de vente... améliorer votre processus de vente... n'importe quoi... aidez-moi juste à *terminer ce webinaire*... s'il vous plaît » Une personne a accepté de m'aider. *Dieu merci.*

Huit dimanches plus tard, et le petit cercle à côté de ma campagne publicitaire devint vert. *Il fonctionne !* Je dépensais officiellement 150 $ par jour en publicités. Tout ce que je devais faire maintenant, c'était regarder l'argent affluer. J'allais être riche !

Trois jours, 450 $, 80 leads et 0 ventes plus tard...

J'ai tout arrêté. *Je suis nul.*

Personne n'a même regardé mon webinaire. Pendant ce temps, ce gars a *encore* posté à propos de l'argent qu'il gagnait avec ses webinaires. *Pourquoi suis-je aussi nul ?*

J'ai dépensé la plupart de mon argent pour rejoindre ce groupe, et je viens de gaspiller *encore* 450 $. Je n'avais pas l'argent pour échouer de nouveau. J'avais *besoin* que la prochaine chose fonctionne. Et si je ne pouvais même pas convaincre quelqu'un de regarder mon webinaire, quel était l'intérêt ?

L'étude de cas :

Je faisais défiler mon fil d'actualités pour voir ce que faisaient les autres. Une annonce a attiré mon attention. *« Étude de cas gratuite sur Comment j'ai dépensé 1 $ et gagné 123 000 $ en un week-end »* ou quelque chose du genre. J'ai saisi mon adresse e-mail, et la page m'a dirigé vers une vidéo qui présentait une campagne publicitaire réussie. Rien de fantaisiste. Pas de diapositives. Pas de « présentation ». Juste un gars expliquant comment ses trucs fonctionnaient.

Ça, je peux le faire.

J'ai lancé mon enregistreur d'écran :

D'accord tout le monde. Alors voici le compte publicitaire d'une salle de sport que nous venons d'ouvrir. Voici les annonces que nous avons diffusées. Voici combien nous avons dépensé. Nous les avons dirigés vers cette page avec cette offre. Tu peux voir combien de leads nous avons obtenus ici. Ils ont planifié autant de personnes. Autant se sont présentées. Voici combien ils ont vendu. Voici combien le propriétaire de la salle de sport a gagné. Voici tout ce que nous avons fait. Si tu souhaites de l'aide pour mettre en place quelque chose de similaire, nous le ferons entièrement gratuitement. Et nous ne serons payés que sur les ventes que tu réalises. Si cela te semble équitable, réserve un appel.

Ça a pris peut-être 13 minutes. Simple. J'ai remplacé le webinaire par cette vidéo et j'ai changé le titre :

« Étude de cas GRATUITE : Comment nous avons ajouté 213 membres et 112 000 $ de revenus à une petite salle de sport à San Diego. »

Ils pouvaient réserver un appel sur la page suivante.

J'ai lancé une nouvelle campagne publicitaire et je suis allé me coucher.

Le lendemain matin...

« Alex... qu'as-tu fait ? » demanda Leila.

« Qu'est-ce que tu veux dire ? »

« Des inconnus ont rempli mon calendrier pour la prochaine semaine. »

« Vraiment ? »

« Oui. Tu as lancé une nouvelle campagne ou quelque chose comme ça ? »

« Oui... mais je ne pensais pas que ce serait diffusé si rapidement. Attends. Les gens ont réservé des appels !? »

« Oui. Beaucoup. »

Voir le calendrier de Leila rempli de rendez-vous m'a rempli de joie.

Ça fonctionnait !

J'ai appris une leçon importante. *Ils ne voulaient pas de mon webinaire. Mais ils voulaient ma présentation d'étude de cas.*

Cette découverte accidentelle m'a montré comment fonctionnait réellement l'obtention de leads.. Il faut *donner aux gens quelque chose qu'ils veulent.*

La meilleure partie c'est que : c'est plus facile que tu ne le penses.

Copyright © 2024 par ACQUISITION.COM LLC. NON DESTINÉ À LA DISTRIBUTION.

Note de l'Auteur : Les webinaires fonctionnent toujours

Évidemment, ils ont fonctionné pour l'autre gars de mon groupe. Mais je n'avais pas les compétences nécessaires à l'époque pour que ça fonctionne. J'étais tellement marqué par ma première expérience que je n'ai pas essayé de faire un autre webinaire pendant des années. Consacre ton temps à tester l'offre plutôt qu'à perfectionner un produit non testé. C'était ma révélation. Je devais simplement proposer quelque chose de simple que les gens désiraient. Pour les propriétaires de salles de sport, c'était une étude de cas illustrant comment j'ai rempli des salles de sport en 30 jours.

Les lead magnets incitent les leads à s'engager

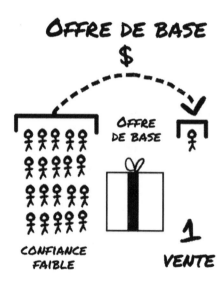

Les offres, c'est ce que tu promets de donner en échange de quelque chose de valeur. Souvent, une entreprise promet de donner son produit ou service en échange d'argent. C'est une *offre principale*. Si tu fais de la publicité pour ton offre principale, alors tu vas directement vers la vente - le chemin direct vers l'argent. Faire de la publicité pour ton offre principale pourrait être tout ce dont tu as besoin pour inciter les leads à s'engager. Essaye cette méthode en premier.

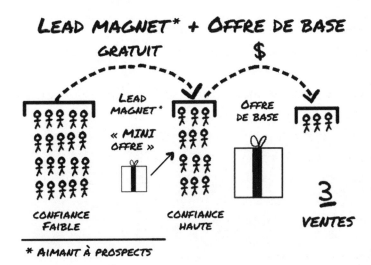

Cependant, parfois, les gens veulent en savoir plus sur ton offre avant d'acheter. C'est courant chez les entreprises qui vendent des produits plus chers. Si c'est ton cas, tu obtiendras souvent plus de leads en les incitant à s'engager en faisant d'abord de la publicité avec un lead magnet. Un **lead magnet** (aimant à prospects) est une <u>solution complète dédiée à un problème précis</u>. C'est généralement une offre à faible coût ou gratuite pour voir qui s'intéressent à tes produits. Et, une fois ce problème résolu, cela révèle un autre problème *résolu par ton offre principale*. C'est important car les leads intéressés par des offres à faible coût ou gratuites sont plus susceptibles d'acheter ultérieurement une offre associée plus coûteuse.

Penses-y comme des bretzels salés dans un bar. Si quelqu'un mange les bretzels, il aura soif et commandera une boisson. Les bretzels salés résolvent le problème spécifique de la faim. Ils révèlent également un problème de soif résolu par une boisson, qu'ils peuvent obtenir en échange d'argent. Les bretzels ont un coût, mais lorsque c'est bien fait, les revenus de la boisson couvrent le coût des bretzels et génèrent un profit.

Ainsi, ton lead magnet devrait avoir une valeur suffisante en lui-même pour que tu puisses le facturer. Et, après l'avoir obtenu, ils devraient vouloir plus de ce que tu offres. Cela les rapproche un peu plus de l'achat de tes produits. <u>Une personne qui paie avec son temps maintenant est plus susceptible de payer avec son argent plus tard.</u>

Les bons lead magnets attirent plus de leads et de clients engagés qu'une offre principale seule, et le font pour moins d'argent. Alors, faisons un lead magnet, d'accord ?

Conseil de Pro : Même les choses gratuites ont un coût

Les gens te donneront du temps avant de te donner de l'argent. Mais, le temps représente toujours un coût. Si ton lead magnet ne vaut pas leur temps, il est trop cher. Et, gratuit ou non, ils n'achèteront pas chez toi à nouveau. Alors, vois les choses de cette façon : *s'ils estiment que ton lead magnet vaut leur temps, ils estimeront que ton offre principale vaut leur argent.*

Copyright © 2024 par ACQUISITION.COM LLC. NON DESTINÉ À LA DISTRIBUTION.

Sept étapes pour créer un lead magnet efficace

Étape 1 : Identifie le problème que tu souhaites résoudre et pour qui tu souhaites le résoudre.

Étape 2 : Trouve comment le résoudre.

Étape 3 : Décide comment le livrer

Étape 4 : Teste le nom à lui donner

Étape 5 : Rends-le facile à consommer

Étape 6 : Fais-le carrément bien

Étape 7 : Facilite-leur la tâche pour qu'ils en veuillent plus

Quelque chose à garder à l'esprit avant de commencer - les offres Grand Chelem fonctionnent aussi bien, voire mieux, pour les choses gratuites que pour les choses payantes. Alors, fais de ton lead magnet quelque chose d'incroyablement bon, au point que les gens se sentent bêtes de dire non. Et oui, cela signifie que tu peux avoir quelques offres incroyablement précieuses (même si certaines sont gratuites). Mais c'est une bonne chose. L'entreprise qui offre le plus de valeur l'emporte. Point final. Alors, commençons.

Étape 1 : Identifie le problème que tu veux résoudre et pour qui tu veux le résoudre

Voici un exemple simple que nous pouvons parcourir ensemble... ce livre est un lead magnet. Tu es un lead. Je veux résoudre un problème de leads engagés. Et je veux le résoudre pour les entreprises réalisant *moins de* 1 000 000 $ de bénéfices annuels. Avec suffisamment de leads engagés, elles peuvent réaliser *plus de* 1 000 000 $ de bénéfices annuels. Ensuite, elles sont éligibles pour mon offre principale : investir dans leur entreprise pour les aider à se développer.

La première étape consiste à choisir le problème à résoudre. J'utilise un modèle simple pour le déterminer. Je l'appelle le cycle Problème-Solution. Tu peux le voir ci-dessous.

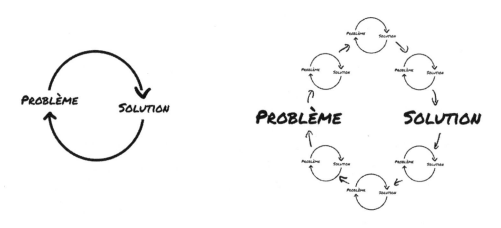

 Copyright © 2024 par ACQUISITION.COM LLC. NON DESTINÉ À LA DISTRIBUTION.

Chaque problème a une solution. Chaque solution révèle de nouveaux problèmes. C'est le cycle sans fin du business (et de la vie). Et, de plus petits cycles problème-solution se trouvent à l'intérieur de cycles problème-solution plus importants. Alors, comment choisissons-nous le bon problème à résoudre ? Nous commençons par choisir un problème étroit *et* significatif. Ensuite, nous le résolvons. Comme nous venons de le voir, lorsque nous résolvons un problème, un nouveau problème se révèle. Voici la partie importante : *si nous pouvons résoudre ce nouveau problème avec notre offre principale, nous avons gagné.* C'est parce que nous résolvons ce nouveau problème *en échange d'argent.* C'est tout. Ne complique pas les choses.

Exemple : Imagine que nous aidons des propriétaires à vendre leur maison. C'est une solution large. Mais qu'en est-il des étapes *avant* de vendre une maison ? Les propriétaires veulent savoir combien vaut leur maison. Ils veulent savoir comment augmenter sa valeur. Ils ont besoin de photos. Ils ont besoin que la maison soit propre. Ils ont besoin d'aménagement paysager. Ils ont besoin de petites réparations. Ils ont besoin de services de déménagement. Ils peuvent avoir besoin de mise en scène. Etc. Ce sont tous des problèmes *spécifiques,* parfaits pour des lead magnets. Nous choisissons l'un de ces problèmes spécifiques et le résolvons gratuitement. Et même si cela les aide, cela rend leur autre problème plus évident : *ils doivent toujours vendre leur maison.* Mais maintenant, nous avons gagné leur confiance. Nous pouvons donc les facturer pour résoudre leurs problèmes restants avec notre offre principale et les aider à atteindre leur objectif.

Étape Action : Choisis le problème étroitement défini que tu souhaites résoudre. Ensuite, assure-toi que ton offre principale peut résoudre le problème suivant qui se présentera.

Étape 2 : Trouver comment le résoudre

Il existe trois types de lead magnets, et chacun offre une solution différente.

Premièrement, si ton public a un problème dont il n'est pas conscient, ton lead magnet doit lui faire prendre conscience de ce problème. Deuxièmement, tu pourrais résoudre un problème récurrent pendant une courte période avec un échantillon ou un essai de ton offre principale. Troisièmement, tu peux leur donner une étape dans un processus à plusieurs étapes qui résout un problème plus important. Les trois types de lead magnet résolvent un problème et en révèlent d'autres. Ainsi, tes trois types sont : 1) Révèle les problèmes, 2) Échantillons et essais, et 3) Une étape d'un processus à plusieurs étapes.

TYPES D'AIMANTS À PROSPECTS

#1 RÉVÈLE LE PROBLÈME

#2 ESSAI GRATUIT

#3 ÉTAPE GRATUITE DE 1 À X

ÉTAPE 1 ÉTAPE 2 ÉTAPE 3 ÉTAPE 4 ÉTAPE 5

GRATUIT $ $ $

Copyright © 2024 par ACQUISITION.COM LLC. NON DESTINÉ À LA DISTRIBUTION.

1) **Révèle leur problème.** Pense « diagnostic ». Ces lead magnets sont efficaces lorsqu'ils mettent en lumière des problèmes qui s'aggravent davantage avec le temps.

    o Exemple : Tu effectues un test de vitesse qui montre que leur site web se charge à 30 % en dessous de la vitesse prévue. Tu établis un lien clair entre où ils devraient être et combien d'argent ils perdent en étant en dessous des normes.

    o Exemple : Tu effectues une analyse de la posture et tu leur montres à quoi devrait ressembler leur posture. Tu établis un lien clair avec à quoi ressemblerait leur vie sans douleur si leur posture était corrigée et comment tu peux les aider.

    o Exemple : Tu effectues une inspection contre les termites qui révèle ce qui se passe lorsque les insectes mangent leur maison. S'ils ont des termites, tu peux les éliminer à moindre coût que le coût initial....d'une autre maison. S'ils n'en ont pas, ils peuvent te payer pour empêcher les termites de venir dès le départ ! Tu peux les convaincre des deux manières. Gagnant-gagnant !

2) **Échantillons et essais.** Tu offres un accès complet mais bref à ton offre principale. Tu peux limiter le nombre d'utilisations, le temps d'accès, ou les deux. Cela fonctionne très bien lorsque ton offre principale est une solution récurrente à un problème récurrent.

    o Exemple : Tu les connectes à ton serveur plus rapide et montres que leur site web se charge à la vitesse de l'éclair. Ils attirent plus de clients grâce aux temps de chargement plus rapides. S'ils veulent le conserver, ils doivent continuer à te payer.

    o Exemple : Tu offres un ajustement gratuit pour leur mauvaise posture et ils ressentent un soulagement. Pour obtenir des bénéfices permanents, ils doivent acheter davantage.

    o Exemple : Aliments, cosmétiques, médicaments ou tout autre produit *consommable*. Les produits consommables, par nature, ont des utilisations limitées et résolvent des problèmes récurrents... avec une utilisation récurrente. Ainsi, les échantillons de taille unique, les miniatures, etc. sont d'excellents lead magnets. C'est ainsi que Costco vend plus de produits alimentaires que d'autres magasins - ils distribuent des échantillons !

    Copyright © 2024 par ACQUISITION.COM LLC. NON DESTINÉ À LA DISTRIBUTION.

Conseil de Pro : Sois un dealer de drogues

Beaucoup de gens gagnent de l'argent en vendant des médicaments (légalement et illégalement). Un échantillon gratuit de médicament est un lead magnet. Ils peuvent se permettre d'offrir une « dose » gratuitement parce que, une fois que les gens essaient, ils sont accros. C'est tellement bon qu'ils reviennent pour en avoir plus. C'est pourquoi nous ne « diluons » pas la valeur de nos lead magnets ni ne distribuons de contenus vides. Au contraire, comme un dealer, tu voudras offrir la « dose » la plus forte en premier. Cela incite les prospects à en vouloir plus. Ton lead magnet est ta première « dose ». La suivante, ils devront la payer. Sois un dealer (légal) et tu gagneras de l'argent comme eux.

PS - Quoi que tu fasses, assure-toi que ce soit légal.

3) **Une étape d'un processus à plusieurs étapes.** Lorsque ton offre principale comporte des étapes, tu peux offrir une précieuse étape gratuitement et le reste lorsqu'ils achètent. Cela fonctionne bien lorsque ton offre principale résout un problème plus complexe.

o Exemple : Ce livre. Je t'aide à atteindre plus de 1 000 000 $ de profit par an. Ensuite, tu auras de nouveaux problèmes que nous pourrons t'aider à résoudre et à évoluer à partir de là.

o Exemple : Tu offres un scellant pour bois gratuit pour une porte de garage. Mais le processus de scellement nécessite trois couches différentes pour protéger le bois contre toutes les conditions météorologiques. Tu fais la première gratuitement, tu expliques comment elle ne donne qu'une couverture partielle, et tu proposes les deux autres en lot.

o Exemple : Tu offres des cours de finance gratuits, des guides, des calculateurs, des modèles, etc. Ils ont tellement de valeur ajoutée que les gens peuvent vraiment tout faire eux-mêmes. Mais ils révèlent aussi le temps, l'effort et les sacrifices nécessaires pour tout faire. Tu proposes donc des services financiers pour résoudre tout cela.

Étape Action : Choisis comment tu veux résoudre le problème défini.

Note de l'Auteur : Ce que nous pouvons apprendre des cabines d'essayage « essaie avant d'acheter »

Il y a des années, tu n'avais pas le droit d'essayer des articles avant de les acheter. Ensuite, un propriétaire d'entreprise astucieux a créé une cabine d'essayage. Leurs ventes ont probablement explosé. À tel point que c'est maintenant une pratique classique dans tous les magasins de vêtements. Voici pourquoi la cabine d'essayage est si puissante : elle est les trois types de lead magnets *en un*. Tu peux essayer quelque chose, *comme un essai*. Cela *révèle également un problème*, car une fois que tu essaies un article, tu peux constater que tu as besoin de quelque chose de différent de ce que tu avais prévu. Et une fois que tu trouves une chemise que tu aimes... un bon vendeur pourrait dire : « voulez-vous un pantalon qui va avec ? » Cela devient la première étape d'un processus à plusieurs étapes de création *d'une tenue*. Alors, si possible, essaie de trouver un lead manget qui fait les trois : révéler un problème, leur donner un avant-goût de la solution et le montrer comme une petite partie d'un ensemble complet.

Étape 3 : Décide comment le livrer

MÉCANISME DE LIVRAISON

#1 LOGICIEL   #2 INFORMATION   #3 SERVICES   #4 PRODUITS PHYSIQUES

Il existe une multitude de façons de résoudre des problèmes. Cependant, mes lead magnets préférés sont ceux qui les résolvent avec : des logiciels, des informations, des services et des produits physiques. Et chacun d'entre eux fonctionne très bien avec les trois types de lead magnets de la deuxième étape. Je vais te montrer ce que j'ai fait pour attirer les propriétaires de salles de sport en utilisant chaque type de lead magnet.

1) <u>Logiciel</u> :

Tu leur fournis un outil. Si tu as une feuille de calcul, un calculateur ou un petit logiciel, ta technologie fait le travail pour eux.

  o Exemple : Je distribue une feuille de calcul ou un tableau de bord qui fournit à un propriétaire de salle de sport toutes ses statistiques commerciales pertinentes, les compare aux moyennes de l'industrie, puis leur attribue un classement.

Copyright © 2024 par ACQUISITION.COM LLC. NON DESTINÉ À LA DISTRIBUTION.

2) <u>Information</u> :

Tu leur apprends quelque chose. Cours, leçons, entretiens avec des experts, présentations principales, événements en direct, erreurs et écueils, astuces, etc. Tout ce dont ils peuvent apprendre.

    o Exemple : Je propose un mini-cours pour les salles de sport sur la rédaction d'une annonce.

3) <u>Services</u> :

Tu travailles gratuitement. Soulage leurs maux. Effectue un audit de leur site web. Applique la première couche de scellant pour le garage. Transforme leur vidéo en livre électronique, etc.

    o Exemple : Je gère gratuitement les annonces des propriétaires de salles de sport pendant trente jours.

4) <u>Produits physiques</u> :

Tu leur donnes quelque chose qu'ils peuvent tenir dans leurs mains. Un graphique d'évaluation de la posture, un complément alimentaire, une petite bouteille de scellant pour porte de garage, des gants de boxe pour attirer des prospects de salle de boxe, etc.

    o Exemple : Je vends un livre pour les propriétaires de salles de sport appelé « Les Secrets de Lancement d'une salle de sport ».

Avec trois différents types de lead magnets et quatre façons de les livrer, cela fait jusqu'à douze lead magnets qui résolvent un problème étroit unique. Tant de magnétisme, si peu de temps !

Je crée autant de versions d'un lead magnet que possible et je crée une rotation. Cela permet une publicité fraîche *et* demande peu d'efforts. De plus, tu peux voir lesquels fonctionnent le mieux. Comme mon histoire d'étude de cas au début du chapitre, les résultats sont souvent surprenants. Et tu ne le sauras pas tant que tu n'essaies pas.

<u>Étape Action</u> : À titre d'exercice de réflexion, pense à un lead magnet et crée ensuite une version de celui-ci pour chaque méthode de livraison. Tu peux toujours le décliner, je te le promets. Ensuite, choisis comment livrer ton lead magnet.

Étape 4 : Effectue des tests pour trouver le meilleur nom

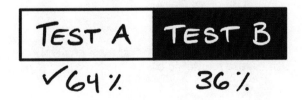

David Ogilvy a dit : « Quand tu as rédigé ton titre, tu as dépensé 80 cents de ton dollar (publicitaire). » Ce que cela signifie, c'est que cinq fois plus de personnes lisent ton titre que n'importe quelle autre partie de ta publicité. Elles le lisent et prennent une décision rapide de lire la suite... ou non. Comme le suggère

Copyright © 2024 par ACQUISITION.COM LLC. NON DESTINÉ À LA DISTRIBUTION.

Ogilvy, les prospects doivent remarquer ton lead magnet avant de pouvoir le consommer. Que cela te plaise ou non, cela signifie que la façon dont nous le présentons compte plus que tout. Par exemple, améliorer le titre, le nom et la présentation de ton lead magnet peut multiplier par 2, 3 ou 10 l'engagement. C'est aussi important que cela. De plus, si personne ne s'intéresse à ton lead magnet, personne ne saura jamais à quel point il est bon. Tu ne peux pas laisser cela au hasard. Alors écoute bien. Voici ce que tu fais ensuite : tu testes. Les trois choses que tu voudrais tester sont le titre, l'image ou les images et le sous-titre, dans cet ordre. Le titre est le plus important. Donc, si tu ne testes qu'une seule chose, teste cela. Par exemple, je n'avais aucune idée de comment intituler ce livre. Voici donc ce que j'ai fait pour savoir quel nom fonctionnerait le mieux : **j'ai testé**. Les résultats peuvent te surprendre autant qu'ils m'ont surpris.

Tests de titres

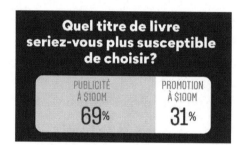

Tour I : Publicité ✔ vs Leads

Tour II : Publicité vs Prospect ✔

Tour III : Marketing vs Prospect ✔

Copyright © 2024 par ACQUISITION.COM LLC. NON DESTINÉ À LA DISTRIBUTION.

Tests d'images

✔ Réel vs Dessin animé

Sous-titres

Tour I :   Tour II :

« Comment inciter davantage de personnes à vouloir acheter vos produits »

« Comment inciter des inconnus à vouloir acheter vos produits » ✔

« Comment inciter davantage d'inconnus à vouloir acheter vos produits. »

« Comment inciter des inconnus à vouloir acheter vos produits » ✔

Copyright © 2024 par ACQUISITION.COM LLC. NON DESTINÉ À LA DISTRIBUTION.

Tour III :

Tour IV :

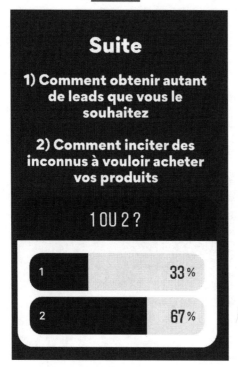

« Comment obtenir autant de leads
que vous le souhaitez. »

« Comment inciter des inconnus à
vouloir acheter vos produits. » ✔

« Inciter des inconnus à vouloir
acheter vos produits. »

« Comment inciter des inconnus à
vouloir acheter vos produits. » ✔

Remarquons deux choses avec les tests de sous-titres :

1) « Comment inciter des inconnus à vouloir acheter vos produits » a largement surpassé « Inciter des inconnus à vouloir acheter vos produits ». La seule différence réside dans un seul mot « comment ». Et cela a également surpassé « Comment obtenir autant de leads que vous le souhaitez » avec un seul mot retiré, « davantage ». De petits changements peuvent faire une grande différence.

2) Comme beaucoup de personnes l'ont demandé, j'ai pensé y répondre ici. Je n'ai pas sous-titré le livre « Comment inciter des inconnus à acheter vos produits » car ce sous-titre traite des ventes, pas de la génération de prospects. L'objectif de ce livre est de susciter l'intérêt des inconnus, pas de les faire acheter (pour l'instant). Lever la main, c'est là que se termine ce livre. 'Ventes de 100 millions de dollars' ou 'Persuasion' (je n'ai pas encore décidé) sera un prochain livre. Un problème à la fois.

Étape Action : Teste. Si les gens s'engagent en masse, tu as un gagnant.

Et si tu as ne serait-ce qu'un petit nombre de followers, tu peux lancer des sondages comme ceux-ci. Tu n'as pas besoin de beaucoup de votes pour avoir une idée générale. Si tu ne peux pas le faire, publie un message sur chaque plateforme et demande aux gens de répondre par un '1' ou un '2', puis compte-les. Si tu ne peux même pas faire cela, envoie simplement des messages aux gens et demande-leur. Il y a toujours une

 Copyright © 2024 par ACQUISITION.COM LLC. NON DESTINÉ À LA DISTRIBUTION.

solution, et c'est l'une des actions les plus rentables que tu puisses entreprendre avec ton temps. Assure-toi que la façon dont tu le présentes suscite de l'engagement et te donne un bon départ.

Points bonus : Si les gens répondent au sondage *et* demandent quand ils pourront y avoir accès, tu as un énorme gagnant.

Étape 5 : Facilite-leur la consommation

Les gens préfèrent faire des choses qui demandent peu d'efforts. Donc, si nous voulons que davantage de personnes profitent de notre lead magnet et le consomment, nous devons le rendre facile. Tu peux observer des augmentations de 2x, 3x voire 4x ou plus dans des taux de conversion *et de* consommation simplement en facilitant la consommation.

1) <u>Logiciel</u> : Tu dois le rendre accessible sur leurs téléphones, sur un ordinateur et dans différents formats. De cette manière, ils choisiront celui qui leur est le plus facile.

2) <u>Information</u> : Les gens aiment consommer les choses de différentes manières. Certains aiment regarder, d'autres aiment lire, d'autres aiment écouter, etc. Propose ta solution dans autant de formats que possible : images, vidéo, texte, audio, etc. Offre-les tous. C'est pourquoi ce livre est disponible dans tous les formats.

3) <u>Services</u> : Sois disponible à plus de moments et de plus de manières possibles. Plus de moments dans la journée. Plus de jours dans la semaine.. Via un appel vidéo, un appel téléphonique, en personne, etc. Plus tu es facile à joindre, plus il est probable que les gens deviennent des leads engagés pour réclamer ce que tu offres.

4) <u>Produits physiques</u> : Rends la commande super simple et rapide à recevoir. Rends le produit lui-même rapide et simple à ouvrir. Donne des instructions simples sur l'utilisation du produit. Exemple : Apple a conçu ses produits de manière à ce qu'ils n'aient même pas besoin de modes d'emploi. Et l'emballage est tellement bien fait que la plupart des gens conservent les boîtes.

Copyright © 2024 par ACQUISITION.COM LLC. NON DESTINÉ À LA DISTRIBUTION.

<u>Étape Action</u> : Emballe ton lead magnet de toutes les manières possibles. Cela augmente considérablement le nombre de leads engagés. Et plus de prospects s'engagent avec ton lead magnet, plus de prospects en tirent de la valeur. C'est énorme.

Petit fait amusant : mon livre « *L'Offre à 100M$* » à une répartition presque parfaite en 1/4, 1/4, 1/4, 1/4 entre les livres électroniques, les livres physiques, les livres audio et les vidéos (gratuites sur Acquisition. com). Rendre le livre disponible dans plusieurs formats est la manière la plus simple que je connaisse pour obtenir 2-3-4 fois plus de leads pour le même travail. Si je ne le rendais disponible que dans un seul format, je manquerais les 3-4 fois plus de personnes qui n'auraient pas lu le livre autrement. Quel dommage cela aurait été et quel gaspillage.

Étape 6 : Fais-le vraiment bien

Dévoile les secrets, vends la mise en œuvre

Le marché juge tout ce que tu as à offrir, que ce soit *gratuit ou non*. Et tu ne pourras jamais fournir trop de valeur. Mais, tu *peux* en fournir trop peu. Tu veux donc que ton lead magnet fournisse tellement de valeur que les gens se sentent obligés de te payer. L'objectif est de fournir plus de valeur que <u>le coût de ton offre principale</u> *avant même qu'ils ne l'aient achetée.*

Penses-y de cette manière. Si tu as peur de divulguer tes secrets, imagine l'alternative : tu offres des choses sans intérêt. Les personnes qui auraient pu devenir des clients pensent que *cette personne est nulle ! Elle ne propose que des choses sans intérêt* ! Ensuite, ils achètent chez quelqu'un d'autre. Tellement triste. En plus de cela, ils disent à d'autres personnes qui auraient pu acheter chez toi de ne pas le faire. C'est un cercle vicieux que tu ne veux pas suivre.

Mais rappelle-toi, les gens achètent des choses en fonction de la valeur qu'ils pensent qu'ils vont obtenir après l'achat. Et la manière la plus simple de les convaincre d'obtenir une tonne de valeur après l'achat est... roulement de tambour s'il vous plaît... de leur fournir de la valeur *avant* l'achat.

Imagine une entreprise passant de 1 million de dollars à 10 millions de dollars simplement en consommant mon contenu gratuit. La probabilité qu'ils collaborent avec Acquisition.com est énorme parce que *j'ai payé ma part avant même que nous commencions.*

<u>Étape Action</u> : 99 % des gens n'achèteront pas, mais ils créeront (ou détruiront) ta réputation en fonction de la valeur de ton contenu gratuit. Donc, rends tes lead magnets aussi bons que ton contenu payant. Ta réputation en dépend. Fournis de la valeur. Empile les cartes. Récolte les récompenses.

Étape 7 : Facilite-leur la tâche pour qu'ils te disent qu'ils en veulent plus

Une fois que les leads ont consommé le lead magnet, certains seront prêts à acheter ou à en savoir plus sur ton offre. C'est le moment de faire un Appel à l'Action. Un Appel à l'Action (**CTA - *pour Call to Action***) *indique à l'audience ce qu'il faut faire ensuite.* Mais, il y a un peu plus que cela. Du moins, si tu veux que ta publicité fonctionne. Les bons CTA ont deux éléments : 1) quoi faire et 2) raisons de le faire *dès maintenant.*

 Copyright © 2024 par ACQUISITION.COM LLC. NON DESTINÉ À LA DISTRIBUTION.

<u>Que faire</u> : Les CTA indiquent à l'audience d'appeler le numéro, de cliquer sur le bouton, de fournir des informations, de réserver l'appel, etc. Il y en a bien trop pour tous les énumérer. Sache simplement que les CTA indiquent à l'audience comment devenir des leads engagés. Les bons CTA utilisent un langage clair, simple et direct. Pas de « *ne tardez pas* », mais plutôt « *appelez maintenant* ». Lis le paragraphe suivant pour en savoir plus (tu vois ce que j'ai fait là ?).

<u>Raisons de le faire dès maintenant</u> : Si tu donnes aux gens une raison d'agir, plus de personnes le feront. Mais garde à l'esprit quelque chose : d'abord, les bonnes raisons fonctionnent mieux que les mauvaises raisons. Et deuxièmement, n'importe quelle raison (même mauvaise) a tendance à fonctionner mieux que l'absence de raison. Ainsi, pour inciter davantage de personnes à agir, j'inclus autant de raisons efficaces que possible. Voici mes raisons préférées pour agir maintenant :

a) Rareté - La rareté *survient lorsqu'il y a une quantité limitée de quelque chose*, surtout lorsqu'il y a une faible offre par rapport à la demande. Lorsque quelque chose est rare, comme ton lead magnet ou ton offre, les gens ont tendance à le vouloir davantage. C'est pourquoi ils sont plus susceptibles d'agir dès maintenant. Moins tu en as, plus les gens le considèrent comme précieux. Mais il y a un piège - moins tu en as, moins de leads engagés tu peux obtenir avant que ce soit épuisé. Donc, la meilleure stratégie que je connaisse pour la rareté est - *la réalité.* Laisse moi t'expliquer. Si tu vends 1000 fois plus aux clients demain, pourrais-tu le gérer ? Sinon, tu as une limite quant à la quantité que tu peux vendre.

Peut-être que tu es limité par le service client, l'intégration, l'inventaire, les créneaux horaires par semaine, etc. Ne garde pas cela secret, fais de la publicité. Cela te donne une rareté éthique. Si tu ne peux gérer que cinq nouveaux clients par semaine, dis-le. Mets en avant la rareté naturelle dans ton entreprise. Si tu as des limitations, autant les utiliser pour gagner de l'argent.

> Par exemple : « *Les créneaux horaires les plus pratiques se remplissent rapidement. Appelle maintenant pour obtenir celui que tu veux.* »
>
> « *Je ne peux gérer que cinq personnes par semaine, alors si tu veux que cela soit résolu rapidement, fais xyz...* »
>
> « *Nous n'avons imprimé qu'un lot de chemises et nous ne reproduirons jamais ce design, achètes-en une pour ne pas regretter de passer à côté pour toujours...* »

b) Urgence - Tu peux avoir une quantité illimitée à vendre, mais disons que tu arrêtes de les vendre dans une heure... intentionnellement. Je parie que plus de gens que d'habitude achèteront ta chose pendant cette heure-là. C'est l'urgence en action. **L'urgence** *est quand les gens agissent plus rapidement parce qu'ils ont peu de temps.* Et moins de temps ont les gens, plus vite (plus urgemment) ils ont tendance à agir. Donc, si tu raccourcis le temps pendant lequel ils peuvent agir sur ton CTA, tu peux inciter plus de personnes à agir plus vite. Tu peux aussi utiliser la même urgence avec des remises ou des bonus qui disparaissent après X minutes ou heures. Après quoi, cette offre ne sera plus jamais disponible.

> Par exemple : « *Notre promotion du 4 juillet se termine lundi à minuit, alors si tu veux en profiter, agis maintenant.* »
>
> « *Notre promotion du Black Friday se termine à minuit. Il ne reste que quatre heures. Profites-en tant que l'occasion est là.* »

« Jusqu'à vendredi, je rajouterai aussi un chapeau gratuit à toute personne qui achète plus de trois livres. Alors, si tu veux avoir l'air stylé avec un chapeau Acquisition.com, achète maintenant. »

Conseil de Pro : La tactique d'urgence que j'utilise le plus souvent

Je fixe des délais pour les bonus. De cette manière, je n'ai pas besoin de changer mes tarifs ou mes produits tout le temps. Je peux simplement changer le bonus. J'aime créer quelques bonus de valeur et les faire tourner chaque semaine. Et s'ils n'agissent pas d'ici la fin de la semaine, ils vont *réellement* passer à côté du bonus. La meilleure partie, c'est que c'est une manière facile de rendre les CTA plus efficaces *sans plafonner les ventes*.

---

c) **Planificateur de fêtes de fraternité (mon préféré) - Invente une raison.**

Les fraternités* n'ont pas besoin d'une raison pour faire la fête, mais elles en inventent toujours des folles. « John s'est fait enlever les dents de sagesse... soirée ! », « Lundi Margherita ! », « Mardi en toge », « Jeudi assoiffé ! » etc. Ta raison n'a même pas besoin d'avoir du sens, et elle incitera toujours plus de personnes à agir. En fait, Harvard a réalisé une expérience montrant que les gens étaient plus susceptibles de laisser quelqu'un passer devant eux dans une file s'ils donnaient simplement une raison. Le nombre de personnes qui laissaient passer augmentait si la raison avait du sens (comme la rareté et l'urgence). Mais n'importe quelle raison fonctionne toujours mieux que l'absence de raison. Alors, j'essaie toujours d'en inclure une. Pense aux « choses que tu dis » après le mot *« parce que »*. Exemples :

- « Parce que ...., maman sait mieux que nous. »
- « Parce que....., votre pays a besoin de vous. »
- « Parce que..., c'est mon anniverdaire et je veux le célébrer avec vous. »

Étape Action : Donne un appel à l'action clair, simple et orienté vers l'action.

Ensuite, donne leur la « raison du pourquoi » en utilisant la rareté, l'urgence et toutes les autres raisons auxquelles tu peux penser. Et fais-le souvent. Ne sois pas astucieux, sois clair.

Même si ton lead magnet coûte de l'argent à créer, il devrait quand même réduire ton coût pour acquérir un nouveau client. Cela s'explique par le fait que plus de leads engagés signifient plus d'opportunités d'obtenir des clients. Et les clients supplémentaires couvrent largement tes coûts. C'est le but.

Disons que tu fais 10 000 $ de bénéfices sur ton offre principale. Et cela te coûte 1 000 $ en publicité pour amener quelqu'un à passer un appel. Si tu convertis un client sur trois, cela te coûte 3 000 $ en publicité pour obtenir un client. Comme nous avons 10 000 $ de profit à faire travailler, c'est bien. Mais nous sommes astucieux, nous pouvons faire mieux. Alors, faisons mieux.

---

* Sociétés (qui peuvent être secrètes ou pseudo-secrètes) d'étudiants et d'anciens étudiants universitaires

 Copyright © 2024 par ACQUISITION.COM LLC. NON DESTINÉ À LA DISTRIBUTION.

Imagine que tu fasses de la publicité pour un lead magnet gratuit au lieu de ton offre principale. Ton lead magnet te coûte 25 $ à fournir, et parce qu'il est gratuit pour eux, plus de gens s'engageront. L'engagement supplémentaire signifie que cela te coûte seulement 75 $ en publicité pour amener quelqu'un à passer un appel. Tout compris, c'est 100 $ par appel. En fournissant de la valeur avant qu'ils n'achètent, tu obtiens dix fois plus de prospects engagés pour le même coût.

Note : cela se produit tout le temps lorsque tu réussis avec le lead magnet.

Maintenant, disons qu'une personne sur dix recevant le lead magnet achète ton offre principale. Cela signifie que ton nouveau coût pour acquérir un client est de 1 000 $ (100 $ multiplié par 10 personnes). Nous venons de réduire notre coût pour obtenir un client de 3 fois. Donc, au lieu de dépenser 3 000 $ pour obtenir un nouveau client, en utilisant un lead magnet, nous ne dépensons que 1 000 $. Étant donné que nous faisons 10 000 $, c'est un retour sur investissement de 10:1. Donc, si nous maintenons notre budget publicitaire identique et utilisons un lead magnet, *nous triplons notre business*. N'oublie pas : l'objectif est d'imprimer de l'argent, pas seulement d'obtenir notre « juste part ».

C'est là que les propriétaires d'entreprise expérimentés surpassent les débutants. Avec un budget de 25 $ pour fournir ton lead magnet, tu peux offrir BEAUCOUP plus de valeur qu'un budget de 0 $. C'est fou, je sais. Tu attires plus de clients parce que ton lead magnet est plus précieux que celui des autres. Souvent, beaucoup plus. Cela se traduit par plus d'inconnus devenant des prospects engagés. Cela se traduit également par plus de ventes parce que tu as fourni de la valeur à l'avance. Gagnant. Gagnant. Gagnant.

Étapes à suivre :

Étape 0 : Si tu as du mal à obtenir des prospects, crée un lead magnet incroyable.

Étape 1 : Identifie le problème que tu veux résoudre pour le bon client.

Étape 2 : Décide comment tu veux le résoudre.

Étape 3 : Trouve comment le livrer.

Étape 4 : Donne-lui un nom intéressant et clair.

Étape 5 : Facilite sa consommation.

Étape 6 : Assure-toi qu'il est vraiment bon.

Étape 7 : Dis-leur quoi faire ensuite, pourquoi c'est une bonne idée, fais-le clairement et fais-le souvent.

Conclusion de la Section II

Mon objectif avec ce livre est de démystifier le processus d'obtention de prospects. Dans le premier chapitre, nous avons expliqué pourquoi des leads seuls ne suffisent pas - tu as besoin de *leads engagés*. Dans le deuxième chapitre, nous avons expliqué comment faire pour que les leads s'engagent - *avec un lead magnet ou une offre de valeur*. Et un bon lead magnet accomplit quatre choses :

1) Engage les clients idéaux lorsqu'ils le voient.

2) Incite plus de personnes à s'engager que ton offre principale seule.

3) Apporte assez de valeur ajoutée pour qu'ils le consomment.

4) Rend les bonnes personnes plus susceptibles d'acheter.

Ainsi, plus de personnes montrent de l'intérêt pour nos produits. Nous gagnons plus d'argent avec eux. Et nous offrons plus de valeur que jamais - le tout en même temps.

À suivre :

Nous nous sommes armés d'un lead magnet puissant. Maintenant, je vais te montrer les quatre façons dont nous pouvons le promouvoir. En d'autres termes, maintenant que nous avons « la marchandise », il faut informer les gens à son sujet. Allons chercher des prospects.

BONUS GRATUIT : Tutoriel bonus sur la création du lead magnet ultime

Si tu veux une vue plus approfondie de la manière dont nous créons des lead magnets incroyablement bons, va sur Acquisition.com/training/leads. C'est gratuit et disponible au public. Comme promis, mon objectif est de gagner ta confiance. Et la confiance se construit brique par brique. Permets à cette formation d'être la première de nombreuses briques. Profites-en. Tu peux également scanner le QR code ci-dessous si tu n'aimes pas taper dans la barre de recherche.

SCANNE MOI

 Copyright © 2024 par ACQUISITION.COM LLC. NON DESTINÉ À LA DISTRIBUTION.

Section III : Obtenir des leads

Les quatre méthodes essentielles de la publicité

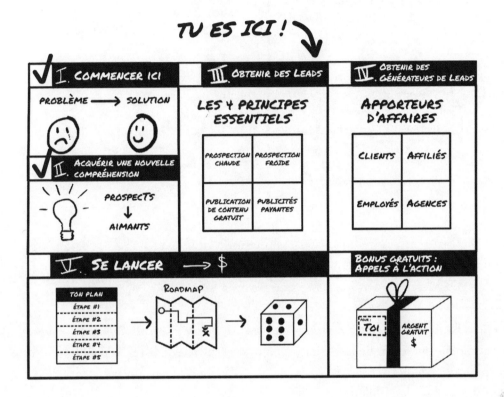

Nous obtenons des prospects engagés en faisant savoir aux gens ce que nous proposons. Et il y a deux types de personnes à informer : ceux qui nous connaissent déjà et ceux qui ne nous connaissent pas. De plus, il existe deux façons de leur faire savoir : de manière individuelle et de manière collective. Ces deux approches se combinent pour former les quatre méthodes de base qu'une personne peut utiliser pour informer d'autres personnes de n'importe quoi. Explorons comment nous pouvons utiliser ces quatre méthodes pour obtenir des prospects.

Copyright © 2024 par ACQUISITION.COM LLC. NON DESTINÉ À LA DISTRIBUTION.

Deux types d'audience : chaude et froide

Les audiences chaudes sont des *personnes qui t'ont donné la permission de les contacter.* Pense à « ceux qui te connaissent », autrement dit, des amis, de la famille, des abonnés, des clients actuels, d'anciens clients, des contacts, etc.

Les audiences froides sont *des personnes qui ne t'ont pas donné la permission de les contacter.* Pense à « des inconnus », autrement dit, les audiences d'autres personnes : achat de listes de contacts, création de listes de contacts, paiement de plateformes pour l'accès, etc. La différence est importante car elle change *la manière* dont nous les ciblons dans la publicité.

Deux façons de communiquer : un à un (privé), un à plusieurs (public)

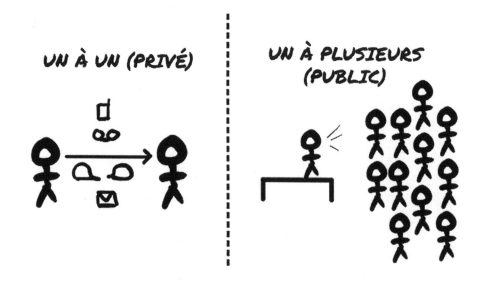

Tu peux contacter les gens cn privé 1 à 1 ou à plusieurs. Une autre façon de voir cela est la communication privée ou publique. La communication privée est lorsque seulement une personne reçoit un message à la fois. Pense à un « appel téléphonique » ou à un « e-mail ». Si tu annonces quelque chose publiquement, de nombreuses personnes peuvent le recevoir en même temps. Pense aux « publications sur les réseaux sociaux », aux « panneaux d'affichage » ou aux « podcasts ».

Maintenant, l'automatisation peut *rendre* cela confus. Ne te laisse pas tromper. L'automatisation signifie simplement que certaines tâches sont effectuées par des machines. La nature de la communication reste la même. Par exemple, l'e-mail est un-à-un. Envoyer un e-mail à une liste de 10 000 personnes « une fois » ressemble plutôt à du un-à-un très rapide grâce à une machine. L'automatisation, que nous abordons plus tard, est l'une des nombreuses façons d'obtenir des prospects de manière intensive. Comme pour les audiences, la différence entre la communication publique et privée est importante car elle change la manière *dont* nous faisons de la publicité.

Plan de la Section III : Obtenir des leads

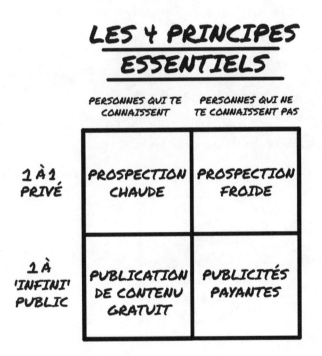

Combiner des audiences chaudes et froides avec des communications en un-à-un et en un-à-plusieurs nous conduit aux quatre techniques dont nous pouvons faire savoir à quelqu'un quelque chose : les quatre actions essentielles. Je les ai combinées ci-dessous pour toi.

- Un-à-un avec une audience chaude = Prospection chaleureuse
- Un-à-plusieurs avec une audience chaude = Publication de contenu
- Un-à-un avec une audience froide = Prospection froide
- Un-à-plusieurs avec une audience froide = Publicités payantes

Copyright © 2024 par ACQUISITION.COM LLC. NON DESTINÉ À LA DISTRIBUTION.

Ce sont les *seules* quatre actions que tu peux faire pour faire savoir aux autres ce que tu vends. Et chaque méthode nous rapproche un peu plus du pays des prospects débordants. Je fais référence aux quatre actions essentielles tout au long du reste du livre, alors apprends à les connaître. En fait, fais-en une partie intégrante de toi-même.

Une fois que tu le fais, tu auras ta propre « carte de sortie de prison » à emporter pour toujours. Elle te donnera autant de chances de réussir dans les affaires que tu ne pourrais jamais le souhaiter pour le *reste de ta vie*. Enfin, du moins, c'est ce qu'il en a été pour moi.

Donc, si tu n'obtiens pas autant de prospects que tu le souhaites, tu ne fais pas les quatre actions essentielles avec suffisamment de compétence ou de volume. Nous couvrons tous ces détails en profondeur. Comment elles fonctionnent. Comment les faire. Quand les faire. Et comment mesurer ta progression en cours de route. Cela simplifie le monde trop confus de la publicité en quatre actions essentielles. Soit tu les fais et tu obtiens autant de prospects que tu le souhaites, soit tu te fais écraser par ceux qui le font.

BONUS GRATUIT : Formation bonus - Le cadre des quatre actions

J'ai donné une formation en direct où j'ai expliqué + de 50 itérations qui ont créé cette simple boîte 2 x 2. J'explique comment utiliser le cadre des quatre actions pour obtenir le plus de prospects possible et définir des objectifs au sein de ton entreprise. Si tu le veux, tu peux l'obtenir gratuitement ici : Acquisition.com/training/leads. Tu peux également scanner le QR code ci-dessous si tu n'aimes pas taper.

SCANNE MOI

 Copyright © 2024 par ACQUISITION.COM LLC. NON DESTINÉ À LA DISTRIBUTION.

#1 Approche chaleureuse

Comment entrer en contact avec les personnes que tu connais

«Le monde appartient à ceux qui peuvent continuer à agir sans voir le résultat de leur action.»

Mai 2013. Les débuts.

Pour la troisième fois ce jour-là, j'ai sorti mon téléphone et vérifié mon compte en banque. *51 128,13 $.* J'ai laissé échapper un petit soupir de soulagement. C'est étonnant comment des années de travail et d'économies peuvent tenir dans un si petit écran. Me sentant bien pour l'instant, je suis passé sur les réseaux sociaux pour obtenir plus de dopamines. Des amis de l'université postulaient pour une école de commerce. Des lettres d'acceptation remplissaient mon fil d'actualité. Moi aussi, j'ai commencé le processus de candidature à l'école de commerce.

J'avais le choix : je pouvais soit quitter mon emploi et aller à l'école de commerce, soit quitter mon emploi et créer une entreprise.

La candidature me fixait du regard - *En quoi un MBA* de Harvard aidera-t-il vos objectifs à court et à long terme ?*

Cette question a changé ma vie. J'ai passé trois jours à essayer d'y répondre. À la fin du troisième jour, j'ai vu la vérité - *cela n'aiderait pas.* 150 000 $ de prêts et deux ans sans revenu ne m'aideraient pas à démarrer une entreprise. Du moins, pas autant que de créer une entreprise et de prendre deux ans pour la comprendre. *Je pourrais gagner la même somme d'ici la fin de mes études et éviter la dette.* Du moins, c'est ce que je me suis dit.

---

* Le programme MBA proposé par HBS est un programme à temps plein de deux ans. La première année est consacrée à l'achèvement du programme d'études requis, composé de cours obligatoires. Il y a deux semestres par programme, chaque semestre étant consacré à des sujets spécifiques.

Copyright © 2024 par ACQUISITION.COM LLC. NON DESTINÉ À LA DISTRIBUTION.

Alors j'ai quitté mon emploi et j'ai pris les dispositions pour lancer mon entreprise. J'ai créé Impetus Group LLC. Check. J'ai ouvert un compte bancaire professionnel. Check. J'ai ouvert un compte marchand pour traiter les paiements. Check. Il n'y avait toujours pas d'argent qui rentrait, mais au moins je me sentais « légitime ».

Impetus Group LLC. (prononce à voix haute...)

La première personne à qui j'ai parlé de ma nouvelle entreprise a dit : « Impotence* ? » *Mon Dieu, je suis nul. Pas étonnant que le nom soit disponibl*e. J'ai immédiatement changé ça pour 'The Free Training Project.' Un nom qui ne craint pas ? Check. J'étais dans les affaires.

Mais j'avais un problème - je ne savais rien de la publicité ou des ventes. Mais je savais que j'avais besoin de clients. Alors, j'ai simplement demandé autour de moi. J'ai appelé, envoyé des SMS et des messages Facebook à un tas de gens que je connaissais.

« Hey, connaissez-vous quelqu'un qui essaie de se remettre en forme ? Je forme gratuitement des personnes pendant douze semaines. En plus de cela, je leur ferai un plan nutritionnel personnalisé et une liste de courses. Tout ce qu'ils ont à faire, c'est de faire un don à une œuvre de bienfaisance de leur choix et de me laisser utiliser leur témoignage. »

Seulement six personnes ont dit oui. Six. Deux amis du lycée. Un ami d'université. Et trois personnes qu'ils ont recommandées. J'ai envoyé à tout le monde des plans de fitness et nous nous sommes mis au travail. Nous nous sommes testés pendant la semaine pour suivre les progrès. Heureusement, ils étaient tous mes amis, donc ils ont donné le meilleur d'eux-mêmes. Ils m'ont encouragé plus que quiconque dans mes débuts. Une décennie plus tard, j'ai encore leurs photos avant et après.

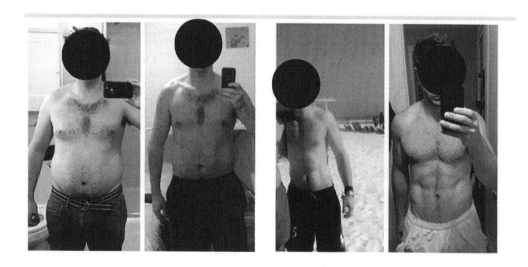

---

*   État d'une personne réduite à l'infirmité ou à l'invalidité.

   Copyright © 2024 par ACQUISITION.COM LLC. NON DESTINÉ À LA DISTRIBUTION.

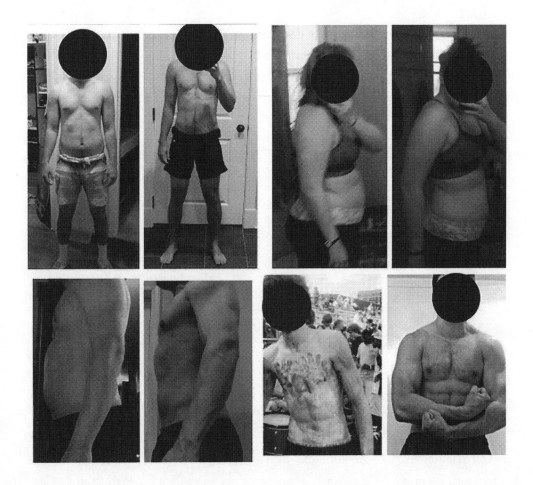

Et c'est là que la décision de ne pas faire d'école de commerce a commencé à me hanter. Quelques mois plus tard, je doutais de moi-même. Ma « pile » d'argent ne paraissait pas aussi grosse sans rentrée mensuelle d'argent. Et cela a commencé à devenir un véritable problème. Donc, après douze semaines de la période « donnez à une œuvre de bienfaisance », je leur ai demandé de me payer à la place. J'étais maintenant la charité. Ha. Je craignais qu'ils soient mécontents de me payer à la place, mais ils ne semblaient pas s'en soucier.

Une fois qu'ils ont obtenu des résultats, je leur ai demandé d'envoyer leurs amis. À ma grande surprise, j'ai eu cinq ou six autres clients grâce à leurs recommandations. J'ai demandé aux recommandations de me payer directement. Encore une fois, cela ne les dérangeait pas. Cette petite entreprise rapportait environ 4 000 $ par mois et remplaçait le revenu de mon premier emploi. Cela me donnait assez d'argent pour vivre (et même un peu plus). Mes économies ont recommencé à croître. Soupir de soulagement.

Si cette entreprise semble simple, c'est parce qu'elle l'était. J'envoyais des plans à mes clients par e-mail et ils me textaient les questions qu'ils avaient en cours de route. C'est à peu près tout.

Donc, si tu commences, tu n'as pas besoin de grand-chose. Tout ce dont tu as besoin c'est d'un identifiant fiscal, d'un compte bancaire, d'un moyen de recevoir des paiements et d'un moyen de communiquer avec les gens.

Copyright © 2024 par ACQUISITION.COM LLC. NON DESTINÉ À LA DISTRIBUTION.

Mais, cette dernière partie - un moyen de communiquer avec les gens - est la partie la plus importante. C'est ainsi que tu obtiens des leads. Donc, même si je n'avais pas conscience que j'utilisais l'approche chaleureuse, l'un des *quatre principes*, c'est ainsi que j'ai obtenu mes premiers leads. Je *continue* encore à obtenir des leads de cette manière (juste avec des chiffres plus importants). Et je te montrerai comment tu peux le faire aussi.

Comment fonctionnent les approches chaleureuses

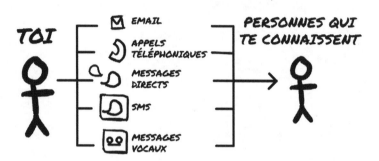

Les approches chaleureuses sont des contacts individuels avec ton audience chaude - autrement dit, les personnes qui te connaissent. C'est la manière la moins chère et la plus facile de trouver des personnes intéressées par ce que tu vends. C'est super efficace - et la plupart des entreprises ne le font pas. Ne sois pas comme la plupart des entreprises. De plus, tu as une audience chaude, même si tu ne le sais pas. Tout le monde connaît quelqu'un. Ainsi, tes contacts personnels sont le moyen le plus facile de commencer.

Les approches chaleureuses se présentent généralement sous forme d'appels, de messages texte, d'e-mails, de messages directs, de messages vocaux, etc. Et comme nous l'avons appris dans la Section II, tu fais la publicité de l'une de deux choses. Tu les informes de ton lead magnet (quelque chose de gratuit et de précieux) ou tu les informes de ton offre principale (le principal produit que tu vends).

Lorsque tu commences à faire des prospections chaleureuses, tu n'obtiens pas beaucoup de prospects engagés pour le temps que tu investis. Tu fais tout toi-même et chaque message est personnel. Mais, pour cette raison, c'est *fiable*. Aussi sûr que le soleil se lève et se couche, cela fonctionne.

Note : Contacter ton audience chaude fonctionne que tu aies 100 contacts ou 1 000 000. À mesure que ton entreprise se développe, tu utiliseras l'automatisation et des employés pour la rendre plus efficace. Les systèmes commencent petits, avec toi, mais ils peuvent être mis à grande échelle. Je détaille comment mettre en œuvre ces systèmes pour des audiences plus importantes dans la Section IV.

 Copyright © 2024 par ACQUISITION.COM LLC. NON DESTINÉ À LA DISTRIBUTION.

Comment faire des approches chaleureuses en 10 étapes

Les approches chaleureuses sont un moyen fantastique d'obtenir tes « Cinq Premiers Clients » pour n'importe quel nouveau produit ou service.

Pour les personnes avancées : pense au réengagement et aux nouvelles lignes de produits. Voici comment le faire :

Étape 1 : Fais ta liste

Étape 2 : Choisis une plateforme

Étape 3 : Personnalise ton message

Étape 4 : Contacte-les

Étape 5 : Réchauffe-les

Étape 6 : Invite leurs amis

Étape 7 : Fais-leur la meilleure offre au monde

Étape 8 : Reviens au début

Étape 9 : Commence à facturer

Étape 10 : Garde ta liste au chaud

(Étape 1) « Mais je n'ai pas de leads... » → Tout le monde a une liste

Tu connais d'autres humains. Laisse-moi te le prouver.

- Prends ton téléphone. À l'intérieur, tu as des contacts. *Chaque contact s'est abonné à tes communications*. Ils t'ont donné les moyens et la permission de les contacter.

- Consulte tous les comptes de messagerie que tu as utilisés au fil des ans. Extrais tes contacts et la liste d'adresses de chacun. Bingo ! Regarde tous ces leads.

- Maintenant, va sur tous tes profils de réseaux sociaux. Regarde tes abonnés, tes amis, tes connexions, ou autres termes utilisés par les jeunes de nos jours… eurêka - tu as plus de leads !

Copyright © 2024 par ACQUISITION.COM LLC. NON DESTINÉ À LA DISTRIBUTION. **53**

Additionne <u>tous</u> tes contacts de <u>toutes</u> les plateformes. Sérieusement, note le nombre. Entre ton téléphone, ta messagerie électronique, les médias sociaux et d'autres plateformes, tu auras plus que suffisamment de contacts pour commencer. Pour beaucoup d'entre vous, cela constituera tes premiers 1000 prospects. Regarde ça ! « Je n'ai pas de leads. » Pff. Tu viens d'en trouver.

Et si tu as peur de devoir parler aux gens. Détends-toi. Tu vas aimer ce que je vais te montrer ensuite.

(Étape 2) « Mais je ne sais pas par où commencer… » → Choisis une plateforme

Choisis la plateforme sur laquelle tu as le plus de contacts. Téléphone, e-mail, médias sociaux, courrier, pigeon voyageur, etc. Peu importe. Choisis simplement celle avec le plus de contacts. Tu les toucheras tous tôt ou tard de toute façon.

(Étape 3) « Mais que dois-je dire ? » → Personnalise ta salutation

Utilise quelque chose que tu connais sur le contact comme véritable raison de prendre contact. Si tu n'as pas beaucoup d'informations personnelles, tu peux consulter leurs profils sur les médias sociaux pour en savoir un peu plus sur eux au préalable.

Ne sois pas bizarre. Paye tes dettes sociales. Rappelle-toi, tu n'as rien demandé. Tu prends simplement des nouvelles et tu fournis de la valeur.

Alors… détends-toi.

Exemple : J'ai vu que vous venez d'avoir un bébé ! Félicitations ! Comment va le bébé ? Comment ça va pour vous ?

(Étape 4) « Et maintenant ? » → Contacte. Cent. Personnes. Chaque. Jour.

« Pour obtenir ce que tu veux, tu dois mériter ce que tu veux » - Charlie Munger.

Maintenant, contacte 100 d'entre eux par jour avec tes messages personnalisés. Tu les appelleras, tu enverras des SMS, des e-mails, des messages, des cartes postales, etc. Et tu les contacteras jusqu'à trois fois. Une fois par jour pendant trois jours* ou jusqu'à ce qu'ils répondent. Selon la première éventualité.

*Une fois par semaine avec le courrier physique.

 Copyright © 2024 par ACQUISITION.COM LLC. NON DESTINÉ À LA DISTRIBUTION.

> **Conseil de Pro : Enlève le pansement**
>
> Le premier contact est toujours le plus difficile et celui qui prend le plus de temps. Le deuxième contact prendra des minutes. Le troisième, des secondes. Accepte d'être médiocre au début. C'est nouveau. C'est ainsi que nous apprenons. En pensant à commencer de nouvelles choses, je me souviens de ce proverbe chinois : « Tout doit être difficile avant de pouvoir être facile ».

(Étape 5) : « Que dois-je dire quand ils répondent ? »
→ Comporte-toi comme un être humain.

Maintenant, nous pouvons briser la glace sans paraître désagréable.

Réponds en utilisant le cadre **A-C-A** :

- **A** comme Accuse réception de ce qu'ils ont dit. Reformule-le avec tes propres mots. Cela montre une écoute active.

    o *Ex : Donc, tu as deux enfants, et tu es comptable…*

- **C** comme *Complimente-les sur ce qu'ils te disent. Lie-le à un trait de caractère positif si possible.*

    o *Ex : …Wow ! Supermaman ! Tellement travailleuse ! Gérer une carrière à plein temps et deux enfants…*

- **A** comme Adresse leur une autre question. Oriente la conversation dans la direction que tu souhaites. Dans ce cas, vers un sujet lié à ton offre. Exemples :

    o Thérapie/Coaching de vie : … *Trouves-tu du temps pour toi ?*

    o Fitness/Perte de poids : … *As-tu le temps de faire des entraînements ?*

    o Services de nettoyage : … *As-tu quelqu'un qui t'aide à maintenir la maison en ordre ?*

Le cadre **ACA** est excellent car il t'aide à parler à n'importe qui. Il se trouve aussi être utile pour faire savoir aux gens ce que tu proposes. Cela signifie que tu peux en apprendre davantage sur la personne et orienter la conversation vers ton offre.

Les gens adorent parler d'eux-mêmes. Alors laisse-les faire. Ils aiment aussi être complimentés, alors fais-le aussi. Et si les gens se sentent bien en parlant avec toi, ils t'apprécieront et te feront davantage confiance. *Tu veux que les gens t'apprécient et te fassent davantage confiance.* D'ailleurs, c'est une bonne pratique de trouver le positif chez tout le monde de toute façon. En parlant de pratique, cela nécessitera de la pratique. Et c'est OK.

Copyright © 2024 par ACQUISITION.COM LLC. NON DESTINÉ À LA DISTRIBUTION.

Conseil de Pro : Par e-mail, sois plus direct

En envoyant un e-mail, tu auras une introduction personnalisée pour montrer que tu as réellement pris le temps de faire des recherches sur eux d'une manière ou d'une autre. Pense à 2 ou 3 phrases. Ensuite, passe directement à ton offre ou à ton lead magnet dont nous parlerons ensuite. Tu fais un peu tout en une fois avec les e-mails ou les messages vocaux.

(Étape 6) « Comment savoir s'ils sont intéressés ? » → Fais-leur une offre

Engage une quantité de conversations « normales ». Pense à 3-4 échanges si c'est au téléphone ou par messagerie, et 3-4 minutes si c'est en personne. Ensuite, tu leur feras une offre pour voir s'ils sont intéressés.

Quand je fais une offre à partir de zéro, je me réfère à l'équation de la valeur. Si tu te demandes « qu'est-ce que l'équation de la valeur ? », c'était le concept central de mon premier livre « *L'Offre à 100M$* ». La valeur, telle que je la définis, comporte quatre éléments :

1) <u>Résultat rêvé</u> : ce que la personne souhaite qu'il se produise, de la manière dont elle le souhaite

- Énonce les meilleurs résultats possibles que ton produit peut obtenir. Gros points bonus si ces résultats proviennent de personnes similaires à celle à qui tu parles.

2) <u>Perception de la probabilité de réussite</u> : à quel point ils pensent qu'il est probable qu'ils atteignent leur objectif

- Inclus les résultats, les avis, les récompenses, les recommandations, les certifications et *d'autres formes de validations tierces*. Les garanties sont également énormes.

Copyright © 2024 par ACQUISITION.COM LLC. NON DESTINÉ À LA DISTRIBUTION.

3) <u>Délai</u> : combien de temps ils estiment qu'il faudra pour obtenir des résultats après leur achat

- Décris à quelle vitesse les gens commencent à obtenir des résultats, à quelle fréquence ils obtiennent des résultats lorsqu'ils commencent, et combien de temps il faut pour obtenir les meilleurs résultats possibles.

4) <u>Effort et sacrifice</u> : Les choses difficiles qu'ils devront endurer et les bonnes choses auxquelles ils devront renoncer dans leur lutte pour obtenir le résultat.

- Montre-leur les bonnes choses qu'ils peuvent continuer à faire, ou qu'ils peuvent faire, et obtenir quand même des résultats. Et montre-leur les mauvaises choses qu'ils peuvent éliminer, ou éviter de faire, et obtenir quand même des résultats.

L'objectif est de maximiser les deux premiers et de minimiser les deux derniers. Alors tout ce que tu as à faire maintenant, c'est montrer à quelqu'un que :

- Tu as exactement ce qu'il veut
- Ils ont la garanti de l'obtenir
- De manière incroyablement rapide
- Sans lever le petit doigt ni renoncer à ce qu'ils aiment

Pas de problème, n'est-ce pas ? De toute évidence, c'est l'idéal. Nous devons nous en approcher autant que possible sans mentir ni exagérer. Alors faisons exactement cela avec une offre réelle :

Au fait, <u>connais-tu quelqu'un</u> qui traverse (décris leurs difficultés) *et qui cherche à atteindre* (rêve de résultat) *d'ici* (délai) *? J'accepte cinq études de cas gratuitement, car c'est tout ce que je peux gérer. Je veux simplement obtenir quelques témoignages pour mon service/produit. Je les aide à atteindre* (rêve de résultat) *sans* (effort et sacrifice). *Ça fonctionne. Je garantis même que les gens obtiennent* (rêve de résultat), *sinon je travaille avec eux jusqu'à ce qu'ils y parviennent. J'ai récemment travaillé avec une fille nommée XXX qui a atteint* (rêve de résultat) *même si elle traversait* (décris la même difficulté que ton contact). *J'ai aussi eu un autre gars qui a atteint* (rêve de résultat) *et c'était sa première fois. J'aimerais juste obtenir plus de témoignages pour montrer que ça fonctionne dans différents scénarios. Quelqu'un que tu apprécies te vient-il à l'esprit ?* (Pause si tu es au téléphone) *... et s'ils disent non... Haha, eh bien... quelqu'un que tu <u>détestes</u> te vient-il à l'esprit ?* (rires) *Cela aide à briser toute gêne.*

Copyright © 2024 par ACQUISITION.COM LLC. NON DESTINÉ À LA DISTRIBUTION.

> ## Conseil de Pro : Sous-entendu de la probabilité de perception de la réussite
>
> Tu remarqueras *qu'à part la garantie,* il n'y a pas de place pour « la perception probable de la réussite ». Mais la manière dont nous expliquons les témoignages comble ce besoin. Après tout, nous n'allons pas dire « *hé !* Je peux évidemment t'aider parce que j'ai aidé quelqu'un exactement comme toi ». Mais nous le *suggérons* en sélectionnant un témoignage aussi proche que possible de leur situation. Et plus tu es dans les affaires, plus tu auras des témoignages correspondants *parfaitement.* Donc, plus il sera facile de montrer des témoignages correspondant *parfaitement* à la personne avec qui tu parles. Ensuite, une fois que tu peux montrer un témoignage parfait, la seule chose meilleure, *c'est d'en avoir une tonne.*

Il y a une caractéristique importante ici. <u>Nous ne leur demandons pas d'acheter quelque chose. Nous demandons s'ils connaissent quelqu'un.</u> Et parmi ceux qui disent oui, la plupart disent *qu'ils* sont intéressés. Tout cela est conçu pour renforcer *leur* perception probable de la réussite. C'est pourquoi nous montrons des difficultés et des résultats de personnes comme eux qui ont des difficultés similaires. Mais nous les laissons relier les points. Comme tu ne leur as pas demandé d'acheter quelque chose, tu ne passes pas pour quelqu'un qui insiste. Certaines personnes montreront de l'intérêt pour ton produit. Certaines te recommanderont à d'autres qui pourraient être intéressées. Certaines feront les deux. Dans tous les cas, tu gagnes. Et tu gagnes sans imposer quoi que ce soit à qui que ce soit.

Si tu as encore moins de temps ou d'espace pour le transmettre, utilise simplement les éléments de valeur l'un après l'autre :

J'aide (client idéal) *à obtenir* (résultat souhaité) *en* (période de temps) *sans* (effort et sacrifice) *et* (augmenter la perception probable de la réussite - consulter le Conseil de Pro ci-dessous).

Note : Ces approches fonctionnent bien pour les e-mails, les SMS, les messages directs, les appels et en personne. Il suffit de remplir les blancs.

Conseil de Pro : 11 façons d'augmenter la probabilité perçue de réussite

Voici comment tu peux augmenter leur percetion de la probabilité de réussite pour que davantage de personnes acceptent ton offre. Inclus une ou plusieurs des options suivantes :

1. Montrer la preuve que nous avons fait ce qu'ils veulent (notre propre histoire)

2. Montrer la preuve de personnes *tout à fait comme eux* obtenant ce qu'elles veulent (pense aux témoignages)

3. Montrer le nombre impressionnant d'avis positifs que nous avons reçus (pense à de nombreuses évaluations 5 étoiles)
    a. Si tu n'as pas encore d'avis, même le nombre de personnes que tu as aidées fonctionne.

4. Certifications/Diplômes/Accréditations tierces qui prouvent que nous sommes légitimes

5. Chiffres, statistjques, recherches qui soutiennent le résultat que tu veux qu'ils croient

6. Des experts qui témoignent en notre faveur

7. Une caractéristique nouvelle/unique avec laquelle ils n'ont pas échoué auparavant (donc cela pourrait fonctionner cette fois-ci)

8. Célébrités qui nous ont soutenus (« ils leur ont fait confiance, alors moi aussi »)

9. Garantir qu'ils y parviendront (afin d'y mettre un peu du nôtre dans le jeu)

10. À quel point tu les décris bien ou la douleur actuelle qu'ils ressentent. Plus c'est spécifique, mieux c'est (pense à 'il/elle me comprend vraiment, il/elle doit savoir comment aider')

11. Si possible, démontre le résultat en direct. Ou montre un enregistrement de cela en train de se produire.
    a. Ex : Une agence de publicité diffuse l'enregistrement d'un appel que le propriétaire d'une salle de sport doit passer à un prospect lors de l'appel de vente. « Pourrais-tu gérer un appel comme ça à un prospect si nous les trouvons pour toi ? » Cela démontre le résultat des services de publicité - les gens ne veulent pas seulement des « leads », ils veulent des clients. Ils ne savent simplement pas comment demander cela de manière plus précise.

Copyright © 2024 par ACQUISITION.COM LLC. NON DESTINÉ À LA DISTRIBUTION.

(Étape 7) « Comment les amener à dire oui ? »
→ Facilite-leur le fait de dire oui. Rends-le gratuit.

Après que les gens ont manifesté de l'intérêt, rends ton offre facile à accepter. J'aime commencer avec le facilitateur d'offre le plus simple au monde - GRATUIT :

Et n'essaie pas de paraître avancé si tu ne l'es pas. <u>Les gens ne sont pas bêtes.</u>

Sois simplement honnête et garde les choses simples :

Comme je ne prends que cinq personnes, je peux te donner toute l'attention dont tu as besoin pour obtenir des résultats qui valent la peine d'être vantés. Et je le ferai tout gratuitement à condition que tu t'engages à : 1) L'utiliser 2) Me donner des retours et 3) Laisser un avis élogieux si tu estimes que cela le mérite. Est-ce que ça te semble juste ? Cela fixe des attentes raisonnables dès le départ. Et voilà. Maintenant, tu aides simplement les gens gratuitement. Gagnant.

Conseil de Pro : Accumule les « oui » pour créer une dynamique positive dès le départ.

Au début, j'avais peur de demander de l'argent. Donc, comme tu te souviens peut-être de l'histoire ci-dessus, j'ai dit aux gens que je travaillerais avec eux gratuitement tant qu'ils faisaient un don à une œuvre caritative de leur choix. Je les ai quand même impliqués dans leurs résultats, mais leur demander une déduction fiscale pour une action solidaire me paraissait une manière beaucoup plus sûre de le faire. Au fait, c'était la première chose que j'ai jamais vendue. Avec le recul, je voulais accumuler des « Oui » faciles et sans pression. Et ces premiers « Oui » ont construit ma première entreprise. Et ils peuvent aussi construire ta propre entreprise.

 Copyright © 2024 par ACQUISITION.COM LLC. NON DESTINÉ À LA DISTRIBUTION.

Ma recommandation - chaque fois que tu lances un nouveau produit ou service - <u>fais les cinq premiers gratuits</u>. Le nombre exact importe moins que le fait de comprendre pourquoi tu en bénéficies. Voici pourquoi :

1. Tu acquiers de l'expérience et deviens à l'aise pour faire des offres aux gens. Cela apaisera tes nerfs en sachant que tu aides simplement... gratuitement... pour le moment (clin d'œil).

2. Tu es probablement nul (pour le moment). Les gens sont beaucoup plus indulgents quand tu ne factures rien.

3. Parce que tu es probablement nul, tu dois apprendre à être moins nul. <u>Tu es moins nul en faisant plus.</u> Il vaut mieux avoir quelques cobayes pour corriger les défauts. Tu apprendras énormément des personnes que tu aides gratuitement, je te le promets. Même si cela ne semble pas être le cas maintenant, tu tires le meilleur parti de l'affaire.

4. Si les gens obtiennent de la valeur, surtout gratuitement, ils sont beaucoup plus susceptibles de :

    a. Laisser des avis et des témoignages positifs.

    b. Te faire des retours.

    c. Envoyer leurs amis et leur famille.

Et si ce n'est pas déjà génial, les clients gratuits peuvent te rapporter de l'argent de trois autres façons :

1) Ils se convertissent en clients payants.

2) Ils t'envoient des clients payants par le biais de recommandations.

3) Leurs témoignages attirent des clients payants.

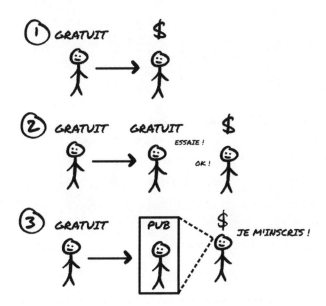

Ainsi, quoi qu'il en soit, tu gagnes.

Conseil de Pro : Applique la méthode du « hinge » aux recommandations

Si tu demandes une recommandation, obtiens une introduction à trois. Ma méthode préférée pour le faire en personne est de prendre le téléphone du client, de prendre une photo de nous deux, puis d'envoyer cette photo à la personne recommandée et à ton propre numéro. Si c'est virtuel, prends une capture d'écran d'un appel vidéo et fais la même chose. Si tu ne peux pas faire cela, essaie au moins d'engager une conversation à trois, avec eux comme initiateurs.

<u>Et si ils disent non ?</u>

Souvent, la partie la plus coûteuse de ce que tu vends n'est pas le prix - ce sont les coûts cachés.

Les coûts cachés sont le temps, l'effort et le sacrifice nécessaires pour obtenir des résultats avec la chose que tu vends. En d'autres termes, <u>la partie inférieure de l'équation de valeur.</u> Si tu as du mal à donner tes produits gratuitement, cela signifie soit que les gens n'en veulent pas (résultat rêvé), qu'ils ne te croient pas (probabilité perçue de réussite), *ou* que les coûts cachés (temps, effort et sacrifice) sont trop élevés. En résumé, tes produits 'gratuits' sont *trop chers*. Alors découvre les coûts cachés. Une fois que tu le fais, tu débloques encore plus de valeur - que tu pourras éventuellement facturer.

Pour approfondir ta compréhension des coûts cachés...demande. Alors, lorsque quelqu'un dit « non », demande « pourquoi ? » :

« Que devrais-je faire pour que cela en vaille la peine pour toi de continuer ? »

Leurs réponses te donnent l'occasion de résoudre leur problème. Et si tu résous ce problème, ils vont probablement acheter chez toi. Et même s'ils n'achètent pas chez toi, ils te fourniront les arguments pour convaincre la personne suivante.

Et n'oublie pas, l'échec est une condition préalable au succès. C'est une partie du processus. Alors accumule les échecs aussi vite que possible. Élimine-les pour commencer à rembourser ta « taxe du non ». Si tu obtiens des milliers de non, tu obtiendras tes oui, je te le promets. Je me dis toujours : Les oui me donnent des opportunités. Les non me donnent des retours d'informations. De toute façon, je gagne.

 Copyright © 2024 par ACQUISITION.COM LLC. NON DESTINÉ À LA DISTRIBUTION.

Note de l'Auteur : Warren Buffet et Benjamin Graham

Avant que Warren Buffet ne devienne le plus grand investisseur de notre époque, il a proposé de travailler gratuitement pour son héros, Ben Graham. Veux-tu connaître la réponse de Graham ? « Tu es trop cher. » Graham savait ce qui se passait. La chose la plus coûteuse à propos de l'embauche de Buffet n'était pas un salaire, mais le temps nécessaire pour le former. En réalité, Graham serait en train de travailler pour Buffet ! Et de la même manière, tes premiers clients travaillent pour toi. Ils te forment - gratuitement ! Et tu veux minimiser ce coût pour eux. *Connais tes coûts cachés.*

PS - Buffet a quand même réussi à convaincre Graham d'accepter son offre gratuite. Le reste appartient à l'histoire.

Conseil de Pro : Apprendre ou gagner

Si quelqu'un te dit de ne pas « sous-évaluer » tes services en les offrant gratuitement au début, dis-leur de se taire. Bien sûr, tu es unique en ton genre. Mais ce que tu vends ne l'est pas. Ce n'est pas *encore* précieux. Tu viens à peine de commencer. L'objectif maintenant est *d'apprendre*, pas de *gagner*. Nous arriverons à gagner une fois que nous aurons appris davantage. Mais nous devons marcher avant de courir. Ne mélange pas les objectifs. La rémunération viendra, je te *le promets*.

(Étape 8) « Que dois-je faire une fois que j'ai contacté tout le monde? » → Revenir au début

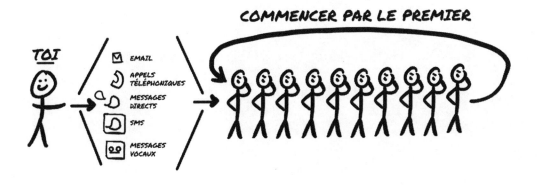

Après avoir contacté tous les prospects sur une plateforme, passe à la plateforme sur laquelle tu as le deuxième plus grand nombre de prospects. Une fois que tu as contacté ces prospects, va sur la plateforme sur laquelle tu as le troisième plus grand nombre de prospects, et ainsi de suite.

Copyright © 2024 par ACQUISITION.COM LLC. NON DESTINÉ À LA DISTRIBUTION.

Imaginons que tu suives cela à la lettre, car être pauvre est pire que d'aider gratuitement. Si, entre toutes les plateformes, tu as 1000 prospects, cela te donne dix jours solides de travail. Un mois de travail, y compris les suivis. À ce stade, je te promets que *cinq personnes ou plus auront accepté ton offre gratuite.* Et certaines seront devenues des clients payants. Si tu as bien fait ton travail, ils enverront des amis, qui deviendront également des clients payants. Alors, faisons notre premier dollar.

(Étape 9) « Mais je ne peux pas travailler gratuitement éternellement... » → Commence à facturer.

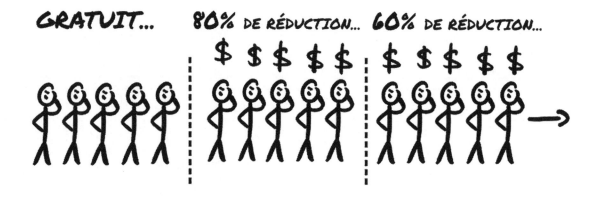

C'est important. C'est ton test décisif pour savoir quand tu es « assez bon » pour facturer. <u>Une fois que les gens commencent à te recommander, commence à facturer.</u>

Quand cela se produit, remplace « gratuit » dans le script ci-dessus par « 80% de réduction pour les cinq suivants ». Ensuite, « 60% de réduction pour les cinq suivants ». Puis « 40% de réduction pour les cinq suivants », et ainsi de suite. La règle du « j'augmente mes prix tous les cinq » ajoute également de l'urgence car les prix augmentent réellement. Et si tu es curieux, tu n'es pas obligé d'arrêter d'augmenter ton prix. N'hésite pas à continuer à l'augmenter de 20% tous les cinq jusqu'à ce que tu trouves le juste équilibre. C'est ton entreprise. Tu peux faire ce que tu veux. Facture plus cher à mesure que tu gagnes en expérience - une belle récompense.

Copyright © 2024 par ACQUISITION.COM LLC. NON DESTINÉ À LA DISTRIBUTION.

Conseil de Pro : Obtiens plus d'argent d'avance et plus de « oui » → prépaiement + garantie

Offrir une garantie incite davantage de personnes à acheter car cela inverse le risque. Voici une astuce intéressante sur une garantie qui te donnera plus de « oui » et plus d'argent.

Tu peux offrir une garantie uniquement aux personnes qui paient d'avance. La raison : *les personnes qui investissent d'avance sont plus engagées. Et par conséquent, nous sommes en mesure de garantir leurs résultats. Donc, si tu veux notre garantie, tu peux prépayer notre service.*

Une autre version de formulation que j'ai eue de mon bon ami le Dr. Kashey : Après que la personne accepte d'acheter, tu dis « *préfères-tu payer moins aujourd'hui ou récupérer tout ton argent ?* » Payer moins aujourd'hui = plan de paiement, donc moins d'argent au début. Récupérer tout ton argent = prépayer et obtenir la garantie d'obtenir le résultat que tu veux.

Exemple : « Payer moins » = 2000 $/mois pendant 3 mois = 6000 $ (sans garantie)
Ou « Récupérer tout ton argent » = 6000 $ d'avance *avec* garantie.

Présentée de cette manière, la majorité des gens optent pour l'option d'avance d'argent avec la garantie. Donc, si tu avais prévu d'en offrir de toute façon, autant la transformer en arme pour inciter plus de personnes à payer d'avance.

(Étape 10) « Mais que dois-je faire à partir d'ici ? » → Garde ta liste chaude.

Apporte régulièrement de la valeur à ta liste via des e-mails, les médias sociaux, etc., pour la maintenir au chaud. Une liste chaude reste prête pour tes futures approches chaleureuses. Je t'explique exactement comment apporter cette valeur dans le prochain chapitre. Une fois que tu as fourni de la valeur pendant un certain temps, ou que tu vois qui en veut, explore ta liste avec le modèle intemporel de l'email en « 9 mots » de Dean Jackson :

« Recherches-tu toujours [4 mots désir] ? »

Pas d'images. Pas de fioritures. Pas de liens. Juste une question. Rien d'autre. Ce message est une aubaine pour inciter les prospects à s'engager. C'est également l'une des premières choses que je fais lorsque j'investis dans une nouvelle entreprise. Voici quelques exemples :

Recherches-tu toujours

... à acheter ta maison de rêve ?

Copyright © 2024 par ACQUISITION.COM LLC. NON DESTINÉ À LA DISTRIBUTION.

... <u>à obtenir plus de prospects ?</u>

... <u>à tonifier tes bras ?</u>

... <u>à ouvrir une boutique en ligne ?</u>

... <u>à démarrer une chaîne YouTube ?</u>

... <u>à obtenir plus de prospects commerciaux ?</u>

Tu vois l'idée. Copie et déploie. Tu fais la demande pour voir qui répond, c'est-à-dire les prospects engagés. Et *ces réponses devraient être ta priorité absolue pour les approches chaleureuses.*

Je vais conclure l'étape 10 ici, car je détaillerai ce processus de « donner-demander » dans le prochain chapitre. L'idée principale est qu'une liste chaude est un énorme atout car elle constitue une source constante et croissante de prospects engagés. Si tu les traites bien, ton public te nourrira indéfiniment.

Résumé de la checklist publicitaire

Maintenant, examinons cela en dix lignes, car cela a pris dix pages pour arriver ici.

Checklist quotidienne de la prospection chaleureuse	
Qui :	Toi-même
Quoi :	Cinq premiers gratuits
Où :	Téléphone / email / courrier physique / sms / etc.
À qui :	Tes contacts
Quand :	Les quatre premières heures de ta journée
Pourquoi :	Tu souhaites avoir des clients ou des introductions
Comment :	Message personnalisé en utilisant la méthode ACA
Combien :	100 tentatives par jour
Combien de fois :	Fais un suivi deux fois de plus après le premier
Combien de temps :	Jusqu'à ce que tu aies des clients

 Copyright © 2024 par ACQUISITION.COM LLC. NON DESTINÉ À LA DISTRIBUTION.

Références : à quel point est-ce que je performe ?

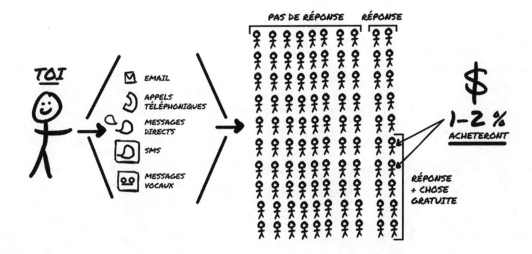

Les approches chaleureuses devraient inciter environ un contact sur cinq à s'engager. Donc, cent approches chaleureuses devraient générer environ vingt réponses. Parmi les vingt qui répondent, un autre sur cinq environ acceptera ton offre gratuite. Donc, quatre personnes. Parmi les quatre qui acceptent ton offre gratuite, tu devrais être en mesure de convertir *une* personne en une sorte d'offre payante plus tard. Hourra - de l'argent.

Ce cadre te permet de prédire combien de clients tu obtiendras par tranche de 100 approches chaleureuses. Dans l'exemple, tu obtiendras un client par tranche de 100 approches. Ces chiffres varient en fonction de la valeur de ton offre et de la confiance qu'ils ont en toi. Mais, quoi qu'il arrive, avec un volume suffisant, *tu obtiendras un client.* Et plus tu le fais, meilleurs seront tes chiffres. Cela demande simplement des efforts. Tu apprendras également beaucoup sur ce qui engage ton public : ce qu'ils valorisent et comment leur faire des offres. Cette connaissance peut te rapporter des millions. Tu as la chance d'apprendre tout en gagnant - jackpot.

Ce processus *à lui seul* peut te permettre d'atteindre plus de 100 000 $ par an, sans rien d'autre. Incroyable, n'est-ce pas ? Voici le calcul monétaire :

Cela suppose que 1 % de ta liste achète une offre de 400 $ en utilisant uniquement des approches chaleureuses.

500 approches par semaine = 5 clients par semaine

Produit de 400 $ → 5 clients par semaine x 400 $ chacun = 2000 $/semaine

2000 $/semaine x 52 semaines = 104 000 $... bingo.

Ce qui, au moment de cette rédaction, est toujours le double du revenu médian des ménages aux États-Unis. Pas mal.

Copyright © 2024 par ACQUISITION.COM LLC. NON DESTINÉ À LA DISTRIBUTION.

Conseil de Pro : Intègre des communautés

Pour apprendre encore plus rapidement, rejoins des communautés de personnes utilisant la même méthode publicitaire que toi. Elles sont excellentes pour obtenir un soutien mutuel et des astuces à jour. De plus, évite de faire des choses louches. Il y a beaucoup de gens qui se vantent de repousser les limites légales. Ne sois pas cette personne. Cela finit toujours par te nuire. Fais-le correctement et tu te nourriras pour la vie.

Alex Hormozi ✔
@AlexHormozi

Tu peux devenir "assez bon" dans presque tout en 20 heures d'effort concentré.
Le problème est que la plupart des gens passent des années à retarder la première heure.

Tu en apprendras plus au cours des dix premiers jours à faire 100 approches chaleureuses que dans tout ce que tu as lu ou regardé jusqu'à présent. Fais cet apprentissage aussi rapidement que possible. N'oublie pas, *nous voulons devenir riches, pas simplement « nous en sortir »*.

Et ensuite ?

Les approches chaleureuses présentent deux limites. La première est le temps. Lorsque tu débutes, l'acquisition de nouveaux clients devrait occuper la majeure partie de ton temps. Pense à un minimum de quatre heures par jour. Ce devrait être la première chose que tu fais en te levant, et tu ne devrais pas t'arrêter avant d'atteindre ton objectif. Embrasse le travail. Il fera partie de l'histoire que tu raconteras un jour. Cela a été le cas pour moi.

Le deuxième obstacle est le nombre de personnes qui te connaissent. Tu finiras par « épuiser » ton réseau. Ne t'en fais pas, cependant. Nous pouvons en trouver plus. Beaucoup plus. Maintenant, *ajoutons* la deuxième des quatre approches publicitaires essentielles : la publication de contenu gratuit.

 Copyright © 2024 par ACQUISITION.COM LLC. NON DESTINÉ À LA DISTRIBUTION.

BONUS GRATUIT : Formation bonus - Approches chaleureuses

Si tu aimes ce contenu, je vais plus en profondeur dans une analyse sans retenue des nombreuses stratégies que tu peux utiliser dans les approches chaleureuses pour obtenir ton premier client ou ton millième. Si cela te semble intéressant, va sur Acquisition. com/training/leads. Et, si tu avais besoin d'une autre raison, c'est gratuit. J'espère que tu l'utiliseras pour obtenir autant de prospects que nécessaire. Tu peux également scanner le QR code ci-dessous si tu n'aimes pas taper dans la barre de recherche.

Copyright © 2024 par ACQUISITION.COM LLC. NON DESTINÉ À LA DISTRIBUTION.

#2 Publier du contenu gratuit Partie I

Comment construire une audience pour obtenir des prospects engagés

Personne ne s'est jamais plaint d'obtenir trop de valeur.

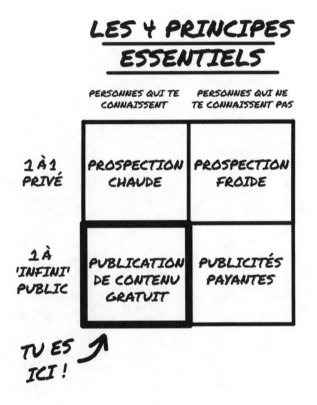

Janvier 2020

« As-tu entendu parler de Kylie Jenner ? » demanda Leila.

« Non, pourquoi ? » répondis-je.

« Elle est maintenant la plus jeune milliardaire autodidacte. »

« Attends, quoi ? »

« Oui, elle a vingt ans. Forbes vient de la mettre en couverture. »

J'avais dix ans de plus qu'elle et je n'étais *pas* milliardaire. *Pourquoi* est-ce que je suis *aussi nul* ? Comment pouvait-elle gagner bien plus que moi ? Je pensais être plutôt bon en affaires, nous avions rapporté 13 millions de dollars de revenu l'année précédente. Mais, il était clair que je manquais quelque chose. Et cela me faisait terriblement mal.

Mon ego me protégeait… *Eh bien, Kris Jenner est sa mère et elle a dû organiser tout cela.* J'ai balayé ça comme « parents riches » et je suis passé à autre chose.

Copyright © 2024 par ACQUISITION.COM LLC. NON DESTINÉ À LA DISTRIBUTION.

Quelques mois plus tard...

Leila leva les yeux de son ordinateur.

« Mec, Huda vient de vendre une participation minoritaire dans sa société avec une valorisation de 600 millions de dollars. »

« Huda, la fille du maquillage ? » répondis-je.

« Ouais. »

« Ça alors. » Encore ? *Comment est-ce que je foire autant ?* Comment quelqu'un si jeune peut-il gagner tellement plus d'argent que moi ?

... Elle est dans la beauté, elle peut faire ça, moi je ne peux pas. Je me suis dit ça, puis j'ai continué.

Quelques mois plus tard...

Un titre a attiré mon attention :

« La whiskey Proper 12 de Conor McGregor atteint une valorisation de 600 millions de dollars dans les 12 mois suivant son lancement. »

Sérieusement !? Visiblement, une autre personne venait de gagner des tas d'argent en ce qui semblait être des secondes.

Quelques mois plus tard...

J'ai vu un autre titre : « Avec une valeur insensée de 3,5 milliards de dollars, le 'Teremana' de Dwayne Johnson écrase le 'Proper 12' de Conor McGregor. »

Dwayne « The Rock » Johnson était maintenant un multi-milliardaire. Et il n'a même jamais parlé d'affaires ! *Qu'est-ce que je fais de mal ?*

Alex Hormozi ✔
@AlexHormozi

Si quelqu'un gagne plus d'argent que toi, il est d'une certaine manière meilleur dans le domaine des affaires.

Calme l'égo, cherche la leçon.

Copyright © 2024 par ACQUISITION.COM LLC. NON DESTINÉ À LA DISTRIBUTION.

Quelques mois plus tard... chez un ami célèbre...

Jusqu'à présent, je suis resté en grande partie dans l'ombre. Je ne voulais pas être célèbre. Je voulais être riche. Et j'ai réussi dans cette entreprise. Mais voir ces succès a érodé mes croyances. La construction d'une marque personnelle pourrait-elle être aussi puissante ? La réponse la plus simple est oui. Mais je voulais ma vie privée...

Nous étions assis autour de sa table de cuisine, et je lui ai demandé : « Tu reçois tous ces messages étranges de la part d'inconnus. Les gens menacent ta famille. Es-tu toujours heureux d'être devenu célèbre ? ». Il a répondu quelque chose qui a changé ma vie à jamais :

« Si recevoir des messages bizarres et de la haine de la part de gens que je ne connais pas est le prix que je dois payer pour avoir l'impact que je veux avoir, je paie ce prix n'importe quel jour de la semaine. »

Je me sentais vulnérable. J'étais en train de m'apitoyer. Je prétendais vouloir avoir un impact, mais je n'étais pas prêt à en payer le prix. Après cette conversation, Leila et moi avons tout mis en œuvre pour construire nos marques personnelles.

***

J'ai une croyance fondamentale que j'aimerais te transmettre. <u>Si quelqu'un gagne plus d'argent que toi, c'est qu'il est meilleur dans le jeu des affaires d'une manière ou d'une autre. Prends cela comme une bonne nouvelle.</u> Cela signifie que tu peux apprendre de cette personne. Ne pense pas qu'elle a eu les choses faciles. Ne pense pas qu'elle a pris un raccourci. Ne te dis pas qu'elle a enfreint un code moral. Même si c'est vrai, aucune de ces croyances ne te sert. Aucune de ces croyances ne *te rend meilleur*.

Il y a quelques années, je critiquais ouvertement « ceux qui faisaient du contenu ». Je ne voyais pas l'intérêt. Pourquoi perdre mon temps à créer quelque chose qui disparaîtrait en quelques jours ? Je pensais que c'était une perte de temps stupide et je le faisais savoir à tout le monde. J'avais tort. En réalité, ce n'était pas du tout à propos du contenu, mais plutôt de l'audience. Ce que je ne comprenais pas, c'est que le contenu que tu crées n'est pas l'actif qui se cumule, <u>c'est l'audience</u>. Donc, même si le contenu peut disparaître avec le temps, *ton audience* continue de croître.

C'était une leçon que mon ego m'a empêché d'apprendre pendant trop longtemps. Il a fallu toute une année de confrontations avec des preuves solides avant que je ne change de comportement. *Construire une audience est la chose la plus précieuse que j'aie jamais faite.*

J'ai vu Kylie Jenner, Huda Kattan, Conor McGregor et The Rock devenir milliardaires « du jour au lendemain ». Mon ami célèbre a dit qu'une audience massive était cruciale pour son succès. Les preuves accablantes ont brisé mes croyances, alors je les ai réécrites. Je voyais désormais la puissance d'avoir une audience, mais je ne savais pas par où commencer. Alors, j'ai fait ce que je fais toujours. J'ai payé pour obtenir *du savoir.* Acheter l'expérience de quelqu'un d'autre permet d'économiser le temps qu'il faudrait pour tout comprendre par soi-même. Leila m'a offert quatre appels avec un grand influenceur qui avait le type d'audience que je voulais construire. Elle a payé 120 000 $.

Copyright © 2024 par ACQUISITION.COM LLC. NON DESTINÉ À LA DISTRIBUTION.

Lors de mon premier appel, il m'a dit de poster régulièrement sur chaque plateforme. C'est donc ce que j'ai fait. Douze mois plus tard, mon audience a augmenté de plus de 200 000 personnes. Lors de mon deuxième appel, il a noté les progrès. Mais je voulais plus. « As-tu un plan pour ta marque personnelle ? Comment publies-tu tout ce contenu ? » Il a répondu : « Frérot, quiconque te dit qu'il y a un secret essaie de te vendre quelque chose. On publie simplement autant que possible. Ouvre ton Instagram et ouvre le mien... Regarde. Tu as posté une fois aujourd'hui. J'ai posté trois fois. Ouvre ton LinkedIn... Regarde. Tu as posté une fois cette semaine. J'ai posté cinq fois *aujourd'hui*. » Il est passé d'une plateforme à l'autre. Je me sentais de plus en plus embarrassé à chaque comparaison.

« Il suffit de faire plus, frérot. »

Simple. Pas facile. Au cours des six mois suivants, j'ai publié dix fois plus de contenu. Et au cours des six mois suivants, j'ai ajouté 1,2 million de personnes à mon audience. De plus, lorsque j'ai publié dix fois plus de contenu, mon audience a augmenté dix fois plus vite. Le volume fonctionne. Le contenu fonctionne. Une audience croissante en est le résultat. Et dans ce chapitre, je vais détailler comment je l'ai fait pour que tu puisses en faire autant.

Comment fonctionne la construction d'une audience : - tu publies un excellent contenu gratuit

Les prises de contact chaleureuses ne génèrent pas beaucoup de prospects engagés pour le temps que tu investis. Si tu veux atteindre dix personnes, tu dois te répéter dix fois. C'est beaucoup d'efforts. En publiant du contenu gratuit, une publication peut atteindre 10 personnes. Ainsi, la publication de contenu gratuit peut générer beaucoup plus de prospects engagés pour le temps que tu investis. Hourra.

Les personnes qui estiment que ce contenu est précieux deviennent partie prenante de ton public chaleureux. S'ils pensent que d'autres personnes le trouveront précieux, ils le partagent. Et si les personnes avec lesquelles ils le partagent l'apprécient, elles font également partie de ton public chaleureux. Rince et répète. Le partage peut se poursuivre indéfiniment. Plus ils partagent ton contenu, plus ton public chaleureux devient grand. Et de temps en temps, tu leur feras une offre. Si ton offre a assez de valeur, ils l'accepteront. Quand ils le font, tu gagnes de l'argent. Et plus l'audience est grande, plus tu gagnes d'argent. Regarde les choses de cette manière :

Copyright © 2024 par ACQUISITION.COM LLC. NON DESTINÉ À LA DISTRIBUTION.

- Publier du contenu gratuit fait croître ton public chaleureux.
- Ainsi, publier constamment du contenu gratuit signifie que tu auras un public en croissance constante, plus susceptible d'acheter tes produits.
- Le contenu gratuit rend toute autre publicité plus efficace. Si tu contactes quelqu'un et qu'il ne trouve pas de contenu lié à tes services, il est moins susceptible d'acheter. En revanche, s'il trouve beaucoup de contenu précieux, il est plus susceptible d'acheter.

C'est ce que ton ego m'a empêché d'apprendre. Maintenant, les gros titres avec Jenner, Huda, McGregor et The Rock ont tous parfaitement du sens.

Mais publier du contenu gratuit n'est pas tout beau tout rose. Il y a des compromis. Premièrement, il est plus difficile de personnaliser ton message. Donc, moins de personnes y répondent. Deuxièmement, tu es en concurrence avec tous les autres qui publient du contenu gratuit. Cela rend plus difficile de te démarquer. Troisièmement, si tu te démarques, les gens te copieront. Cela signifie que tu dois constamment innover.

Cela étant dit, un public plus large signifie plus de prospects engagés. Plus de prospects engagés signifie plus d'argent. Plus d'argent signifie que tu es plus heureux. Je plaisante - ça ne marchera pas comme ça. Mais cela te donnera les ressources pour éliminer ce que tu détestes. De toute façon...

Ce chapitre ne couvre que deux sujets. Premièrement, nous démystifions le contenu de croissance d'audience en montrant qu'il est constitué des mêmes unités de base. Une unité de contenu a trois composants - accrocher, retenir et récompenser. Deuxièmement, comment lier ces unités de base pour créer du contenu de croissance d'audience pour n'importe quelle plateforme ou type de média. Le prochain chapitre (Partie II : Publication de contenu gratuit) te montre comment armer ce contenu pour gagner de l'argent. Mais pour l'instant, tu ne peux pas monétiser le contenu tant que tu ne sais pas comment le créer.

L'unité de contenu - Trois composants

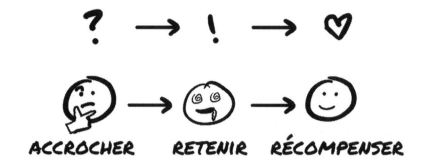

Tout le contenu de croissance d'audience accomplit une chose - il récompense les personnes qui le consomment. Et une personne ne peut être récompensée par le contenu que si elle :

1) A une raison de le consommer et

2) Prête suffisamment attention pour

3) Satisfaire cette raison.

Heureusement, nous pouvons convertir ces trois résultats en trois actions que nous devons faire pour créer du contenu de croissance d'audience. Cela signifie que nous devons :

a) **Attirer l'attention** : les inciter à remarquer votre contenu.

b) **Retenir l'attention** : les inciter à le consommer.

c) **Récompenser l'attention** : satisfaire la raison pour laquelle ils l'ont consommé au départ.

La plus petite quantité de matériel nécessaire pour attirer, retenir et récompenser l'attention est une **unité de contenu**. Cela peut être aussi peu qu'une image, un mème ou une phrase. Autrement dit, tu peux attirer, retenir et récompenser en *même temps*. C'est ainsi que de courts tweets, des images de mèmes, ou même un jingle peuvent devenir viraux. Ils accomplissent les trois actions. Je les sépare pour pouvoir en discuter plus clairement, mais elles peuvent toutes se produire en même temps.

Plongeons dans chacune des actions que nous faisons pour créer une unité de contenu. Ainsi, tu pourras créer un contenu efficace qui développe ton audience.

 Copyright © 2024 par ACQUISITION.COM LLC. NON DESTINÉ À LA DISTRIBUTION.

1) Accrocher : Ils ne peuvent être récompensés à moins que nous ne captivions d'abord leur attention.

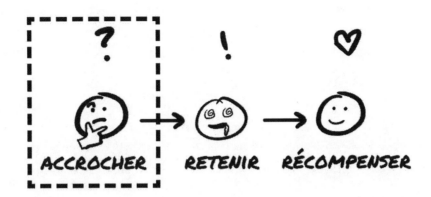

L'objectif : Nous leur donnons une raison de détourner leur attention de ce qu'ils font vers nous. Si nous faisons cela, nous les avons accrochés. L'efficacité de ton accroche est mesurée par le pourcentage de personnes qui commencent à consommer ton contenu. Donc, si tu attires bien l'attention, beaucoup de gens auront une raison de consommer ton contenu. Si tu fais un mauvais travail, peu de gens auront une raison de consommer ton contenu.

Rappelle-toi, c'est une compétition pour l'attention.

Nous devons surpasser toutes les alternatives qu'ils ont pour remporter leur attention. Fais de toi la meilleure option. Nous augmentons le pourcentage de personnes qui choisissent notre contenu en sélectionnant des sujets qui les intéressent, des titres qui leur donnent une raison, et en adaptant le format à d'autres choses qu'ils aiment. Plongeons dans chacun de ces aspects.

Sujets. Les sujets sont les choses sur lesquelles tu bases ton contenu. Je préfère utiliser des expériences personnelles. Voici pourquoi : il n'y a qu'une seule personne comme toi. La manière la plus facile de se différencier est de dire quelque chose que personne d'autre ne peut dire. Et personne d'autre n'a vécu ta vie sauf toi. Je divise les sujets en cinq catégories : Loin dans le passé, passé récent, Présent, Tendance, et Fabriqué.

a) <u>Loin dans le passé</u> : Les leçons importantes du *passé* dans ta vie. Relie cette sagesse à ton produit ou service pour offrir une énorme valeur à ton public. Donne-leur l'histoire sans la cicatrice. *C'est pourquoi j'écris ces livres.*

    i) Exemple : Une leçon personnelle où j'ai brisé ma croyance selon laquelle « je n'ai pas assez de temps » :

        1) Accroche : Je me plaignais à mes amis que je n'avais pas assez de temps pour faire quelque chose tout en *étant collé à mon téléphone*.

        2) Retenir : Ils me l'ont arraché des mains et ont regardé son utilisation. Cela a montré que je passais trois heures par jour sur les médias sociaux.

        3) Récompense : Ils m'ont regardé et ont dit, « Eh bien, je t'ai trouvé un peu de temps. »

Copyright © 2024 par ACQUISITION.COM LLC. NON DESTINÉ À LA DISTRIBUTION.

C'est une histoire simple à laquelle d'autres personnes peuvent s'identifier. Cela en fait un sujet intéressant pour davantage de personnes. Et cela connecte ce que je fais, faire croître des entreprises, à une lutte que beaucoup de gens connaissent - ne pas avoir assez de temps. L'épiphanie que je dévoile rend cette leçon précieuse pour mon public - des personnes qui lancent, développent et vendent leurs entreprises.

b) <u>Passé récent</u> : Fais des choses, puis parle de ce que tu as fait (ou de ce qui s'est passé). Chaque fois que tu parles à quelqu'un, il y a une chance que ton public puisse en tirer de la valeur. Regarde ton calendrier de la semaine dernière. Regarde toutes tes réunions. Regarde toutes tes interactions sociales. Regarde toutes tes conversations avec des prises de contact chaleureuses. *Il y a de l'or dans ces conversations.* Raconte des histoires qui serviraient ton public. Par exemple :

Alex Hormozi ✔
@AlexHormozi

En règle générale marketing :

Si tout le monde le fait,
ne le fais pas.

i)   Ce tweet provient d'une réunion que j'ai eue avec un PDG de portefeuille qui se contentait de copier la même offre que tout le monde dans son marché et obtenait des résultats médiocres.

ii) Cela signifie prendre des notes, des enregistrements et d'autres documents pour rendre ces informations facilement accessibles. Mais cela signifie aussi une réserve gratuite, facile et précieuse de contenu.

iii) Les témoignages et les études de cas entrent dans cette catégorie. Si tu peux raconter une histoire client intéressante d'une *manière qui apporte de la valeur à ton public*, tu promouvras à la fois tes services et fourniras de la valeur. Gagnant-gagnant.

c) <u>Présent</u> : Note tes idées *au moment même où elles te viennent.* Aie toujours un moyen d'enregistrer tes idées à portée de main. J'irais même jusqu'à interrompre des réunions pour prendre des notes, envoyer un SMS ou un e-mail avec mes idées. Les gens n'ont généralement pas d'objection quand tu demandes à prendre des notes, donc ce n'est pas étrange. Ensuite, lorsque tu crées du contenu, tu as une réserve d'histoires fraîches avec lesquelles travailler.

i)   *Je note mes idées publiquement* : J'avais l'habitude de garder mes idées pour moi. Maintenant, je les tweete publiquement au fur et à mesure qu'elles surviennent. Si une publication se comporte mieux que d'habitude, je sais que c'est quelque chose que les gens trouvent intéressant. Ensuite, je crée plus de contenu sur ce sujet.

Copyright © 2024 par ACQUISITION.COM LLC. NON DESTINÉ À LA DISTRIBUTION.

d) <u>Tendance</u> : Va là où l'attention se trouve. Regarde ce qui est tendance en ce moment et crée du contenu à ce sujet. Applique tes propres expériences. Si tu as des commentaires pertinents ou si cela touche à ton expertise d'une manière ou d'une autre, parles-en. Parler de sujets tendances est très efficace pour attirer l'attention d'un public plus large.

e) <u>Fabriqué</u> : Transforme tes idées en réalité. Choisis un sujet qui intéresse les gens. Ensuite, apprends à ce sujet, crée-le ou fais-le. Ensuite, montre-le au monde. Cela demande plus de temps et d'efforts car tu dois créer l'expérience plutôt que de parler d'une expérience que tu as déjà eue. Mais cela peut avoir les plus grandes récompenses.

    i) Exemple d'expérience fabriquée : *J'ai vécu avec 100 $ pendant un mois. Voici comment.* Maintenant, je ne vis plus de cette façon, mais je pourrais créer cette expérience puis créer du contenu à ce sujet.

Note de l'Auteur : Fabriquer vs documenter

Le contenu fabriqué a le plus grand potentiel de croissance et de monétisation d'un public, *de loin*. Cela s'explique par le fait que les créateurs de contenu compétents peuvent concevoir la récompense maximale pour chaque unité de contenu. Pour te donner une idée, au moment de la rédaction de ceci, les dix vidéos les plus populaires sur la plateforme vidéo la plus populaire sont toutes des clips musicaux. Et elles ont cumulé environ 60 milliards de vues. Regarder ou écouter - c'est beaucoup d'attention ! Mais pour nous, simples mortels, le coût moindre de documenter nos expériences (par rapport à la fabrication) nous permet de maintenir un volume élevé. Et - je crois que c'est plus durable sur une vie entière. Une citation que j'ai entendue d'un célèbre créateur de contenu : « Je ne veux pas remplir mon salon de sable quand j'aurai cinquante ans. » Et personnellement, je préférerais voir des entrepreneurs publier plus de contenu, plus souvent et sur plus de plateformes. Juste l'avis d'un homme.

Étape Action : La vie défile - profite en la partageant.

Titres. Un titre est une courte phrase ou une phrase utilisée pour attirer l'attention du public. Il communique la raison pour laquelle ils devraient consommer le contenu. Ils l'utilisent pour évaluer la probabilité qu'ils obtiendront une récompense en consommant votre contenu par rapport à un autre.

Plutôt que de te donner une série de modèles, je préfère te donner les principes intemporels qui font de grands titres. Et, il n'y a pas de meilleur créateur de titres que « les actualités ». Alors étudions-les.

Copyright © 2024 par ACQUISITION.COM LLC. NON DESTINÉ À LA DISTRIBUTION.

Une méta-analyse des actualités a révélé les composants de titres qui suscitent le plus d'intérêt pour les histoires. Ce sont les suivants. Essaye d'inclure au moins deux dans ton titre.

a. <u>Récence</u> - Aussi récent que possible, littéralement les « actualités ».

   i) Exemple : Les gens prêtent plus d'attention à quelque chose qui s'est produit il y a une heure qu'à quelque chose qui s'est produit il y a un an.

b. <u>Pertinence</u> - Personnellement significatif.

   i) Exemple : Les infirmières prêtent plus d'attention à ce qui affecte les infirmières par rapport à ce qui affecte les comptables.

c. <u>Célébrité</u> - Inclure des personnes importantes (célébrités, autorités, etc.).

   i) Exemple : Normalement, on se fiche de ce que mange un autre être humain tous les jours. Mais si c'est Jeff Bezos, oui. Puisqu'il est une célébrité, beaucoup de gens s'en soucient.

d. <u>Proximité</u> - Proche de chez soi - géographiquement.

   i) Exemple : Une maison en feu à travers le pays n'attire pas ton attention. Si c'est ton voisin, sûrement. Rends-le aussi proche de chez toi que possible.

e. <u>Conflit</u> - d'idées opposées, de personnes opposées, de la nature, etc.

   i) Exemple : Ananas vs pas d'ananas sur la pizza ? Conflit !

   ii) Exemple : Bien vs Mal. Héros vs Méchant. Gauche vs Droite.

   iii) Exemple : Liberté vs Sécurité. Justice vs Clémence. Tu as compris l'idée.

f. <u>Insolite</u> - étrange, unique, rare, bizarre.

   i) Exemple : Pense à un homme à six doigts dans les cirques d'antan. Si c'est en dehors de la norme, les gens y prêtent plus attention.

g. <u>En cours</u> - Les histoires encore en cours sont dynamiques, évolutives et ont des rebondissements.

   i) Exemple : Quand quelqu'un est en train d'accoucher, les gens veulent des mises à jour toutes les dix minutes car *tout peut arriver.*

Étape Action : Inclus un ou plusieurs de ces éléments pour te donner des titres plus consistants et accrocheurs.

 Copyright © 2024 par ACQUISITION.COM LLC. NON DESTINÉ À LA DISTRIBUTION.

Format. Une fois que nous avons un bon sujet et que nous le communiquons avec un titre utilisant un ou plusieurs de ces éléments, nous devons adapter notre format au meilleur contenu sur la plateforme. Les gens consomment du contenu parce qu'il est similaire à ce qu'ils ont aimé par le passé. Et en adaptant le format populaire de la plateforme, on attire le plus de personnes à interagir avec lui. Donc, nous voulons que notre contenu ressemble à ce qu'ils ont aimé auparavant.

Exemple de format :

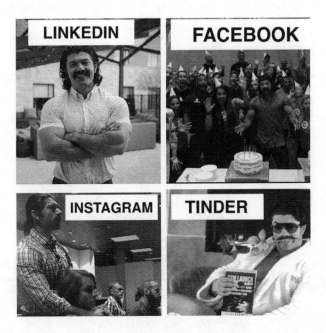

Ce mème transmet l'idée mieux que je ne pourrais le faire avec des mots. Les quatre images ci-dessus sont... eh bien... des images. Mais elles ont un aspect et une sensation différents. Cela dépend du formatage de l'audience que tu veux attirer *et* de la plateforme sur laquelle se trouve ton public.

Ce qu'il faut retenir: Tu dois adapter ton contenu pour qu'il corresponde à *ce que ton public s'attend à recevoir en guise de récompense.* Sinon, peu importe sa qualité, un contenu visuellement plus attrayant les accrochera avant même que le tien ait une chance.

Étape Action : Formate d'abord ton contenu pour la plateforme. Ensuite, ajuste-le pour accrocher ton public idéal. Utilise le meilleur contenu sur la plateforme qui cible ton marché comme guide.

Cela conclut l'étape de « l'accroche » de notre unité de contenu. *Toujours* suivre ces bases te placera déjà dans le top 1%. Du moins, c'est le cas pour moi.

2) Retenir

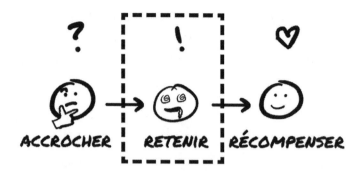

Mon moyen préféré de retenir l'attention, c'est la *curiosité*. C'est mon préféré parce que, si c'est bien fait, les gens attendront des *années*. Les gens veulent savoir ce qui se passe... *ensuite.* Par exemple, je reçois quotidiennement, depuis des années maintenant, des messages demandant quand je vais sortir un livre sur les ventes.

Ma manière préférée de susciter la curiosité de l'audience est d'implanter des questions dans leur esprit. Les questions non résolues peuvent être explicites ou implicites. Tu peux poser directement la question. Ou la question peut être suggérée. Mes trois façons préférées d'implanter des questions sont : les listes, les étapes et les histoires.

a) <u>Listes</u> : Les listes comprennent des choses, des faits, des conseils, des opinions, des idées, etc., présentés les uns après les autres. De bonnes listes dans le contenu gratuit suivent également un thème. Pense à « Top 10 des erreurs » ou « Les 5 plus grands gagnants d'argent », et ainsi de suite. Préciser le nombre d'éléments répertoriés dans ton titre, ou dans les premières secondes de ton contenu, indique aux gens à quoi s'attendre. Et d'après mon expérience, cela retient davantage l'attention de l'audience pendant plus longtemps.

   i) Exemple : « 7 façons dont j'ai investi 1000 $ dans ma vingtaine qui ont rapporté gros »

   ii) Exemple : « 28 façons de rester pauvre »

   iii) Exemple : « Une unité de contenu à trois pièces... »

Copyright © 2024 par ACQUISITION.COM LLC. NON DESTINÉ À LA DISTRIBUTION.

b) <u>Étapes</u> : Les étapes sont des actions qui se déroulent dans l'ordre et accomplissent un objectif lorsqu'elles sont terminées. À condition que les premières étapes soient claires et utiles, la personne voudra savoir comment les accomplir toutes pour atteindre l'objectif global.

  i)   Exemple : « 3 étapes pour créer une excellente accroche »

  ii) Exemple : « Comment je crée un titre en 7 étapes »

  iii) Exemple : « La routine matinale qui booste ma productivité »

Note : Voici la différence entre les étapes et les listes. Les étapes sont des *actions* qui doivent être effectuées dans un ordre spécifique pour obtenir un résultat. Ainsi, les étapes sont moins flexibles mais offrent une récompense plus explicite. Les listes peuvent contenir à peu près n'importe quoi dans n'importe quel ordre que tu veux. Les listes sont donc plus flexibles mais offrent une récompense moins explicite.

c) <u>Histoires</u> : Les histoires décrivent des événements, réels ou imaginaires. Et les histoires qui valent la peine d'être racontées ont souvent une morale ou une leçon à tirer pour l'auditeur. Tu peux raconter des histoires sur des choses *qui se sont produites, pourraient se produire, ou ne se produiront jamais.* Les trois suscitent la curiosité car les gens veulent savoir ce qui se passe ensuite.

  i)   Ex. : Presque chaque chapitre de ce livre a une histoire.

  ii) Ex. : « Mon éditeur m'a fait faire 19 brouillons de ce livre - voici ce que je lui ai fait. »

  iii) Ex. : « Mon parcours, de dormir au rez-de-chaussée d'une salle de sport au dernier étage d'un hôtel 5 étoiles. »

Tu peux utiliser des listes, des étapes et des histoires individuellement ou les entremêler. Par exemple, tu peux avoir des listes au sein d'étapes, et une histoire pour chaque élément de la liste. Tu peux avoir des histoires pour renforcer la valeur d'une étape. Tu peux avoir une liste d'histoires ou de nombreuses intrigues en cours. Etc. Ta créativité est la seule limite ici. C'est pourquoi les personnes qui créent beaucoup de contenu se qualifient de créateurs de contenu. Ce chapitre, par exemple, comporte des listes au sein d'étapes et des histoires qui les entrelacent.

Étape Action : Utilise des listes, des étapes et des histoires pour maintenir la curiosité de ton public. Implante des questions dans leur esprit pour les inciter à vouloir savoir ce qui se passe ensuite.

Copyright © 2024 par ACQUISITION.COM LLC. NON DESTINÉ À LA DISTRIBUTION.

3) Récompenser

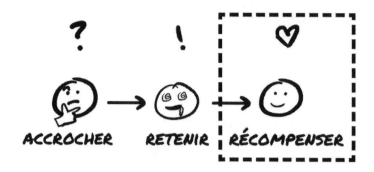

N'importe qui peut penser à de bonnes accroches et organiser son contenu en utilisant des listes, des étapes ou des histoires. Mais la vraie question est : est-ce bon ? Est-ce que cela satisfait la raison pour laquelle ils l'ont regardé au départ ? Est-ce que cela donne envie aux gens de le partager ? <u>La qualité de ton contenu dépend de la fréquence à laquelle il satisfait ton public dans le temps qu'il lui faut pour le consommer. Pense à la valeur par seconde.</u> Par exemple, la même personne qui s'ennuie au bout de trois secondes dans une vidéo de dix secondes peut également dévorer un livre de 900 pages. Et cette même personne peut regarder une série télévisée pendant huit heures d'affilée. Donc, il n'y a pas de durée excessive, seulement *d'ennui excessif.*

Maintenant, nous ne pouvons pas garantir une récompense spécifique. Mais nous pouvons augmenter la chance que la récompense se produise en :

- Accrochant le bon public avec les bons sujets, titres et formats
- Les retenant avec des listes, des étapes et des histoires pour les rendre curieux et en vouloir plus
- Satisfaire clairement la raison pour laquelle le contenu les a accrochés au départ.

Exemple : Si ton accroche promet « 7 façons de te réconcilier avec ton conjoint » et que tu fournis :

(A) quatre façons (B) sept façons qui étaient nulles (ou qu'ils les ont déjà toutes entendues). (C) tu parles à une pièce de célibataires qui n'ont pas de conjoints, tu as mal récompensé. Les gens ne voudront pas regarder à nouveau et ne le partageront certainement pas.

Exemple : Si ton accroche promet « 4 Stratégies marketing que les dentistes peuvent utiliser » et qu'ils ne peuvent pas les utiliser, ils ne la partageront pas et ne regarderont pas ton contenu à l'avenir.

Tu as mal récompensé.

<u>Ce qu'il faut retenir</u> : J'ai eu beaucoup de contenu avec lesquels je pensais pulvériser des records, mais le public a préféré appuyer sur le bouton suivant. Peu importe à quel point tu penses que ton contenu est bon, c'est le public qui décide. Récompenser ton public signifie correspondre ou dépasser leurs attentes *lorsqu'ils décident de consommer ton contenu.* Voici comment tu sais si tu as réussi : ton public grandit. S'il ne grandit pas, c'est que ton contenu n'est pas si bon. Pratique et tu t'amélioreras.

Copyright © 2024 par ACQUISITION.COM LLC. NON DESTINÉ À LA DISTRIBUTION.

Étape Action : Fournis plus de valeur que quiconque. Tiens tes promesses. Satisfais clairement l'accroche que tu as utilisée pour attirer leur attention. En d'autres termes, réponds complètement aux questions non résolues que tu as implantées dans leur esprit.

Alors, quelle est la différence entre le contenu court et le contenu long ? Réponse : pas grand-chose.

Si tu te souviens de plus tôt, la plus petite quantité de matériel nécessaire pour accrocher, retenir et récompenser l'attention est une unité de contenu. Donc, pour créer un **contenu plus long**, nous lions simplement des unités de contenu ensemble.

Par exemple, une étape unique dans une liste de cinq étapes pourrait être une unité de contenu. Lorsque nous lions toutes les cinq ensemble, nous obtenons un contenu plus long. Voici une illustration pour bien le comprendre.

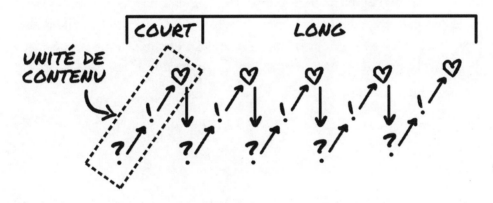

Un contenu plus court accroche, retient, récompense moins souvent. Un contenu plus long le fait plus fréquemment. Et le faire plus souvent demande plus de compétences, car tu dois enchaîner davantage de « bonnes » unités de contenu à la suite. Par exemple, un nouveau comédien n'aura généralement que quelques minutes sur scène pour présenter son « sketch ». Seul un comédien expérimenté aura une heure. Il faut de la pratique pour récompenser l'attention juste assez souvent pour la maintenir aussi longtemps. Alors, commence petit, puis construis à partir de là. Même si tu commences avec un contenu plus long, ce qui est bien, je suggère de commencer par des versions plus courtes. Ce sera plus facile pour toi. De nombreux auteurs à succès avec des romans épiques ont commencé en écrivant... tu l'as deviné... des petites histoires.

Copyright © 2024 par ACQUISITION.COM LLC. NON DESTINÉ À LA DISTRIBUTION.

Conseil de Pro : Fais tout ton contenu pour des inconnus :

Ceci est important. Sois attentif. Si tu veux *développer* ton audience chaude, alors tu dois créer du contenu en supposant que les personnes qui le consomment n'ont jamais entendu parler de toi auparavant. Si tu le fais pour des inconnus, alors des inconnus l'apprécieront parce que... *tu l'as créé pour eux.* Et ils le partageront. Et ton public se développera beaucoup plus rapidement. Et envisage l'alternative, tu parsèmes ton contenu de « private jokes » que personne ne comprend sauf ton public. C'est sympa pour vous, mais personne d'autre ne se sentira le bienvenu. Et la croissance de ton public ralentira. C'est l'une des erreurs les plus courantes que je vois commisent par les créateurs de contenu - alors ne la fais pas. Donc, crée chaque unité de contenu en supposant que la personne n'a jamais entendu parler de toi auparavant. Et tous ceux qui te connaissent déjà ne s'en offusqueront pas. Ils apprécieront les rappels.

Une fois que tu comprends comment créer une unité de contenu, tout ce que tu as à faire, c'est d'en faire *davantage*. Ensuite, ton public va grandir. Et une fois que ton public atteint une taille suffisamment importante, tu voudras peut-être le monétiser. J'avais trop de choses à dire pour tout caser dans un seul chapitre, donc nous parlerons de la manière de monétiser le public dans le prochain.

À bientôt.

Copyright © 2024 par ACQUISITION.COM LLC. NON DESTINÉ À LA DISTRIBUTION.

#2 Publier du contenu gratuit Partie II

Monétise ton audience

« Donne, donne, donne, donne, donne, donne, jusqu'à ce qu'ils demandent »

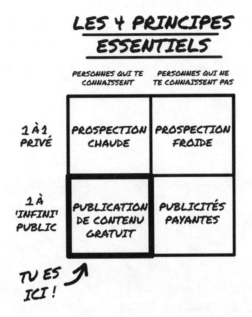

Le but de ce chapitre est de te montrer comment monétiser ton audience engagée. Tout d'abord, nous parlons de la façon dont nous pouvons faire des offres sans devenir un monstre du spam, en maîtrisant le ratio donner:demander. Ensuite, nous aborderons les deux stratégies d'offre pour monétiser l'audience. Après cela, j'aborderai la manière d'augmenter ta production de contenu pour développer une audience plus importante plus rapidement et gagner encore plus d'argent. Ensuite, je partagerai plusieurs leçons que j'ai apprises en construisant ma propre audience et que j'aurais aimé connaître plus tôt. Enfin, je conclurai en te montrant comment passer à l'action dès *aujourd'hui.*

Maîtriser le ratio donner:demander

Gary Vaynerchuk a popularisé l'expression « jab, jab, jab, right hook » (coup, coup, coup, crochet droit). Cela simplifie l'idée de donner à ton public de nombreuses fois avant de faire une demande. Tu déposes de la bonne volonté avec du contenu gratifiant, puis tu en tires en faisant des offres. Lorsque tu déposes de la bonne volonté, ton public prête plus attention. Lorsque tu déposes de la bonne volonté, ton public est plus susceptible de faire ce que tu demandes. Donc, j'essaie de « sous-demander » à mon public et de construire autant de bonne volonté que possible.

Heureusement, le ratio donner:demander a été bien étudié. À la télévision, en moyenne, 13 minutes sont consacrées à la publicité pour chaque 60 minutes de diffusion. Cela signifie que 47 minutes sont consa-

Copyright © 2024 par ACQUISITION.COM LLC. NON DESTINÉ À LA DISTRIBUTION.

crées au « donner » et 13 minutes sont consacrées au « demander ». C'est environ un ratio de 3,5 pour 1 de donner à demander. Sur Facebook, c'est environ 4 publications de contenu pour chaque publicité sur le fil d'actualité. Cela nous donne une idée du ratio minimum à donner: demander que nous pouvons soutenir. Après tout, la télévision et Facebook sont des plateformes matures. Elles se soucient moins de faire croître leur audience et se soucient plus de gagner de l'argent avec elle. Donc, elles donnent moins et demandent plus. Ce qui signifie que « donne, donne, donne, demande » est le ratio qui nous rapproche de *la maximisation de la monétisation* d'un public sans le réduire. Cependant, la plupart d'entre nous veulent faire croître leur audience, alors nous ne devrions pas les imiter. Nous devrions imiter les plateformes en croissance.

Alors, que font les plateformes en croissance ? Elles affichent beaucoup de contenu sans presque aucune publicité. En bref, elles donnent, donnent, donnent... donnent, donnent, donnent... donnent, donnent, donnent... peut-être demandent. Elles donnent de manière dramatique plus qu'elles ne demandent. Pourquoi ? Parce que plus tu récompenses ton public, plus il devient grand. Donc, si tu veux faire croître une audience, donne bien plus que tu ne demandes.

Et maintenant que j'ai un peu d'expérience avec cela, j'ai une légère modification de la stratégie traditionnelle de donner - demander qui la propulse encore plus loin : *Donne jusqu'à ce qu'ils demandent*.

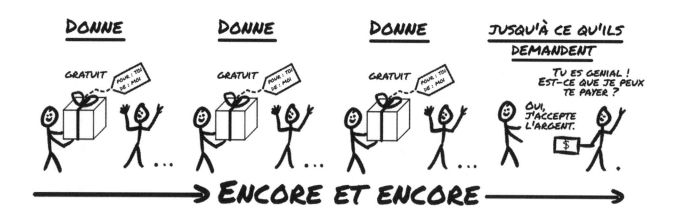

Les gens attendent toujours que tu demandes de l'argent. Et quand tu ne le fais pas, ils te font plus confiance. Ils partagent davantage tes contenus. Tu grandis plus rapidement, etc. Mais je ne suis pas un saint altruiste. Je suis là pour gagner de l'argent. Après tout, je ne serais pas un bon homme d'affaires si je n'en gagnais pas du tout.

Donc, c'est simple. Si tu donnes assez, *les gens commencent à te demander.* Il est inconfortable pour les gens de continuer à recevoir sans rien donner en retour. C'est ancré dans notre culture et notre ADN. Ils iront sur ton site web, t'enverront des messages privés, t'enverront des e-mails, etc., pour demander plus. De plus, lorsque tu utilises cette stratégie, tu obtiens les *meilleurs* clients. Ce sont ceux qui donnent le plus. Ce sont ceux qui, même en tant que clients payants, estiment toujours avoir le meilleur bout du marché. Et surtout, si tu fais de la publicité de cette manière, *ta croissance ne ralentit jamais.* Lorsque tu utilises cette stratégie, *tu donnes en public, tu demandes en privé.* Tu laisses le public choisir lui-même quand il est prêt à te donner de l'argent. C'est pourquoi, à mon avis, *donner jusqu'à ce qu'ils demandent* est la meilleure stratégie. Mais si tu as envie de demander, je comprends. Alors, parlons de la manière de le faire. Si tu veux le faire, autant le faire bien.

<u>En résumé</u> : Le moment où tu commences à demander de l'argent est le moment où tu décides de ralentir ta croissance. Plus tu es patient, plus tu obtiendras lorsque tu finiras par demander.

Étape Action : Donne, donne, donne, donne, donne *jusqu'à ce qu'ils demandent.*

Conseil de Pro : Donne en public, demande en privé

Si tu continues à donner en public, les gens te demanderont en privé de leur vendre des choses. Compte là-dessus. Le meilleur des deux mondes est de ne jamais cesser de donner en public et de voir un nombre croissant de personnes te demander en privé d'acheter tes produits. Donne, donne, donne et tu recevras, sans perdre de bonne volonté ni ralentir la croissance de ton audience.

Comment gagner de l'argent grâce au contenu : demander

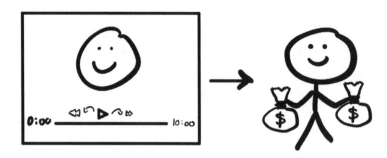

Pour être clair, je pense que tu devrais utiliser la stratégie du « *donner jusqu'à ce qu'ils demandent* ». Mais, si tu as besoin de payer le loyer, nourrir ta famille, etc., je comprends. Parfois, il faut demander. Alors parlons de comment le faire sans avoir l'air ridicule.

Considère les « demandes » comme des publicités. Tu *interromps ce programme avec un message très important.* Étant donné que tu fournis la valeur, tu interromps ton propre contenu avec des publicités sur les choses que tu vends. Mais, comme c'est ton audience, tu paies le coût de la perte potentielle de confiance, du ralentissement de la croissance et bien sûr, du temps qu'il t'a fallu pour rassembler l'audience en premier lieu. Mais du point de vue financier, c'est gratuit. Maintenant, j'utilise deux stratégies pour intégrer des promotions dans le contenu : les offres intégrées et les offres intermittentes. Parlons des deux.

INTÉGRÉE
UN SEUL ÉLÉMENT DE CONTENU

Intégrée : Tu peux faire de la publicité dans chaque contenu, tant que tu maintiens un ratio donner:demander élevé. Tu continueras à faire croître ton audience chaleureuse et à obtenir des leads engagés. C'est gagnant-gagnant.

Par exemple, si je fais un podcast d'une heure, avoir 3 publicités de 30 secondes signifie que j'aurais 58,5 minutes de contenu utile pour 1,5 minute de publicité. Bien au-dessus du ratio de 3:1.

D'un autre côté, j'avais un ami qui avait un podcast qui a explosé rapidement. Pressé de monétiser son nouvel auditoire, il a commencé à faire des offres (demander) trop fréquemment dans le contenu. Non seulement son podcast a cessé de croître, il a même régressé ! Ne sois pas comme ça. Ne tue pas ta poule aux

 Copyright © 2024 par ACQUISITION.COM LLC. NON DESTINÉ À LA DISTRIBUTION.

œufs d'or. C'est un équilibre délicat. Donne trop pour protéger ton actif le plus précieux : la bienveillance de ton audience.

Étape Action : J'intègre le plus souvent les « demandes » - aussi appelées CTAs - après un moment décisif ou à la fin du contenu. Essaye de placer à l'une de ces positions d'abord, et assure-toi que la croissance de ton audience ne ralentisse pas. Ensuite, ajoute un deuxième emplacement et ainsi de suite.

Conseil de Pro : Demande dans la mention « PS »

La mention « PS » est l'une des parties les plus lues de n'importe quel contenu. Souvent, car elle résume la principale action que l'auteur souhaite que l'audience accomplisse. Ainsi, j'essaie de les inclure dans tout ce que j'écris. C'est également l'un de mes endroits préférés pour faire des demandes.

PS - tu vois, tout le monde lit ça.

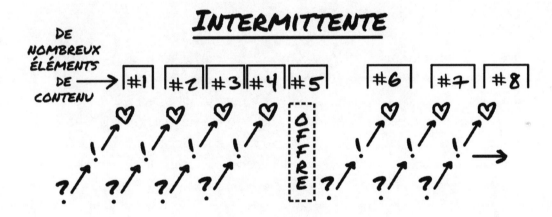

De manière intermittente : La deuxième façon dont tu peux monétiser est à travers des demandes intermittentes. Voici comment cela fonctionne. Tu crées plusieurs contenus en pur « don » puis de temps en temps, tu crées un contenu avec une « demande ». Par exemple : tu fais 10 publications de « don » et à la 11e, tu fais la promotion de tes produits.

La différence entre la première façon et la deuxième dépend de la plateforme. Sur les plateformes courtes, la méthode intermittente dominera. Sur les plateformes longues, les intégrations sont souvent la meilleure option.

Lorsque tu fais ta demande, tu fais la publicité soit de ton offre principale, soit de ton lead magnet. C'est tout. Ne complique pas les choses.

Copyright © 2024 par ACQUISITION.COM LLC. NON DESTINÉ À LA DISTRIBUTION.

Exemple avec ton lead magnet : Si je viens de parler d'une manière d'obtenir plus de prospects dans une publication/vidéo/podcast, etc., je dirais ensuite, « J'ai 11 autres astuces qui m'ont aidé à faire cela. Va sur mon site pour obtenir une belle illustration de celles-ci. » Et tant que j'ai une audience qui veut obtenir plus de prospects, cela incitera certains d'entre eux à s'engager. Ensuite, la page de remerciement après la page d'inscription pour mon lead magnet afficherait mon offre payante avec une vidéo expliquant comment cela fonctionne. Points bonus si ton lead magnet est en lien avec le contenu pour lequel tu fais de la publicité.

Exemple avec ton offre : Tu peux aussi « aller droit au but » avec ton offre principale et aller directement vers la vente. Le chemin direct vers l'argent. Nous modélisons notre offre à partir du dernier chapitre.

« Je recherche 5 (avatar spécifique) pour m'aider à atteindre (résultat de rêve) en (délai). Le meilleur, c'est que tu n'as pas à (effort et sacrifice). Et si tu n'obtiens pas (résultat de rêve), je ferai deux choses (augmenter la probabilité perçue de réussite) : 1) Je te rembourserai intégralement 2) Je travaillerai avec toi jusqu'à ce que tu y parviennes. Je fais cela parce que je veux que tout le monde ait une expérience incroyable avec nous et parce que je suis confiant que je peux tenir ma promesse. Si cela te semble juste, envoie-moi un message direct / réserve un appel / commente ci-dessous / réponds à cet e-mail, etc. »

Après avoir fait ta demande, reviens à fournir de la valeur.

Conseil de Pro : L'Offre à 100M $

Mon premier livre « *L'Offre à 100M $* », décortique le processus de création d'offres étape par étape. Si tu veux savoir comment créer une offre précieuse à laquelle la bonne personne aurait du mal à dire non... va jeter un coup d'œil à ce livre (la version Kindle est vendue aussi bon marché que la plateforme me permet de la vendre, si tu es à court d'argent). Si cela te rassure, plus de 10 000 personnes lui ont donné une évaluation de 5 étoiles au cours des quinze premiers mois depuis sa publication. Et il est resté en tête des listes des best-sellers en marketing, publicité et ventes pendant plus de 100 semaines et continue de le faire. Si tu ne sais pas quoi vendre, lis ce livre pour le faire correctement dès la première fois.

---

* Ce conseil est un exemple d'intégration.

Étape Action - 1 : Choisis si tu l'intègres ou si tu fais une demande intermittente. Ensuite, décide si tu vas faire la publicité de ton offre principale ou de ton lead magnet. Si tu n'es pas sûr, opte pour le lead magnet. C'est moins risqué.

Copyright © 2024 par ACQUISITION.COM LLC. NON DESTINÉ À LA DISTRIBUTION.

Comment le mettre à l'échelle

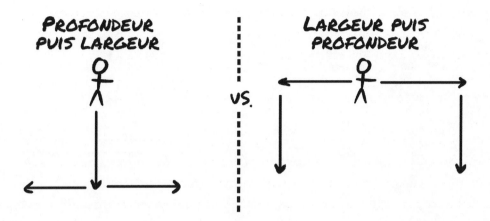

Après avoir commencé à faire des demandes, tu commenceras à obtenir des prospects et à gagner de l'argent. Mais tu ne veux pas t'arrêter là, n'est-ce pas ? C'est ce qui me semblait. Bien, parlons donc de l'expansion.

Il existe deux stratégies opposées pour développer ton audience chaleureuse. Elles suivent toutes deux des étapes progressives. Tout d'abord, tu as l'approche de la profondeur puis de la largeur. Ensuite, tu as l'approche de la largeur puis de la profondeur. Les deux sont correctes. Voici comment elles fonctionnent :

<u>Profondeur puis largeur</u> : Maximise une plateforme, puis passe à la plateforme suivante.

<u>Étape #1</u> : Publie du contenu sur une plateforme pertinente.

<u>Étape #2</u> : Publie régulièrement du contenu sur cette plateforme.

<u>Étape #3</u> : Maximise la qualité et la quantité du contenu sur cette plateforme. En format court, tu peux parfois publier jusqu'à dix fois par jour par plateforme. En format long, tu pourrais avoir à le faire jusqu'à cinq jours par semaine (comme regarder des séries).

<u>Étape #4</u> : Ajoute une autre plateforme tout en maintenant la qualité et la quantité sur la première plateforme.

<u>Étape #5</u> : Répète les étapes 1-4 jusqu'à ce que toutes les plateformes pertinentes soient maximisées.

Avantages : Une fois que tu maîtrises une plateforme, tu maximises le rendement de cet effort. Les audiences se multiplient plus rapidement à mesure que tu agis davantage. Tu tires parti de cette multiplication. Moins de ressources sont nécessaires pour que cela fonctionne.

Inconvénients : Tu as moins de fruits faciles à cueillir sur de nouvelles plateformes et de nouveaux publics. Tu ne parviens pas à ressentir l'omniprésence. Au début, tu cours le risque que ton activité dépende d'un seul canal. C'est un risque car les plateformes changent tout le temps et te bannissent parfois sans raison. Si tu n'as qu'une seule façon d'obtenir des clients, cela peut ruiner ton entreprise si elle est fermée.

Copyright © 2024 par ACQUISITION.COM LLC. NON DESTINÉ À LA DISTRIBUTION.

Largeur puis profondeur : Inscris-toi sur chaque plateforme tôt, puis maximise-les ensemble.

Étape #1 : Publie du contenu sur une plateforme pertinente.

Étape #2 : Publie régulièrement du contenu sur cette plateforme.

Étape #3 : *C'est là que cette stratégie diffère de celle d'avant.* Au lieu de maximiser ta première plateforme, passe à la plateforme suivante tout en maintenant la précédente.

Étape #4 : Continue jusqu'à ce que tu sois sur toutes les plateformes pertinentes.

Étape #5 : Maintenant, maximise la création de contenu sur toutes les plateformes en même temps.

Avantages : Tu atteins un public plus large plus rapidement. Et tu peux « recycler » ton contenu. Ainsi, avec un peu de travail supplémentaire, tu peux gagner énormément en efficacité. Avec des changements minimes dans le format, tu peux adapter le même contenu à plusieurs plateformes. Par exemple, il faut peu d'effort supplémentaire pour formater une seule vidéo courte sur toutes les plateformes en distribuant du contenu vidéo court..

Inconvénients : Cela coûte plus de travail, d'attention et de temps pour bien faire les choses. Souvent, les gens se retrouvent avec beaucoup de mauvais contenus partout. Des futilités médiocres. Pas bueno. Si tu as déjà une entreprise de taille décente, évolue plus rapidement et récolte les récompenses d'un actif qui ne cesse de s'améliorer avec le temps. Je l'ai déjà dit et je le répéterai. Le meilleur jour pour commencer à publier du contenu était le jour de ta naissance. Le deuxième meilleur jour, c'est aujourd'hui. Ne tarde pas comme j'ai pu le faire.

Conseil de Pro : Comment je m'en sors

Je ne suis pas un créateur de contenu à temps plein. Je dirige des entreprises. Cependant, la création de contenu fait partie de mes responsabilités. Voici mon processus simple pour la production de contenu.

1) Je trouve des sujets en utilisant les cinq méthodes de la section « sujets » dans la première partie de ce chapitre. Cela me prend environ une heure.

2) Je m'assois deux fois par mois et j'enregistre une trentaine de clips courts basés sur l'étape 1.

3) Le même jour, j'enregistre 2 à 4 vidéos plus longues détaillant des tweets qui ont plus d'histoires ou d'exemples pertinents. Cela crée mon contenu long.

Si cela semble simpliste, c'est parce que ça l'est. Commence simplement. Tu peux augmenter le volume avec le temps.

 Copyright © 2024 par ACQUISITION.COM LLC. NON DESTINÉ À LA DISTRIBUTION.

Étape Action : Choisis une approche. Commence à publier. Ensuite, passe aux étapes de mise à l'échelle au fil du temps.

Conseil de Pro : Un seul appel à l'action à la fois

« Un esprit confus n'achète pas » est un dicton courant dans le monde des ventes et du marketing. Pour augmenter le nombre de personnes qui font ce que tu veux, demande-leur seulement de faire une chose par appel à l'action. Par exemple, ne demande pas aux gens de « partager, aimer, s'abonner et commenter » en même temps. Parce qu'au lieu de tous les faire, ils n'en feront aucun. Au lieu de cela, si tu veux qu'ils partagent, demande-leur seulement de partager. Et si tu veux qu'ils achètent, demande-leur seulement d'acheter. Prends une décision, ainsi ils n'auront pas à le faire.

Pourquoi tu devrais créer du contenu
(même si ce n'est pas ta stratégie publicitaire principale)

Janvier 2020.

J'ai convoqué tous les principaux départements à une réunion pour répondre à une question importante : Pourquoi nos publicités payantes ne fonctionnent-t-elles plus comme avant ? Les avis ont fusé dans la pièce. "La créativité... le texte... l'offre... nos pages... notre processus de vente... notre prix..." Ils se répondaient mutuellement, tous aussi engagés que moi à résoudre le problème.

Leila et moi sommes restés silencieux pendant que l'équipe débattait. Après le tumulte, Leila, avec sa sagesse habituelle, a posé une question différente : Qu'avons-nous arrêté de faire dans les mois précédant le déclin ?

Un nouveau débat a surgi, et une réponse unanime est apparue : Alex a cessé de créer du contenu sur le fitness et a commencé à parler de business en général. Maintenant, je ne savais pas à quel point c'était important, mais je devais le découvrir. J'ai donc envoyé un sondage à nos propriétaires de salle de sport. J'ai demandé s'ils avaient consommé du contenu de ma part avant de réserver un appel. Les résultats m'ont stupéfait.

<u>78 % de tous les clients avaient consommé au moins DEUX contenus de format long avant de réserver un appel.</u>

J'étais retombé dans mes vieilles habitudes et j'avais attribué tout le mérite aux publicités payantes. Mais, notre contenu gratuit nourrissait la demande. Ne fais pas la même erreur que moi. Ton contenu gratuit donne aux inconnus l'opportunité de trouver, tirer de la valeur, et partager ton contenu. Et il réchauffe les personnes indécises qui vont et viennent des méthodes de public cible froides que nous aborderons ensuite.

Copyright © 2024 par ACQUISITION.COM LLC. NON DESTINÉ À LA DISTRIBUTION.

Ainsi, même si cela peut être difficile à mesurer, le contenu gratuit offre de meilleurs rendements que toutes les autres méthodes publicitaires.

<u>En résumé</u> : Commence à créer du contenu pertinent pour ton public. Cela te rapportera plus d'argent.

7 leçons que j'ai apprises en créant du contenu

1) **Passe de « Comment faire » à « Comment je fais. » de « C'est la meilleure façon » à « Ce sont mes façons préférées »**, etc. (surtout au début). Parle de ce que tu as fait, pas de ce que les autres devraient faire. De ce que tu aimes, pas de ce qui est le meilleur. Lorsque tu parles de ton expérience, personne ne peut te contester. Cela te rend invulnérable.

   a) Je fais mon gruau* de cette manière au lieu de tu devrais faire ton gruau de cette manière.

   b) Comment j'ai construit mon agence à sept chiffres au lieu de Comment construire une agence à sept chiffres.

   c) Ma façon préférée de générer des prospects pour mon entreprise au lieu de C'est la meilleure façon de générer des prospects pour ton entreprise.

   C'est subtil. Mais lorsque tu partages ton expérience, tu apportes de la valeur. Quand tu dis à un inconnu quoi faire, il est difficile d'éviter de paraître moralisateur ou arrogant. Cela aide à l'éviter.

2) **Nous avons besoin d'être rappelés plus que d'être enseignés** :

   Tu es un drôle d'oiseau si tu penses que 100 % de ton public écoute 100 % du temps. Par exemple, je parle de mon livre tous les jours. J'ai sondé mon public et leur ai demandé s'ils savaient que j'avais un livre. Un sur cinq qui a vu la publication a dit qu'il ne le savait pas. Répète-toi. Tu te lasseras de ton contenu avant même que tout ton public ne le voie.

3) **Flaques, étangs, lacs, océans** :

   Recentre le contenu. Si tu as une petite entreprise locale, tu ne devrais probablement pas créer de contenu commercial général. Pas au début, du moins. Pourquoi ? Le public écoutera des personnes ayant de meilleurs antécédents que toi. Mais tu peux réduire la portée de tes sujets à ce que tu fais et à l'endroit où tu le fais. Exemple : la plomberie dans une certaine ville. Si tu fais cela, tu peux devenir le roi de cette flaque. Avec le temps, tu peux élargir ta flaque de plomberie jusqu'à l'étang général des entreprises locales. Puis le lac des chaînes de magasins physiques, et ainsi de suite. Enfin, l'océan des affaires générales.

4) **Le contenu crée des outils pour les vendeurs** :

   Certains contenus performants attireront davantage de personnes intéressées par l'achat de tes produits. Ce contenu aide ton équipe de vente. Crée une liste principale de tes « meilleurs succès ». Éti-

---

* Au Canada, le gruau désigne essentiellement une céréale d'avoine bouillie et servie nature ou avec du lait, du sucre, du miel ou du sirop d'érable

 Copyright © 2024 par ACQUISITION.COM LLC. NON DESTINÉ À LA DISTRIBUTION.

quette chaque « succès » avec le problème qu'il résout et l'avantage qu'il procure. Ensuite, ton équipe de vente peut l'envoyer avant ou après les appels de vente et aider les gens à décider d'acheter. Ils fonctionnent particulièrement bien si le contenu résout des problèmes spécifiques auxquels les prospects sont fréquemment confrontés.

5) **Le contenu gratuit retient les clients qui paient** :

La manière dont un client tire de la valeur de toi importe moins que l'endroit où il l'a obtenue. Imagine une personne paie pour ton produit et consomme ensuite ton contenu gratuit. Si ton contenu gratuit est précieux, elle t'appréciera davantage et restera fidèle à ton entreprise plus longtemps. À l'inverse, si elle consomme ton contenu gratuit et que c'est nul, elle aimera moins ton produit payant. Voici quelque chose que tu ne sais peut-être pas. Quelqu'un qui achète tes produits est plus susceptible de consommer ton contenu gratuit. C'est pourquoi il est si important de faire de ton contenu gratuit quelque chose de bien - tes clients l'incluront dans le calcul de leur retour sur investissement de ton produit payant.

6) **Les gens n'ont pas des durées d'attention plus courtes, ils ont des normes plus élevées**

Répéter pour insister : il n'y a pas de notion de trop long, seulement de trop ennuyeux. Les plateformes de streaming ont prouvé que les gens passeront des heures à consommer du contenu de format long s'ils l'apprécient. Notre biologie n'a pas changé, nos circonstances si. Ils ont plus de choses gratifiantes à choisir. Alors, crée des produits de qualité que les gens aiment et récolte les récompenses plutôt que de te plaindre de « courtes durées d'attention. »

7) **Évite la programmation préétablie des publications**

Les publications que je publie manuellement fonctionnent mieux que celles que je préprogramme. Voici ma théorie. Lorsque tu publies manuellement, tu sais qu'en quelques secondes, tu seras récompensé ou puni pour la qualité du contenu. En raison de cette boucle de rétroaction immédiate, tu fais *tellement plus d'efforts* pour le rendre meilleur. Lorsque je planifie du contenu, je ne ressens pas cette même pression. Donc, chaque fois que je publie, ou que mon équipe le fait, nous croyons fermement qu'il est important que quelqu'un appuie sur le bouton 'publier' car cela ajoute une dernière pression pour que tout soit parfait. Essaie ça.

Benchmark - Comment est-ce que je me débrouille ?

Si notre audience augmente, c'est bien. Mais si notre public augmente rapidement, c'est encore mieux. Alors, j'aime mesurer la taille de mon public et la vitesse de sa croissance chaque mois.

Voici ce que je mesure :

1) Total des abonnés et de la portée - À quelle échelle

   a) Exemple d'abonnés : Si je passe de 1000 abonnés sur toutes les plateformes à 1500, j'ai développé mon public de 500 personnes.

Copyright © 2024 par ACQUISITION.COM LLC. NON DESTINÉ À LA DISTRIBUTION.

b) Exemple de portée : Si je passe de 10 000 personnes qui voient mes contenus à 15 000 personnes qui voient mes trucs, j'ai développé ma portée de 5 000 personnes.

2) Taux d'obtention d'abonnés et de portée - *À quelle vitesse*

Tu compares la croissance entre les mois :

a) Exemple : Si j'ai gagné ces 500 abonnés en un mois, cela en ferait un mois de croissance de 50 % (500 Nouveaux / 1000 Au départ = Taux de croissance de 50 %).

b) Exemple : Si j'ai atteint ces 5000 personnes supplémentaires en un mois, cela en ferait un mois de croissance de 50 % (5000 Nouveaux / 10 000 Au départ = Taux de croissance de 50 %).

N'oublie pas, nous ne pouvons contrôler que les entrées, à savoir le contenu créé. Mesurer les résultats n'est utile que si nous sommes cohérents avec les entrées. Alors, choisis la cadence de publication que tu veux maintenir sur une plateforme particulière. Ensuite, choisis ta cadence de « demande » sur cette plateforme (comment tu inciteras les gens à devenir des leads engagés). Ensuite, commence et... Ne t'arrête pas.

Alex Hormozi ✔
@AlexHormozi

C'est incroyable ce que tu peux accomplir si tu ne t'arrêtes pas une fois que tu as commencé.

Pour référence, j'ai publié un nouveau podcast deux fois par semaine pendant quatre ans avant même d'entrer dans la liste des 100 meilleurs. Parce que j'ai fait la même chose chaque semaine pendant des années, je savais que je pouvais faire confiance aux retours. Au début, ça n'a pas beaucoup grandi. Il a fallu du temps pour que je m'améliore. Et je savais que je devais en faire plus, sur une longue période, pour que cela se produise.

Ainsi, si le nombre de tes auditeurs passe de dix à quinze en un mois, c'est une avancée ! Même avec des chiffres absolus modestes, cela représente une croissance mensuelle de cinquante pour cent ! C'est pourquoi j'aime mesurer à la fois la croissance absolue et relative et choisir celle qui me fait me sentir mieux (ha !). Comme le dit mon ami le Dr Kashey, « Plus vous mesurez de plusieurs façons, plus vous pouvez gagner. » Sois cohérent. Mesure énormément. Adapte-toi aux retours. Sois un gagnant.

Pour boucler la boucle, dans sa cinquième année, mon podcast - The Game, est devenu l'un des 10 meilleurs podcasts aux États-Unis dans la catégorie affaires et l'un des 500 meilleurs au monde. Cela n'était possible qu'après 5 ans de plusieurs podcasts par semaine, chaque semaine. N'oublie pas, tout le monde commence à zéro. Il te suffit de donner du temps au temps.

Copyright © 2024 par ACQUISITION.COM LLC. NON DESTINÉ À LA DISTRIBUTION.

Ton premier post

Tu as probablement fourni de la valeur à d'autres êtres humains consciemment ou inconsciemment depuis un certain temps. Alors, le premier post que tu fais, tu peux faire une demande. J'espère que cela te permettra d'obtenir ton premier lead engagé. Si ce n'est pas le cas, tu dois donner pendant un certain temps, puis faire une demande une fois que tu as mérité le droit de le faire. Pour te montrer que je ne dis pas n'importe quoi, ci-dessous tu peux trouver mon tout premier post professionnel. Est-il idéal ? Non. Je n'avais aucune idée de ce que je faisais. Devrais-tu le copier, probablement pas. Le point principal : n'aie pas peur de ce que les autres pensent. Si quelqu'un ne parlera pas à ton enterrement, tu ne devrais pas te soucier de son opinion tant que tu es en vie. Honore les rares personnes qui croient en toi en ayant du courage.

 Alex Hormozi ✔
April 9, 2013 · Baltimore, MD · 🌐   •••

Tout le monde,

Pour ceux d'entre vous qui me connaissent, vous savez deux choses :

1) Je suis mauvais avec tout ce qui est technocologique. Par exemple, je viens d'entendre parler de Spotify il y a quelques semaines, sérieusement.

2) J'adore l'entraînement/la nutrition et le fitness plus que, et bien, plus qu'énormément.

Aujourd'hui est donc un peu spécial car c'est le jour où mon amour de l'entraînement a vaincu ma peur de la technologie.

Qu'est ce que je veux dire ?

Depuis près d'un an, J'ai pris part à un projet d'accompagnement sportif personnalisé avec l'idée d'offrir un programme d'entrainement personnalisé et gratuit à quiconque serait prêt à verser entre 500$ et 1000$ à une œuvre de charité de son choix

De cette façon, ils n'auraient pas besoin d'être motivés par la même choe que moi, mais d'être motivés pour donner à leur cause et en tirer profit. Lorsque j'ai présenté l'idée pour la première fois, j'ai été agréablement surpris par le soutien positif que j'ai reçu.

Ainsi, presque un an après mon premier client, J'AI MAINTENANT UN SITE WEB !! pour montrer formellement certaines des transformations qui ont eu lieu en utilisant ma programmation et comme moyen formel de me contacter au sujet de mon inscription.

J'AI ACTUELLEMENT QUELQUES PLACES OUVERTES DANS MA LISTE, ALORS LAISSE MOI UN MESSAGE RAPIDEMENT SI TU ES INTÉRESSÉ !

Prends un instant pour découvrir les différentes transformations qui ont eu lieu en un temps RECORD. Jette un coup d'œil !

Chaque fois que je lis cela, je me dis juste « espèce de bêta ». Mais bon, j'essayais. Et pour ça, je suis fier.

Récapitulatif

Nous avons abordé huit points :

1) L'Unité de contenu - fait

2) Contenu court vs. contenu long - fait

3) Maîtrise du ratio donner:demander - fait

4) Comment demander - fait

5) Comment mettre à l'échelle - fait

6) Leçons tirées du contenu - fait

7) Brenchmark - fait

8) Ton premier post - fait

Maintenant, tu sais. Rien ne t'arrête.

Alors, que dois-je faire maintenant ?

La publication de contenu gratuit est moins certaine que (mais complémentaire à) la prospection chaleureuse. *Continue donc à faire des prospections engagées.* De plus, la publication de contenu gratuit fait croître ton audience engagée. Et une audience engagée plus importante signifie plus de personnes pour l'approche chaleureuse. Ainsi, le contenu gratuit obtient des leads engagés par lui-même et continue d'obtenir des leads engagés grâce aux prospections engagées. Au lieu d'abandonner l'un pour l'autre, je te recommande de publier du contenu gratuit en plus des prospections engagées.

Remplissons maintenant notre engagement d'action quotidienne pour notre première plateforme.

Checklist quotidienne de publication de contenu	
Qui :	Toi-même
Quoi :	Valeur : donner, donner, donner jusqu'à ce qu'ils demandent
Où :	Toute plateforme média
À qui :	Les personnes qui te suivent déjà
Quand :	Tous les matins, 7 jours sur 7
Pourquoi :	Développer la bonne volonté. Obtenir des prospects engagés
Comment :	Messages écrits, images, vidéo, audio
Combien :	100 min par jour
Combien de fois :	Autant que la plateforme l'indique
Combien de temps :	Le temps qu'il faudra

 Copyright © 2024 par ACQUISITION.COM LLC. NON DESTINÉ À LA DISTRIBUTION.

La prochaine étape

D'abord, nous commençons par des prospections engagées. Nous contactons chaque personne avec laquelle nous avons la permission de communiquer. Deuxièmement, nous publions publiquement sur les succès et les leçons que nous avons tirées de nos premiers clients. Nous publions des témoignages. Nous fournissons de la valeur. Puis, de temps en temps, nous demandons. Nous nous engageons à faire ces deux activités chaque jour.

Avec ces deux méthodes seules, tu peux éventuellement construire une entreprise à six ou sept chiffres. Mais tu pourrais vouloir aller plus vite. Alors, nous nous aventurons hors des audiences chaudes qui nous connaissent vers les audiences froides qui ne nous connaissent pas. Nous commençons à contacter des inconnus. Cela marque le début de la troisième étape de notre parcours publicitaire : la prospection à froid.

BONUS GRATUIT : Tout ce que j'ai appris en publiant du contenu

J'ai dû supprimer beaucoup de ressources pour rendre ce livre gérable. Si tu veux connaître la manière rapide et facile de créer du contenu qui établit la confiance auprès d'un public, va sur Acquisition.com/training/leads. Et si tu avais besoin d'une autre raison, en plus de 'ça te fera gagner de l'argent'... ça ne te coûtera rien. C'est gratuit. Profites-en. Et comme toujours, tu peux également scanner le QR code ci-dessous si tu n'aimes pas taper dans la barre de recherche.

SCANNE MOI

Copyright © 2024 par ACQUISITION.COM LLC. NON DESTINÉ À LA DISTRIBUTION.

Copyright © 2024 par ACQUISITION.COM LLC. NON DESTINÉ À LA DISTRIBUTION.

Bonté gratuite

« Celui qui a dit que l'argent ne peut pas acheter le bonheur n'a pas assez donné. »
— Inconnu

Les personnes qui donnent sans rien attendre vivent plus longtemps, mènent des vies plus heureuses et gagnent plus d'argent. Alors, si nous avons une chance d'atteindre cela pendant notre temps ensemble, bon sang, je vais essayer.

Pour ce faire, j'ai une question pour toi...

Aiderais-tu quelqu'un que tu n'as jamais rencontré si cela ne te coûtait rien, mais que tu n'obtiendrais aucun crédit ?

Tu te demandes de qui je parle ? Il s'agit d'une personne semblable à toi. Ou, du moins, à la personne que tu étais autrefois. Moins expérimentée, désireuse de faire une différence, et ayant besoin d'aide, mais ne sachant pas vraiment où chercher.

La mission d'Acquisition.com est *de rendre les affaires accessibles à tous.* Tout ce que nous faisons découle de cette mission. Et, la seule façon pour nous d'accomplir cette mission est d'atteindre... eh bien... *tout le monde.*

C'est là que tu interviens. La plupart des gens jugent effectivement un livre à sa couverture (et à ses critiques). Alors voici ma demande au nom d'un entrepreneur en difficulté que tu n'as jamais rencontré :

S'il te plaît, aide cet entrepreneur en laissant une critique de ce livre.

Ton cadeau ne coûte pas d'argent et prend moins de 60 secondes pour devenir réel, mais peut changer la vie d'un autre entrepreneur pour *toujours.* Ta critique pourrait aider...

... un peu plus de petites entreprises à subvenir aux besoins de leur communauté.

... un entrepreneur de plus à soutenir sa famille.

... un employé de plus à trouver un travail significatif.

Copyright © 2024 par ACQUISITION.COM LLC. NON DESTINÉ À LA DISTRIBUTION.

... un client de plus à transformer sa vie.

... un rêve de plus à devenir réalité.

Pour ressentir cette sensation de bien-être et aider réellement cette personne, tout ce que tu as à faire est... et cela prend moins de 60 secondes... laisser une critique.

Si tu utilises <u>Audible</u> - appuie sur les trois points en haut à côté du titre, clique sur « Noter et donner son avis », puis laisse quelques phrases sur le livre avec une note étoilée.

Si tu lis <u>sur Kindle ou sur une liseuse</u> - fais défiler jusqu'en bas du livre, puis fais glisser vers le haut et cela t'invitera à laisser une critique.

<u>Si, pour une raison quelconque, ces instructions changent</u> - tu peux aller sur Amazon (ou l'endroit où tu as acheté ce livre) et laisser une critique directement sur la page de vente du livre.

Si tu te sens bien d'aider un entrepreneur anonyme, tu es mon genre de personne. Bienvenue dans la #mozination. Tu fais partie des nôtres.

Je suis d'autant plus excité de t'aider à obtenir plus de prospects que tu ne peux l'imaginer. Tu vas adorer les tactiques que je vais partager dans les chapitres à venir. Merci du fond du cœur. Maintenant, revenons à notre programme régulier. Ton plus grand fan, Alex

PS : Petite anecdote amusante : Si tu offres quelque chose de valeur à une autre personne, cela te rend plus précieux à leurs yeux. Si tu veux de la bienveillance directement d'un autre entrepreneur - et que tu crois que ce livre les aidera - envoie-leur ce livre.

 Copyright © 2024 par ACQUISITION.COM LLC. NON DESTINÉ À LA DISTRIBUTION.

#3 Prospection froide

Comment Contacter des Inconnus pour Obtenir des Leads Engagés

«La quantité a une qualité qui lui est propre.»
— Napoléon Bonaparte

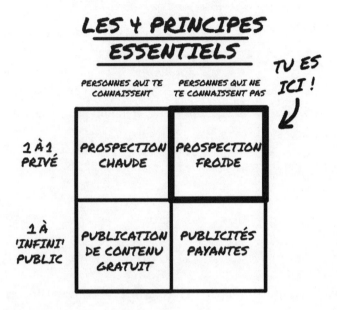

Juillet 2020.

La COVID-19 faisait rage. En quelques mois, trente pour cent de mes clients ont fait faillite. Les manifestants remplissaient toutes les plateformes de haine et de colère. Les politiciens faisaient des promesses. Les petites entreprises souffraient en silence. Le chômage explosait. La plus tumultueuse élection de tous les temps était sur nous. Et ici, nous essayons de générer des prospects pour payer nos factures. Partout, des employés, ainsi que leurs familles, en dépendaient.

Les trois entreprises que je possédais à l'époque (Gym Launch, Prestige Labs et ALAN) dépendaient du maintien ouvert des entreprises physiques, et elles étaient fermées. Stratégie brillante, Alex. Pour aggraver les choses, Apple a fait une mise à jour logicielle qui a paralysé nos publicités. Le marché était médiocre. Nos publicités payantes étaient médiocres. Et je portais le fardeau.

J'ai envisagé les pires scénarios. *Combien d'argent faudrait-il pour nous maintenir à flot ? Combien de temps continuerais-je de payer les gens quand il n'y a pas de fin en vue ? Devrais-je puiser dans mes comptes personnels ? Sacrifier un tiers de mes économies de toute une vie ? La moitié ? Tout ? Qu'est-ce que cela dit de moi ?* Je n'avais aucune idée de ce qu'il fallait faire.

Tôt ce samedi matin…

J'ai essayé de dormir assez longtemps pour que mon réveil me réveille, mais en vain. Je suis allé à mon bureau et j'ai vérifié Instagram. J'avais un nouveau message qui m'attendait :

« Salut Alex, Cale m'a dit que vous n'aviez plus besoin de commerciaux, alors mon offre a été retirée. J'ai quitté mon emploi pour l'accepter. Très honoré que vous m'ayez considéré. J'espère que vous me considérerez de nouveau la prochaine fois que vous aurez des postes ouverts. »

Cherchant du contexte, j'ai fait défiler vers le haut. Lire nos premiers messages m'a récompensé d'un pincement de culpabilité. C'est moi qui lui ai dit de postuler. Il a bien pris le rejet. Un signe d'un bon vendeur. Je me sentais obligé de répondre.

« Tu es là? » J'ai envoyé.

« Oui, » il a répondu.

« Disponible 5 minutes ? »

« Oui. »

Nous avons fait un appel. Il semblait un peu nerveux, mais je pouvais dire qu'il connaissait son sujet.

C'est dommage que nous n'ayons pas assez de prospects pour ce gars-là…

« Je voulais travailler pour toi depuis un moment maintenant. J'ai lu ton livre et utilisé les scripts pour devenir le meilleur producteur de ma société », a-t-il dit.

« C'est génial. Je suis tellement content de l'entendre. Dans quelle entreprise travailles-tu ? » ai-je demandé.

« Une entreprise de logiciels pour les salles de sport. »

Je n'avais jamais entendu parler d'eux.

« Oh, intéressant. Comment obtenez-vous des prospects ? »

« Nous faisons 100 % de prospection à froid. »

« Vous appelez à froid et envoyez des e-mails à froid aux salles de sport, puis vous leur vendez des logiciels ? »

« Oui, c'est à peu près ça. »

« Quelle est la taille de l'équipe ? »

« On a environ une trentaine de gars. »

Copyright © 2024 par ACQUISITION.COM LLC. NON DESTINÉ À LA DISTRIBUTION.

Une équipe de 30 personnes !?

« Quel est votre chiffre d'affaires si tu peux le partager avec moi ? »

« Nous faisons environ 10 000 000 $ par mois maintenant. »

Incroyable. « Juste avec de la prospection à froid ? »

« Oui, nous diffusons quelques publicités, mais nous n'avons pas encore trouvé la formule magique. »

« Et vous faites cela avec une offre de rétention ? Vous ne faites même pas vraiment gagner plus d'argent aux salles de sport ? »

« Oui, ce n'est certainement pas aussi facile à vendre que ce que tu fais pour les salles de sport. »

« Penses-tu que tu pourrais utiliser le même système de prospection à froid ici ? »

« Je n'ai jamais lancé d'équipe, mais je pense que je pourrais m'en sortir. »

« D'accord. Quelle était l'offre que Cale a retirée ? »

« J'allais être un closer, mais il a dit que vous n'en aviez plus besoin. »

J'ai réfléchi un moment. « Eh bien, étant donné notre volume actuel de prospects, il a probablement raison. Mais *si tu peux obtenir tes propres prospects,* je te donnerai le temps nécessaire pour lancer la prospection à froid. Qu'en penses-tu ? »

« Cela prend un certain temps pour démarrer. Je devrais trouver les scripts pour ton offre. »

« Oui, ça a du sens. Combien de temps, tu penses ? »

« Je suis sûr que je pourrais le rendre rentable en douze semaines. »

« D'accord, on a un deal. Je vais informer Cale de ce plan. Pour être clair, on s'attend à ce que tu trouves tout ça par toi-même.. Le logiciel. Les listes. Tout. Je te donnerai le temps nécessaire, mais nous ne pourrons pas te soutenir beaucoup au-delà de ça. »

« Entendu. »

Voici ce qui s'est passé au cours des mois qui ont suivi :

Septembre : 0 vente. Rien du tout. Zéro. Nada.

Octobre : 2 ventes (32 000 $ de revenus). L'équipe me demande d'arrêter la prospection à froid.

Décembre : 4 ventes (64 000 $ de revenus). L'équipe me demande à nouveau d'arrêter.

Janvier : 6 ventes (96 000 $ de revenus).

Février : 10 ventes (160 000 $ de revenus).

Copyright © 2024 par ACQUISITION.COM LLC. NON DESTINÉ À LA DISTRIBUTION.

Mars : 14 ventes (224 000 $ de revenus).

Avril : 20 ventes (320 000 $ de revenus).

Mai : 30 ventes (480 000 $ de revenus).

Aujourd'hui : La prospection à froid génère des millions par mois pour nos entreprises. Pour que cela fonctionne, nous avons utilisé chaque méthode de prospection à froid que nous connaissions (légalement). Appels à froid... Emails à froid... Messages directs à froid... Messageries vocales. Tout. Mais, petit à petit, nous avons construit une machine fiable pour attirer des clients. Je voulais quelque chose qui *perdure*.

Et c'est ce que je vais te montrer comment construire.

J'ai tiré cinq leçons importantes de cette expérience :

1) Il y avait une autre entreprise dans mon secteur qui gagnait beaucoup plus d'argent que la mienne. Cela a brisé ma croyance sur la taille réelle du marché.

2) Ils gagnaient tout leur argent grâce à la publicité privée. Je n'avais aucun moyen de savoir qu'ils existaient à moins qu'ils ne me contactent d'abord. Ils opéraient donc un peu en secret.

3) Ils ont construit une machine de prospection à froid très rentable dans mon secteur. S'ils pouvaient le faire, moi aussi.

4) Il est bon d'avoir des attentes appropriées. Les vétérans de la prospection à froid m'ont dit que cela prendrait un an pour se développer. Je pensais que nous pourrions le faire en douze semaines. J'avais tort. Cela a pris presque un an. La prospection à froid prend du temps. Du moins, c'était le cas pour moi.

5) Nous avons essayé la prospection à froid deux fois auparavant et nous avons échoué. Travailler avec une personne qui avait tout fait auparavant a été d'une aide immense pour démarrer. J'espère être cette personne pour toi maintenant.

Comment fonctionne la prospection à froid

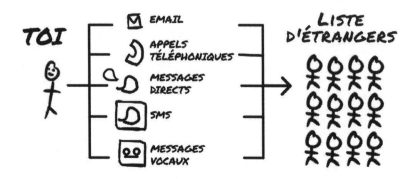

Copyright © 2024 par ACQUISITION.COM LLC. NON DESTINÉ À LA DISTRIBUTION.

À un moment donné, tu voudras l'une de ces deux choses. Soit tu voudras croître plus rapidement que tu ne le fais actuellement. Soit, tu voudras augmenter la prévisibilité de l'afflux de prospects...

Voici comment nous pouvons le faire. Nous faisons de la publicité auprès de personnes qui ne nous connaissent pas. Des audiences froides. Et comme avant, nous pouvons les contacter publiquement ou en privé. Dans ce chapitre, nous nous concentrons sur la communication privée en tête-à-tête avec la prospection à froid. Pour plus de contexte, la prospection à froid repose sur la base de la prospection chaude. Alors considère cela comme le cousin plus avancé de la prospection engagée, qui n'est pas limité par ton audience chaude.

Si tu peux trouver un moyen de contacter quelqu'un en tête-à-tête, tu peux l'utiliser pour la prospection à froid. Tu frappes à 100 portes. Tu passes 100 appels téléphoniques. Tu envoies 100 messages directs. Tu envoies 100 messages vocaux. Toutes ces actions sont des exemples de prospection à froid qui ont fait gagner des fortunes aux entreprises. Cela fonctionnait il y a 100 ans. Cela fonctionne aujourd'hui. Et quand les plateformes changent, cela fonctionnera demain.

La prospection à froid a une différence clé par rapport à la prospection chaude : la confiance. Les inconnus ne te font pas confiance. Et par rapport aux personnes qui nous connaissent, les inconnus présentent <u>trois</u> nouveaux problèmes.

1) Premièrement, tu n'as pas de moyen de les contacter. Évidemment.

2) Deuxièmement, même si tu peux les contacter, ils t'ignorent.

3) Troisièmement, même s'ils te prêtent attention, ils ne sont pas intéressés.

Permets-moi de te décrire à quoi ressemblent ces problèmes dans le monde réel.

<u>Si tu frappes à des portes</u>, tu n'as pas les adresses. Ensuite, même si tu les as, ils n'ouvrent pas la porte quand tu frappes. S'ils ouvrent, ils te disent quand même d'aller voir ailleurs.

<u>Si tu fais des appels à froid</u>, tu n'as pas leurs numéros de téléphone. Même si tu les as, ils ne décrochent pas. S'ils décrochent, ils te raccrochent au nez.

<u>Si tu envoies des e-mails à froid</u>, tu n'as pas leurs adresses e-mail. Même si tu les as, ils n'ouvrent pas l'e-mail. Même s'ils l'ouvrent, ils ne répondent pas.

<u>Si tu envoies des messages directs</u>, tu n'as pas d'endroit où les envoyer. Même si tu en as un, ils ne le lisent pas. Même s'ils le lisent, ils ne répondent pas.

<u>Si tu envoies des messages vocaux ou des messages texte</u>, tu n'as pas leurs numéros. Même si tu les as, ils ne lisent pas ou n'écoutent pas. Même s'ils lisent ou écoutent, ils ne répondent pas.

Copyright © 2024 par ACQUISITION.COM LLC. NON DESTINÉ À LA DISTRIBUTION.

Maintenant que nous avons clarifié cela, l'ordre dans lequel nous résolvons ces problèmes est le suivant :

1) Trouver un moyen de les contacter

2) Déterminer quoi dire

3) Les contacter jusqu'à ce qu'ils soient prêts et en mesure d'écouter

<u>Le résultat</u>. Nous trouvons de nombreuses façons de contacter les étrangers les plus qualifiés. Nous les approchons de différentes manières, à de nombreuses reprises. Ensuite, nous les submergeons de valeur dès le départ pour les inciter à manifester suffisamment d'intérêt pour aller de l'avant.

Note de l'Auteur : Il faudra quelques étapes de plus que d'habitude

En tant que règle personnelle, je vends des choses coûteuses. Je vends des choses coûteuses de manière plus efficace lorsque je le fais en plusieurs étapes (plutôt que lors du premier contact). Ma priorité absolue est donc de susciter l'intérêt du prospect pour les produits que je vends. Lorsqu'ils manifestent de l'intérêt, je planifie un moment pour les vendre. Si mon aimant principal nécessite un deuxième échange pour le livrer, je le fais à ce moment-là. Si mon aimant principal offre de la valeur par lui-même, l'appel suivant porte sur la valeur qu'ils ont reçue. Les deux approches fonctionnent.

Le démarchage à froid est un jeu de nombres. Plus tu contactes de personnes, plus tu obtiens de prospects engagés. Une fois que nous avons déterminé la quantité de démarchages nécessaires pour engager un prospect, il ne nous reste plus qu'une chose à faire...*plus*. Allons à la chasse !

Comme les étrangers présentent trois nouveaux problèmes, j'ai divisé ce chapitre en trois étapes. Une étape par problème. Tout d'abord, nous obtenons une liste ciblée de prospects. Ensuite, nous devons savoir quoi dire pour les inciter à répondre. Troisièmement, nous compensons un taux de réponse plus faible en augmentant le volume et le type de nos tentatives de contact.

 Copyright © 2024 par ACQUISITION.COM LLC. NON DESTINÉ À LA DISTRIBUTION.

Problème n°1 : « Mais comment les contacter ? » → Construire une liste

Jusqu'à présent, avec les sollicitations chaleureuses et la publication de contenu gratuit, tu as dû accepter les prospects qui venaient de ton audience chaleureuse. Ce n'est plus nécessaire. Avec la prospection à froid, contrairement à toute autre méthode de publicité, nous pouvons être aussi spécifiques que nous le souhaitons. Tu veux parler uniquement aux gestionnaires de fonds spéculatifs gérant plus d'un milliard de dollars ? Fait. Tu peux le faire. Tu veux seulement discuter avec les propriétaires de magasins de vêtements de golf réalisant plus de 3 millions de vente? Fait. Tu veux parler uniquement aux influenceurs qui obtiennent plus de 50 000 vues par page unique par mois ? Fait. Maintenant, nous choisissons nos cibles plutôt qu'elles ne nous choisissent.

Tu n'as probablement pas encore de moyen d'entrer en contact avec 1000 étrangers parfaitement adaptés. Et si nous voulons les amener à acheter chez nous, nous devons d'abord trouver un moyen de les contacter - évidemment. Résolvons d'abord ce problème.

Il y a trois façons différentes avec lesquelles j'obtiens mes listes de prospects cibles. Premièrement, j'utilise un logiciel pour extraire une liste de noms. Deuxièmement, je paie des courtiers pour me constituer une liste de prospects ciblés. Et si aucune de ces options ne fonctionne, je crée manuellement une liste de noms. Voici le processus.

o <u>Étape #1 Logiciels</u> : Je m'abonne à autant de logiciels que possible qui extraient des prospects de différentes sources. Je les recherche tous en fonction de mes critères. Le logiciel génère ensuite des noms, des titres de poste, des coordonnées, etc. J'essaie un échantillon représentatif, disons quelques centaines de chaque logiciel que j'utilise. Ensuite, si les coordonnées sont à jour, les prospects sont réactifs et correspondent au type de personne que le logiciel prétend qu'ils sont, bingo ! Alors, j'obtiens autant de prospects que le logiciel peut me fournir. Mais si je ne semble pas trouver le public adéquat, je passe à l'étape deux.

o <u>Étape #2 Courtiers</u> : Je vais voir plusieurs courtiers et leur demande de me constituer une liste en fonction de mes critères d'audience. Ils m'envoient ensuite un échantillon. Je teste les listes d'échantillons de chacun des courtiers. Si j'obtiens de bons résultats auprès d'un ou de plusieurs courtiers, je continue avec leurs listes. Et si je ne trouve toujours pas ce que je cherche, je passe à l'étape trois.

Copyright © 2024 par ACQUISITION.COM LLC. NON DESTINÉ À LA DISTRIBUTION.

o Étape #3 Recherche manuelle : Je rejoins des groupes et des communautés que je pense avoir dans mon public. Lorsque je trouve des personnes qui répondent à mes critères, je vérifie s'il y a un moyen de les contacter dans l'annuaire du groupe - comme des liens vers leurs profils sur les réseaux sociaux, etc. Si c'est le cas, je les ajoute à ma liste. Sinon, je peux les contacter dans la plateforme hébergeant le groupe. Je préfère trouver les coordonnées en dehors du groupe pour ne pas donner l'impression d'exploiter le groupe uniquement à des fins commerciales, mais je le ferai si nécessaire.

Alors, je travaille de la manière la plus accessible aux prospects les moins accessibles. Voici un point important. Si tu peux rechercher dans la base de données, tout le monde le peut aussi. Mais si tu constitues toi-même une liste de noms, il est moins probable que cette personne ait déjà reçu de nombreuses sollicitations froides d'autres entreprises. Ainsi, ils sont les plus frais. Inconvénient : cela prend plus de temps. Bien sûr, tu peux payer quelqu'un d'autre pour le faire une fois que tu as compris comment le faire toi-même, mais nous parlons uniquement de démarrage dans ce chapitre. Nous aborderons la mise à l'échelle dans la section IV.

Étape Action : Trouve ton outil de scrapping en recherchant « outils de scrapping de prospects » ou « scrapping de prospects dans une base de donnée ». Trouve des courtiers de la même manière. En quelques clics, tu trouveras ce que tu cherches. Constitue ta première liste de 1000 noms. Si tu as plus de temps que d'argent, tu voudras peut-être commencer à l'étape trois, car cela ne coûte que du temps.

Conseil de Pro : **Les groupes d'intérêt sont le public froid le plus chaud que tu puisses obtenir**

Les groupes d'intérêt contiennent les prospects de la plus haute qualité car ce sont des groupes concentrés de personnes cherchant une solution. Offre-leur une solution.
De nos jours, il existe des logiciels qui peuvent extraire des informations de ces groupes. Utilise-les. C'est l'un de mes endroits préférés pour prospecter.

Problème n°2 : « J'ai ma liste, mais que dois-je leur dire ? » → Personnaliser, puis offrir rapidement une grande valeur ajoutée

Maintenant que tu as ta liste de prospects, tu dois trouver quoi dire. J'ai abordé beaucoup de scénarios dans la section des « approches chaleureuses » - cette section s'appuie sur celle-là. À la fin de ce chapitre, je vais également inclure trois exemples de scripts que tu peux suivre pour les appels à froid, les e-mails à froid et les messages à froid. Cela dit, il y a deux facteurs importants que je souligne pour inciter des inconnus à s'engager : la personnalisation et la grande valeur rapide. C'est important parce qu'ils ne nous connaissent pas et ils ne nous font pas confiance. Nous devons surmonter ces deux problèmes en quelques secondes.

 Copyright © 2024 par ACQUISITION.COM LLC. NON DESTINÉ À LA DISTRIBUTION.

a) Ils ne nous connaissent pas → Personnaliser (comportons-nous comme si nous les connaissions)

Pour inciter davantage de prospects à s'engager, nous voulons que le message donne l'impression qu'il provient de quelqu'un qu'ils connaissent. La meilleure façon de le faire est de connaître réellement quelque chose à propos de la personne que tu contactes. En conséquence, nous voulons que notre approche à froid ressemble à une approche chaleureuse.

...Imagine ton téléphone sonne depuis un numéro inconnu avec un indicatif régional que tu ne connais pas. Es-tu susceptible de répondre ? Probablement pas. Et si le numéro est de ton indicatif régional ? Un peu plus probable. Pourquoi ? Parce que ça pourrait être quelqu'un que tu connais. Alors, pour pousser cette idée plus loin, imagine que tu répondes au téléphone...

...La personne dit « <Ton prénom ?> » puis fait une pause (comme une personne normale). Tu répondrais, « oui... c'est qui ? »

Maintenant, si cette personne continue en disant, "c'est Alex...

puis fait une pause

... J'ai regardé quelques-unes de tes vidéos et lu le dernier article de blog que tu as écrit sur l'entraînement des chiens. C'était génial ! Cela m'a vraiment aidé avec mon doberman. Elle est impressionnante ! Cette astuce au beurre de cacahuète a vraiment aidé. Merci pour ça."

Tu te demanderais toujours ce qui se passe. Mais tu sais ce que tu ne ferais pas ?...

raccrocher.

Ensuite, tu entends, « Oh oui, désolé, je me suis emballé. Je travaille pour une entreprise qui aide les dresseurs de chiens à remplir leurs carnets de rendez-vous. Nous aimons collaborer avec les meilleurs de la région. Donc, je suis toujours à l'affût. Nous avons travaillé avec quelqu'un à environ une heure au nord de chez toi... John's Doggy Daycare... tu en as entendu parler ? »

Tu répondrais oui ou non (peu importe), et ils diraient, « Oui, nous avons fini par leur obtenir 100 rendez-vous en 30 jours en utilisant une combinaison de texte, d'e-mail et de quelques publicités. Offres-tu des services similaires aux leurs ? » Auquel tu répondrais probablement oui. Ensuite, ils diraient, « Oh, c'est parfait. Alors, nous pourrions utiliser cette même campagne dans ton marché et générer des prospects pour toi. Si tu obtenais une tonne de nouveaux clients payants pour l'entraînement de chiens, tu ne m'en voudrais pas, n'est-ce pas ? » Tu rirais légèrement. « D'accord, super. Eh bien... je te propose de te guider à travers tout cela de A à Z plus tard dans la journée. Seras-tu disponible à 16 heures ? » Et tu dirais - bien sûr - ou quelque chose du genre. Le point ici est que si cette personne avait commencé l'appel par « hé mec, veux-tu acheter des services marketing ? », tu aurais probablement raccroché.

La personnalisation est ce qui te permet d'obtenir une opportunité de vente. Fondamentalement, une à trois informations que nous pouvons trouver qu'un ami pourrait connaître à propos du prospect. Ensuite, nous voulons les complimenter à ce sujet et, idéalement, leur montrer comment cela nous a bénéficié. Les gens aiment les personnes qui les apprécient. Même si quelqu'un ne te connaît pas, il te donnera plus de temps si tu connais quelque chose à son sujet.

Copyright © 2024 par ACQUISITION.COM LLC. NON DESTINÉ À LA DISTRIBUTION.

Cela s'avère utile pour les lignes d'objet personnelles dans les e-mails, les premiers messages en chat, ou les premières phrases que quelqu'un entend. Même si quelqu'un ne te connaît pas, il appréciera le temps que tu as pris pour te renseigner sur lui avant de les contacter. Cet effort minime porte ses fruits.

Étape Action :

Fais un peu de recherche sur chaque prospect avant de leur envoyer un message. Nous pouvons le faire nous-mêmes, payer des personnes pour le faire pour nous, ou utiliser des logiciels. Regroupe ce travail. Ensuite, utilise tes notes pour déterminer la première chose avec laquelle tu démarreras la conversation pour paraître plus familier.

Conseil de Pro : Augmentation de 50 % du taux de réponse par e-mail

J'ai pris notre modèle de prospection à froid et l'ai réécrit à un niveau de lecture inférieur au niveau de troisième année. Les résultats : 50 % de prospects en plus ont répondu. Je recommande de passer tous les scripts et messages par le biais d'une application gratuite de niveau de lecture en ligne. Je n'en recommanderai pas une en particulier car elles disparaissent souvent, mais je te promets que tu peux en trouver une. Rends tes messages plus faciles à comprendre et plus de personnes répondront.

---

b) Ils ne nous font pas confiance → valeur immédiate et importante

La différence clé entre les personnes qui te connaissent et les étrangers est que... Les étrangers te donnent beaucoup moins de temps pour prouver ta valeur. Et, ils ont besoin de beaucoup plus d'incitations pour se rapprocher de toi. Alors, facilite-toi la vie en « donnant de la valeur ». Nous n'essayons pas de titiller leur intérêt, nous essayons de les impressionner en moins de trente secondes.

Comme pour les approches chaleureuses, tu peux faire directement ton offre, ou proposer un lead magnet, ou les deux. Cela donne à la personne une raison forte de répondre.

Je souligne spécifiquement la « valeur immédiate et importante » plutôt que « ton lead magnet » pour rappeler qu'elle doit être GIGANTESQUE, RAPIDE ET VALORISANTE. Si ce n'est pas le cas, ou si c'est médiocre, tu te fondras dans la masse des personnes qui tentent d'attirer leur attention. Et ils te traiteront de la même manière - ils t'ignoreront. Voici à quel point cela compte :

Les quatre premiers mois de la prospection à froid ont été une torture. Nous proposions une session de planification de jeu en tant que lead magnet. Certaines salles de sport ont accepté, mais la plupart ne l'ont pas fait. Nous avions besoin de quelque chose de mieux. J'ai testé de nombreuses parties de notre processus, mais le changement de lead magnet a tout surpassé. Nous sommes passés de « planification de jeu » - code pour « appel de vente » - à leur offrir autant de services gratuits que nous pouvons nous permettre. Nos taux de conversion ont triplé et la prospection à froid est devenue un canal monstrueux pour nous.

Si ton offre/lead magnet ne fonctionne pas pour toi, monte d'un cran. Continue d'offrir plus jusqu'à ce que ce soit *tellement bon qu'ils se sentent stupides de dire non*. Ils achèteront chez toi ou auront de belles choses à dire sur toi. Gagnant-gagnant.

Si tu oublies tout de ce chapitre, retiens une chose : <u>*l'objectif est de démontrer une valeur énorme aussi rapidement que possible*</u>. Facilite-toi la tâche en offrant quelque chose d'incroyable. Offre quelque chose gratuitement que les gens paieraient normalement et ils le voudront.

Note : Je n'ai pas dit : « tellement bon qu'ils devraient payer pour cela », j'ai dit « quelque chose pour lequel ils paient effectivement ». Grande différence. Prends cela à cœur et tes résultats le montreront.

Étape Action : Offre la valeur la plus importante et rapide que tu peux te permettre avec ton lead magnet ou ton offre. Ensuite, rédige tes scripts. Et ne t'inquiète pas, je suis là pour t'aider. Pour te donner un coup de pouce, je fournis des scripts d'appels, d'e-mails et de messages directs à la fin du chapitre. Note : Les scripts d'appels et de tchat ne dépassent jamais une page ou deux, et les e-mails à froid dépassent rarement la moitié d'une page. Alors ne te prends pas trop la tête. Il n'y a pas de récompense pour le script le plus joli. Fais tes 100 premières conversations ou 10 000 e-mails avant d'y apporter des ajustements. Teste, puis ajuste au fur et à mesure que tu apprends.

Problème #3 : « Je n'ai pas assez d'occasions de parler aux gens de mes produits incroyables, que dois-je faire ? » → Du volume

Une fois que nous avons notre liste de noms, d'informations personnelles et notre lead magnet attractif, nous devons faire en sorte que davantage d'inconnus le voient. Nous faisons cela de trois manières. Tout d'abord, nous automatisons la livraison autant que possible. Ensuite, nous automatisons la distribution autant que possible. Enfin, nous effectuons un suivi plus fréquent et de différentes manières.

a) Livraison automatisée. Dans la mesure du possible, automatiser la livraison débloque un énorme échelon car quelqu'un n'a pas besoin de communiquer littéralement le message au prospect. Cela signifie que tu obtiens plus de prospects engagés par unité de temps (même si moins s'engagent en pourcentage global). N'oublie pas que tu as beaucoup plus de personnes qui ne te connaissent pas que de personnes qui te connaissent. Donc, tu n'as pas à t'inquiéter autant de « détruire un public ». Voici à quoi ressemble la différence entre la livraison manuelle et automatisée.

<u>Exemples manuels</u> : Une personne en direct peut dire un script à quelqu'un au téléphone. Tu peux envoyer un message vocal personnel à chaque prospect. Une personne peut écrire une lettre manuscrite à chaque personne de la liste. Si cela prend du temps à une personne pour transmettre le message à chaque fois, c'est manuel.

Copyright © 2024 par ACQUISITION.COM LLC. NON DESTINÉ À LA DISTRIBUTION.

ENREGISTRÉ

Exemples automatisés : Nous pouvons envoyer un message vocal préenregistré dans les messages directs de quelqu'un. Nous pouvons envoyer un message vocal préenregistré dans la boîte vocale de quelqu'un. Nous pouvons envoyer des e-mails modélisés dans une boîte de réception ou un message texte modélisé sur le téléphone de quelqu'un. Nous pouvons envoyer une vidéo préenregistrée, etc. Tu enregistres ton message une fois, puis envoies le même message à tout le monde.

Conseil de Pro : Utilise une technologie qui te permet d'obtenir plus de prospects engagés pour le temps que tu investis

Chaque jour, l'intelligence artificielle, les deep fakes et autres technologies progressent. Elles deviennent de plus en plus indiscernables de la communication humaine. Cela signifie que nous serons en mesure d'automatiser des éléments de ce sur quoi nous devons actuellement dépenser du temps. Adopte la technologie au fur et à mesure de sa sortie pour récolter les récompenses. En fin de compte, la technologie sert un seul but : nous permettre d'obtenir plus de résultats par unité de temps. Utilise-la.

---

b) Automatiser la distribution. Une fois que nous avons nos messages préparés, nous devons les distribuer. Et il n'y a pas de récompense pour celui qui travaille le plus dur, seulement pour celui qui obtient les meilleurs résultats. Bien que l'un mène à l'autre. Et à mesure que tu développes tes compétences, tu trouveras des moyens d'automatiser certaines parties du travail. Je t'encourage à automatiser lorsque c'est éthique et possible.

MANUELLE   AUTOMATISÉE

 VS.

Exemples manuels : Composer chaque numéro de téléphone. Cliquer sur envoyer pour chaque e-mail, message direct, texto, etc.

 Copyright © 2024 par ACQUISITION.COM LLC. NON DESTINÉ À LA DISTRIBUTION.

<u>Exemples automatisés</u> : Utiliser un robot pour composer plusieurs numéros à la fois. Envoyer une campagne de 1000 e-mails, textos, messages vocaux à la fois, etc.

En général, tu sacrifies la personnalisation pour l'échelle. Tu obtiens un taux de réponse plus élevé avec des messages personnalisés.

Moins tu as de prospects, moins tu dois automatiser.

Par exemple, s'il n'y a que 1000 gestionnaires de fonds spéculatifs qui correspondent à tes critères, tu voudras personnaliser chacun d'eux. En revanche, si tu cibles des femmes de 25 à 45 ans qui cherchent à perdre du poids, il y en a des dizaines de millions. Tu peux donc t'en sortir avec moins de personnalisation. Mais... Si tu personnalises... Tu obtiendras encore plus (clin d'œil).

> **Conseil de Pro : Technologie de personnalisation**
>
> La combinaison parfaite pour obtenir un maximum de prospects est une personnalisation maximale avec un volume maximal. Et avec la technologie, tu ne sacrifies pas toujours la personnalisation pour l'échelle. Chaque jour, les données deviennent plus accessibles pour trouver des informations personnelles. Si tu peux configurer la technologie pour accomplir à la fois la personnalisation et le volume, tu crées une combinaison redoutablement efficace pour obtenir des prospects.

Étape Action.

Adopte les nouvelles technologies. Alloue dix à vingt pour cent de tes efforts à des technologies totalement nouvelles et non testées. Par exemple, si tu passes des appels téléphoniques cinq jours par semaine, essaie un nouveau composeur ou une nouvelle technologie l'un des jours et vois comment cela se compare à ton composeur habituel.

c) Suivre. Plus de fois. De plus de manières. Il y a deux autres façons dont tu peux tirer davantage de ta liste de noms.

Tout d'abord, tu essayes de les contacter plus d'une fois. C'est surprenant, non ? Mais veux-tu savoir quelque chose d'incroyable ? La plupart des gens ne le font pas. Voici une façon différente de le voir. Imagine que tu aies vraiment besoin de contacter tes parents parce qu'il s'est passé quelque chose d'important. Que ferais-tu ? Tu les appellerais probablement, tu leur enverrais un message, tu laisserais un message vocal, etc. Et s'ils n'ont toujours pas répondu, que ferais-tu ? Tu les rappellerais et leur enverrais un autre message (probablement peu de temps après). C'est la même chose avec les prospects. Ils risquent de passer à côté de la solution que tu proposes. Sois un héros. Sauve-les !

Plus tu essaies de contacter quelqu'un, plus tu as de chances de le joindre. Les gens réagissent différemment à différentes méthodes. Par exemple, je ne réponds jamais aux appels téléphoniques. Mais, je réponds beaucoup plus aux messages directs. Contacter quelqu'un plusieurs fois de plusieurs manières montre que tu es sérieux. Et le faire rapidement communique que tu as quelque chose d'important à discuter. La curiosité augmente car ils craignent de passer à côté.

Personnellement, j'aime commencer par un e-mail. Tu sais pourquoi ? Parce que la plupart des gens ne répondent pas. Si quelqu'un ne répond pas à l'une de tes méthodes de contact, utilise cela comme une raison de suivre avec une autre méthode. *« Salut, je t'appelle pour faire suite à mon e-mail. »*

Nous obtenons soit une réponse, soit une véritable raison de faire un autre suivi. Nous gagnons dans les deux cas. Et une fois que tu les as bookés pour un rendez-vous, attends-toi à plus d'une conversation. Rappelle-toi, nous contactons de complets inconnus. La prospection nécessite davantage de points de contact avec des personnes qui ne te connaissent pas. Alors, attends-toi à deux ou trois conversations avant une vente à plus gros montant. Vise moins, mais attends-toi à plus lorsque tu commences.

En résumé : Comporte-toi comme si tu essayais *réellement* de les joindre, plutôt que de simplement suivre les mouvements, et tu as probablement plus de chances d'y parvenir.

Étape Action : Contacte chaque prospect plusieurs fois et par plusieurs moyens.

Conseil de Pro : Ne sois pas idiot

Si quelqu'un te demande de ne pas le contacter, ne le contacte pas à nouveau. Non pas parce qu'il n'y a pas de chance que cela puisse fonctionner, mais parce que, avec le même effort, tu pourrais contacter quelqu'un qui n'est pas déjà négativement disposé. C'est simplement plus efficace de convertir les neutres en OUI que de convertir les NON en OUI. En plus de cela, tu ne veux pas avoir une mauvaise réputation. Ce genre de choses te suit. Fais des efforts parce que tu as un réel désir de résoudre leurs problèmes, mais sois respectueux.

Ensuite, une fois que tu as fini de contacter ta liste, recommence depuis le début. Cela fonctionne en réalité pour trois raisons.

 Copyright © 2024 par ACQUISITION.COM LLC. NON DESTINÉ À LA DISTRIBUTION.

Premièrement, parce qu'ils n'ont peut-être tout simplement pas vu ta première série de messages. Seul un idiot penserait que cent pour cent des personnes voient ce que tu publies cent pour cent du temps. Nous compensons donc cette disparité par un suivi.

Deuxièmement, même s'ils l'ont vu, ce n'était peut-être pas le bon moment pour répondre. Les emplois du temps des gens changent tous les jours, et il y a des moments où ils ne peuvent pas te répondre même s'ils le voulaient. Ainsi, plus tu leur donnes d'occasions de répondre, plus grandes sont les chances qu'ils le fassent.

Troisièmement, leurs circonstances peuvent avoir changé. Ils n'ont peut-être pas eu besoin de toi à ce moment-là, mais ils ont désespérément besoin de toi maintenant. Imagine une personne à qui tu envoies un message avant les vacances pour perdre du poids. À ce moment-là, elle rentre dans son jean « skinny », donc elle ne ressent aucune douleur. Elle ne répondrait probablement pas. Mais après avoir pris dix kilos pendant les vacances, elle pourrait soudainement avoir désespérément besoin de ce que tu offres. Et maintenant, elle répond à ta tentative de contact. La seule chose qui a changé, c'est sa situation. Alors réessaie dans trois à six mois et obtiens un tout nouveau groupe de prospects engagés *à partir de la même liste*.

Tout peut être parfait, sauf le moment. Donc, plus nous les contactons, plus nous avons de chances de les attraper au moment où ils sont prêts à s'engager.

Étape Action : Après avoir tenté de les contacter plusieurs fois, de différentes manières, attends trois à six mois. Ensuite, recommence.

Conseil de Pro : Si tu es nouveau dans une équipe de prospection, suis le meilleur gars de l'équipe

Ensuite, double ses efforts. S'il passe 200 appels, passes-en 400. Si cela signifie que tu travailleras plus – évidemment. Tu ne seras pas doué avant d'être bon. Tu peux compenser ton manque d'habileté avec le volume. Le volume annule la chance. Et quand tu fais le double, tu deviens bon en deux fois moins de temps. Une fois que tu dépasses leurs chiffres, tu peux t'amuser à essayer de nouvelles choses. Reproduis avant d'itérer.

Trois problèmes que l'inconnu crée → Résolus

J'ai écrit le livre dans cet ordre pour qu'il s'articule de lui-même. Commence par les approches chaleureuses. Fais quelques répétitions. Publie du contenu pour développer ton public chaleureux. Fais encore plus de répétitions. Ensuite, tu seras prêt pour les prospections à froid.

Et maintenant, nous avons résolu les trois problèmes fondamentaux créés par les audiences froides : trouver la bonne liste de personnes, attirer leur attention et les inciter à s'engager. Victoire !

Copyright © 2024 par ACQUISITION.COM LLC. NON DESTINÉ À LA DISTRIBUTION.

> **Note de l'Auteur : Pour ceux qui proposent des produits à faible coût**
>
> J'ai eu du mal à rendre la prospection à froid rentable lors de la vente de produits directs aux consommateurs. Les équipes de prospection à froid sont coûteuses, et mon produit à faible coût moyen n'était pas suffisant. Cependant, j'ai appris que je pouvais transformer un produit à faible coût en un produit à coût élevé en vendant beaucoup à la fois. J'ai donc abandonné la prospection à froid pour attirer des clients et j'ai commencé à l'utiliser pour recruter des affiliés qui attiraient des clients pour moi. Deux méthodes ont fonctionné. Soit je vendais aux affiliés beaucoup de produits en vrac au départ, puis ils vendaient mes produits à leurs clients. Ou bien, j'utilisais la prospection à froid pour les recruter, puis je les incitais à vendre mes produits à leurs clients et je recevais une commission après la vente. Une vente d'affiliation peut valoir des milliers de clients. Les deux méthodes ont transformé ma vente à faible coût en une vente à coût élevé en vendant en grande quantité. Donc, les chiffres s'additionnent. Si tu as des difficultés à utiliser la prospection à froid pour ton entreprise de vente directe aux consommateurs, envisage de te tourner vers les affiliés. Plus d'informations à ce sujet dans le chapitre sur les affiliés.

Benchmarks - Comment est-ce que je performe ?

Les deux fois où j'ai échoué dans la prospection à froid, j'ai embauché des personnes qui ne suivaient pas bien les indicateurs. La troisième personne l'a fait. Et la prospection à froid a réussi. La personne qui le gère (peut-être toi) doit connaître les métriques du processus de vente comme le fond de sa poche. Chaque statistique.

Analysons les chiffres avec quelques exemples de plateformes. Je ne peux pas donner un exemple pour chaque plateforme car cela prendrait trop de temps. Mon espoir est que tu puisses généraliser le concept à n'importe quelle plateforme que tu utilises.

Exemple avec les appels téléphoniques

Disons que je fais 100 appels à froid par jour. Et disons que j'obtiens un taux de réponse de vingt pour cent. À partir de là, je parviens à convaincre vingt-cinq pour cent des personnes de vouloir obtenir mon lead magnet. Cela signifie que j'ai obtenu quatre prospects engagés. Si cela m'a pris quatre heures pour passer ces appels, cela signifie que j'ai obtenu un prospect engagé par heure. Je peux faire cela au début. Une fois que le nombre de prospects engagés convertis en clients me rapporte plus que ce que cela me coûte pour payer un représentant de prospection à froid, j'enseigne à quelqu'un d'autre de le faire pour moi (plus de détails dans la Section IV). Donc, tu sais que tu réussis lorsque tu réalises au moins _trois fois_ le profit à vie d'un client par rapport à ce que cela te coûte pour l'obtenir.

Copyright © 2024 par ACQUISITION.COM LLC. NON DESTINÉ À LA DISTRIBUTION.

<u>Exemple avec les emails</u>

Disons que tu envoies 100 emails personnalisés par jour. Ensuite, trente pour cent ouvrent ton email. Ensuite, 10 % répondent en montrant de l'intérêt. Cela signifie que nous aurions trois prospects engagés (30 % x 10 % = 3 %). Les chiffres varieront, mais visons 3 % de ta liste se transformant en prospects engagés. Voici un exemple d'une nouvelle campagne pour une entreprise de services très niche et haut de gamme dans notre portefeuille. Il montre un taux d'engagement des prospects de 4 %. Et vraisemblablement, un tiers d'entre eux se convertissent en ventes. Cela nous donnerait un nouveau client pour cent tentatives de prospection.

<u>Exemple avec les messages directs</u>

Supposons que je crée une vidéo personnelle ou enregistre un mémo vocal personnel pour cent personnes. Je dis leur nom et ajoute une ligne personnelle avant de livrer mon message standard. Ensuite, vingt pour cent des personnes répondent. Nous avons maintenant vingt prospects engagés. Ensuite, nous utilisons le même format A-C-A de la section de l'approche chaleureuse pour les qualifier pour un appel, et ainsi de suite. Donc, comme dans l'exemple avec les appels téléphoniques, tu sais que tu réussis lorsque le coût de la prospection à froid est inférieur à trois fois ce que tu gagnes en bénéfice d'un client. Remarque : tu peux faire BIEN mieux que trois fois, c'est le strict minimum. Pour donner un contexte, la société du portefeuille mentionnée ci-dessus obtient plus de 30 pour 1 en retour sur investissement grâce à ses efforts de prospection.

Coûts

Cette méthode est intensivement axée sur le travail. Presque tous les coûts sont sous forme de main-d'œuvre. Pour calculer notre retour sur investissement publicitaire, nous additionnons tous les coûts de main-d'œuvre et de logiciel associés aux étapes un à trois dans la section avant la dernière.

Copyright © 2024 par ACQUISITION.COM LLC. NON DESTINÉ À LA DISTRIBUTION.

Imaginons que nous ayons une équipe effectuant des appels à froid :

- Nous les rémunérons à 15 $ de l'heure et 50 $ par rendez-vous ou « shows » présentés.
- Nous réalisons un profit de 3600 $ par vente.
- Les prospects nous coûtent dix cents.
- Ils appellent 200 prospects par jour.
- Nous obtiendrions probablement environ deux rendez-vous par jour par représentant.
- S'ils travaillent huit heures par jour, nous paierions 120 $ en main-d'œuvre et 100 $ en commissions pour les rendez-vous par représentant et 20 $ pour les prospects.
- Cela signifie que nous paierions 240 $ pour deux rendez-vous ou 120 $ par rendez-vous.
- Si nous concluons 33 % des rendez-vous, notre coût pour acquérir un client (hors commissions) serait de 360 $.
- Comme nous obtenons un profit de 3600 $ par nouveau client, nous réaliserions un retour de 10:1.

C'est ainsi que fonctionne la prospection à froid. Ensuite, tu ajoutes simplement des ressources. C'est ennuyeux et fastidieux, mais d'une efficacité redoutable.

Conseil de Pro : Donne à chaque représentant un nombre explicite de prospects à gérer chaque semaine

Ils devront s'occuper de ces prospects comme s'il s'agissait de leurs enfants. Si tu donnes à un représentant trop de prospects, il les gaspillera. Si quelqu'un peut gérer cent prospects à pleine capacité, je lui en donnerai environ soixante-dix. De cette façon, ils ont le temps et l'énergie pour tirer le meilleur parti des prospects qu'ils ont. Et comme tous les représentants reçoivent le même nombre de prospects chaque semaine, tu peux leur donner des quotas absolus pour les transactions. Par exemple, je te donne soixante-dix prospects. Tu me ramènes sept rendez-vous. Je te paie. Pas de prospect laissé pour compte.

Cela semble difficile, pourquoi s'embêter ?

La plupart des gens sous-estiment considérablement le volume nécessaire pour utiliser la prospection à froid. Ils sous-estiment également le temps nécessaire. Mais il y a sept avantages énormes à utiliser la prospection à froid :

1) <u>Tu n'as pas besoin de créer beaucoup de contenu ou d'annonces.</u> Tu te concentres uniquement sur un message parfaitement conçu que tu transmets à tous tes prospects. Ton seul objectif est d'améliorer ce message chaque jour. Il n'y a pas de « fatigue publicitaire » ou de « cécité aux bannières » car tes prospects n'ont jamais rien vu venant de toi. Donc, tu n'as pas besoin d'être un génie du marketing pour que cela fonctionne.

Copyright © 2024 par ACQUISITION.COM LLC. NON DESTINÉ À LA DISTRIBUTION.

2) <u>Tes concurrents ne sauront pas ce que tu fais.</u> Tout est privé. Par ce simple fait, tu peux continuer à opérer dans le secret. Tu n'éduques pas tes concurrents sur la manière dont tu acquiers des clients. Ils ne savent pas ce que tu fais, voire même, que tu existes.

3) <u>C'est incroyablement fiable.</u> Tout ce que tu as à faire pour obtenir plus, c'est d'en faire plus. Une certaine quantité d'effort crée un certain nombre de réponses. Cela devient comme une horloge, apportant un flux fiable de nouveaux prospects engagés dans ton monde. Tu peux inverser la quantité de ventes que tu veux réaliser en fonction du nombre d'entrées en haut de ton processus de prospection. À terme, tu auras une équation : pour chaque X personnes contactées, tu obtiens Y clients. Ensuite, tu résous simplement pour X.

> Exemple : disons que pour chaque 100 e-mails, j'obtiens un client. Si je veux 100 clients, je dois envoyer 10 000 e-mails. C'est 333 par jour. Une personne peut envoyer 111 e-mails par jour. Par conséquent, j'ai besoin de trois personnes qui envoient des e-mails chaque jour pour obtenir 100 clients par mois.

4) <u>Moins de changements de plateforme.</u> La communication privée est rarement sujette à des changements de plateforme. Alors que les plateformes publiques changent de règles et d'algorithmes tous les jours. Tu dois rester au courant des changements de règles pour rester efficace. En revanche, les règles des appels à froids, de la prospection et de l'e-mail à froid n'ont pratiquement pas changé en trente ans.

5) <u>La conformité est moins douloureuse.</u> De nombreuses plateformes ont des règles strictes concernant les affirmations que tu peux faire sur les produits que tu vends. Certaines interdisent également certaines industries (tabac, armes à feu, cannabis, perte de poids, etc.). Avec la prospection à froid, tu n'as pas besoin de traiter avec tout cela. Tu dois toujours être conforme à la FTC, mais tu n'as pas non plus besoin de te soucier des règles de la plateforme en plus. Cela simplifie la vie. Vérifie que tes pratiques ne soient pas contraires au réglement de ton pays, ta région ou autre (ex. RGPD). Si tu as un téléphone, tu peux gagner de l'argent. Si tu as une adresse e-mail, tu peux obtenir des prospects. Cela te rend très difficile à arrêter.

6) <u>Pas de porte-parole = Entreprise vendable.</u> Si un investisseur peut te l'acheter sans craindre que ton entreprise cesse d'attirer des clients si tu pars… ton entreprise est *beaucoup* plus précieuse. Avoir une équipe de prospection établie est la raison pour laquelle nous avons pu vendre Gym Launch. L'entreprise pouvait croître sans que je danse devant la caméra ou sans compter sur le fait que je sois ridiculeusement super beau (ha !). Je ne pense pas qu'ils auraient voulu nous acheter sans cela, ou du moins, pas pour autant.

7) <u>Difficile à copier.</u> Même si quelqu'un veut copier l'intégralité de ton système de prospection à froid, ils devront souvent apprendre à faire chaque étape. Et de nombreuses étapes sont invisibles. Ils ne savent pas comment tu récupères tes listes. Ils ne savent pas comment tu personnalises tes messages. Ils ne savent pas quels logiciels tu utilises pour distribuer les messages, etc. En plus de cela, ils devraient encore apprendre à embaucher, former et faire fonctionner une équipe de personnes capables d'effectuer chaque étape. Une fois que tu as pris de l'avance, cela se multiplie avec le temps. Il devient très difficile de te rattraper.

Copyright © 2024 par ACQUISITION.COM LLC. NON DESTINÉ À LA DISTRIBUTION.

Note de l'Auteur : Volume de rupture de croyance - Passer à une échelle de 60 000 emails par mois

Pour briser tes croyances sur ce qui est possible en matière d'échelle, voici un exemple. Pour dépasser le seuil du million de dollars par mois, nous avons automatisé l'ensemble du processus de collecte, de rédaction et d'envoi d'e-mails pour l'une de nos entreprises partenaires. Un assistant virtuel envoie 2000 e-mails par jour en utilisant plusieurs logiciels. Cela génère 40 prospects engagés par jour pour l'entreprise. Notez que le taux de réponse a diminué car nous avons supprimé une grande partie de la personnalisation. À partir de là, ils parviennent à vendre à 10 % des prospects engagés. Autrement dit, ils obtiennent quatre nouveaux clients par jour. Cela les a fait dépasser la barrière des 100 clients par mois. Faits amusants : Ils ont commencé avec nous à 250 000 $ par mois (notre exigence minimale de taille pour investissement à l'époque). L'entreprise génère 20 000 $ par client. Avec quatre nouveaux clients par jour, fais le calcul pour comprendre à quel point ils sont énormes maintenant. :)

À toi de jouer

Si tu te souviens de notre checklist publicitaire, c'est le début de ton parcours pour obtenir plus de prospects engagés grâce à la prospection à froid. Tu commences cela lorsque tu épuises le nombre de personnes à qui faire de la publicitéou simplement parce que tu veux plus. Voici un exemple.

Checklist quotidienne de prospection à froid	
Qui :	Toi-même
Quoi :	Offre « accroche » + lead magnet / offre principale
Où :	Toute plateforme de communication privée
À qui :	Liste : collectée, achetée ou logiciel utilisé
Quand :	Tous les jours, 7 jours sur 7
Pourquoi :	Inciter les prospects à s'engager pour vendre des produits
Comment :	Appels en direct, messages vocaux, publipostages, cartes manuscrites, etc...
Combien :	100 par jour
Combien de fois :	jour 1 - 2x, Jour 2 - 2x, Jour 7 - 1x
Combien de temps :	Le temps qu'il faudra

 Copyright © 2024 par ACQUISITION.COM LLC. NON DESTINÉ À LA DISTRIBUTION.

Conseil de Pro : Compte par centaines

C'est un jeu de volume. Tu devras faire beaucoup de volume de manière efficace pour obtenir les résultats que tu veux. Ne fixe pas un objectif quotidien en dessous de 100. Et ne t'arrête pas pendant au moins 100 jours. Si tu fais 100 approches pendant 100 jours d'affilée, je te promets que tu commenceras à obtenir de nouveaux prospects engagés.

À venir

Maintenant que tu t'es engagé dans cette méthode de prospection à froid, nous passons à la dernière chose qu'une personne seule peut faire pour faire de la publicité : lancer des annonces payantes.

BONUS GRATUIT : Échantillons de scripts de prospection à froid

J'ai dû couper des scripts pour que ce livre reste d'une longueur gérable. Si tu veux modeler tes scripts en te basant sur nos scripts, va sur : Acquisition.com/training/leads. Et, si tu avais besoin d'une autre raison, en plus de « ça te fera gagner de l'argent »..., cela ne te coûtera rien. C'est gratuit. Profites-en. Et comme toujours, tu peux également scanner le QR code ci-dessous si tu n'aimes pas taper dans la barre de recherche.

Copyright © 2024 par ACQUISITION.COM LLC. NON DESTINÉ À LA DISTRIBUTION. **125**

Copyright © 2024 par ACQUISITION.COM LLC. NON DESTINÉ À LA DISTRIBUTION.

#4 Lancer des annonces payantes
Partie I : Créer une publicité

Comment Faire de la Publicité Auprès de Public Inconnu

La publicité est le seul casino où, avec assez de compétences, tu en deviens le propriétaire.

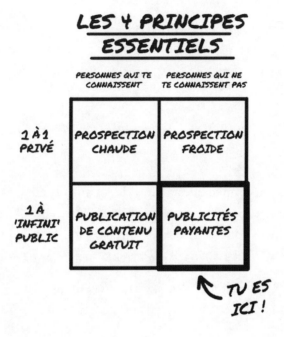

Juin 2013.

« Essayons quelques publicités Facebook pour la salle de sport », j'ai lancé.

Le sourcil de Sam s'est levé. « Ça ne marche pas. J'ai déjà essayé. »

C'était la courte période entre avoir quitté mon « vrai travail » et ouvrir ma première salle de sport. Je voulais acquérir de l'expérience. J'ai donc envoyé des e-mails à froid à plus de 40 propriétaires de salles de sport pour avoir la chance de les observer. Sam a été le seul à répondre à mes supplications de mentorat. Il m'a permis de travailler dans sa salle de sport, *avec lui*, pour le salaire minimum. Je lui suis éternellement reconnaissant pour cette opportunité.

« Je te promets, je pense vraiment que ça va marcher », ai-je dit. « Laisse-moi essayer avec ce que j'ai appris lors de cet atelier le week-end dernier. Je ferai tout. » *Cet atelier a absorbé la majeure partie de mes maigres économies.*

Sam s'est penché en arrière dans son fauteuil, croisant les bras « Tu sais quoi ? Je te donne mille dollars à jouer. Si tu perds, tu dois te taire à propos de cette histoire de Facebook. Si tu gagnes plus, je partagerai les profits avec toi. »

« D'accord. »

Copyright © 2024 par ACQUISITION.COM LLC. NON DESTINÉ À LA DISTRIBUTION.

J'ai travaillé avec un freelance pour tout mettre en place. Nous avons échangé des idées jusqu'à ce que ce soit « parfait ». Quelques jours plus tard, je suis entré dans le bureau de Sam pour lui montrer ce que j'avais fait.

« C'est prêt », ai-je dit.

Il a tourné son ordinateur portable pour me faire face. « D'accord, Hormozi. Montre-moi ce que tu as. »

J'ai affiché la publicité la plus laide que tu aies jamais vue :

JE RECHERCHE 5 RÉSIDENTS DE CHINO HILLS POUR PARTICIPER À UN CHALLENGE GRATUIT DE 6 SEMAINES. VOUS DEVEZ NOUS LAISSER UTILISER VOS PHOTOS AVANT ET APRÈS DANS NOTRE MARKETING EN ÉCHANGE DU PROGRAMME. CLIQUEZ SUR LE LIEN POUR VOUS INSCRIRE : [LIEN]

Pas d'images. Pas de vidéos. Pas d'artifices. → Juste des mots. EN MAJUSCULES.

La publicité a été diffusée.

Nous avons obtenu des prospects en quelques heures. Je les ai tous appelés et j'ai pris des rendez-vous aussi rapidement que possible. Je leur ai également envoyé un SMS environ une heure avant pour leur rappeler notre rendez-vous. Et dès qu'ils sont entrés, j'ai commencé à parler de notre défi de six semaines. Je n'avais aucune compétence en vente. Ma *conviction compensait mon manque de compétences*. Ils ont acheté.

J'ai vendu 19 personnes à 299 $ chacune. Nous avons réalisé un peu moins de 5700 $ à partir de l'investissement de 1000 $. Fidèle à sa parole, Sam m'a fait un chèque et me l'a remis. Il l'a fait pour 2500 $. Plus que ma part.

« Sam, c'est... »
Il m'a coupé la parole. « Beau travail, Hormozi. *Refais-le.* »

***

Le « défi de 6 semaines » est devenu la plus grande promotion de l'industrie des salle de sport. *Pendant sept ans.* Il a généré au moins 1,5 milliard de dollars de revenus, probablement plus à présent. Je l'ai enseigné à plus de 4 500 salles de sport. Et je parie que plus de 10 000 salles de sport ont utilisé des versions de la promotion sans licence. Peut-être as-tu vu ce type de publicités localement. Et oui, si tu es curieux, cela s'est sophistiqué avec le temps.

 Copyright © 2024 par ACQUISITION.COM LLC. NON DESTINÉ À LA DISTRIBUTION.

Comment fonctionnent les annonces payantes

Les annonces payantes sont une façon de faire de la publicité de un à plusieurs vers des audiences froides, c'est-à-dire des personnes qui ne te connaissent pas. Les publicités payantes fonctionnent en payant une autre personne ou entreprise pour afficher ton offre devant leur audience. Cela équivaut à louer des yeux ou des oreilles. Et comme tu n'as pas besoin de passer du temps à construire une audience, les publicités payantes sont le moyen le plus rapide de faire en sorte que le plus grand nombre de personnes voient ton contenu. Tu échanges de l'argent contre de la visibilité. *Un avantage considérable lorsque tu sais ce que tu fais.* Les publicités comportent des risques, mais lorsqu'elles sont bien faites, elles peuvent t'apporter plus de prospects que toute autre méthode.

Avec l'approche chaleureuse et la prospection à froid, tu dois faire plus d'efforts pour toucher davantage de personnes. Pour le faire avec du contenu gratuit, tu dépends de la plateforme ou de l'audience qui le partage si elle le souhaite. Les annonces payantes sont différentes. La portée est *garantie*, mais récupérer ton argent ne l'est pas. C'est donc un jeu d'efficacité plutôt que de portée. Permets-moi d'expliquer :

En principe, si tu payais suffisamment d'argent, tu pourrais faire en sorte que chaque personne dans le monde voie ta publicité. Et si chaque personne dans le monde voyait ta publicité, quelqu'un achèterait, même si ce n'était que par accident (ha). Ainsi, la question n'est pas « est-ce que les publicités fonctionnent ? » mais « *à quel point* peux-tu les faire fonctionner ? » En d'autres termes, c'est une confrontation entre ce que tu dépenses et ce que les gens achètent.

Et comme le contact froid, les publicités payantes s'adressent à des audiences plus froides et moins fiables. Donc, même avec de bonnes offres, un pourcentage plus faible de personnes répondra. Et comme pour le contact froid, les annonces payantes surmontent cet obstacle en plaçant ton offre devant plus de personnes. Et si une publicité n'est pas rentable, la plupart du temps, c'est parce que les bonnes personnes ne l'ont *jamais vue*. Ainsi, pour rendre une publicité rentable, les bonnes personnes *doivent* la voir. Cela maintient nos publicités efficaces.

Ce chapitre révèle comment je crée des annonces payantes plus efficaces en trouvant des aiguilles dans la botte de foin. Tu commences avec le monde entier comme ton audience (botte de foin) puis tu te restreins pour obtenir un pourcentage plus élevé de prospects engagés (aiguilles). Tout d'abord, tu choisis une plate-

Copyright © 2024 par ACQUISITION.COM LLC. NON DESTINÉ À LA DISTRIBUTION.

forme qui contient ton public idéal. Deuxièmement, tu utilises toutes les méthodes de ciblage disponibles sur la plateforme pour les trouver. Troisièmement, tu conçois ta publicité de manière à *repousser* tous les autres. Enfin, tu dis à quiconque reste debout de passer à l'étape suivante. Les gens compliquent les choses. Mais c'est ça. C'est tout ce que nous faisons : réduire le nombre de personnes qui voient notre publicité pour avoir la meilleure chance d'obtenir le bon type de personnes en réponse.

Une fois que tu fais de la publicité de manière rentable auprès d'une petite audience, tu élargis vers une flaque, puis un étang, puis un lac, puis un océan. Et à mesure que l'audience devient plus grande, elle contient plus de mauvaises personnes, mais elle contient aussi plus de bonnes personnes. Ainsi, les publicités perdent en efficacité, mais à ce stade, tu peux te le permettre. En d'autres termes, le ratio entre ce que tu dépenses et combien ils achètent diminue, mais le montant total d'argent que tu gagnes augmente. Donc, au lieu de dépenser 1000 $ pour faire 10 000 $ avec 9000 $ de profit, tu dépenses 100 000 $ pour faire 300 000 $ avec 200 000 $ de profit. Ton ratio diminue, mais tu gagnes plus d'argent. Le risque est donc plus élevé parce que tu dépenses plus, mais la récompense l'est aussi. Cela signifie que nous voulons rendre l'audience aussi grande que possible tout en réalisant toujours un profit.

Les annonces payantes nous posent quatre nouveaux problèmes à résoudre. Analysons-les ensemble :

1) Savoir où faire de la publicité

2) Faire en sorte que la bonne audience la voie

3) Créer la meilleure publicité pour qu'ils la voient

4) Obtenir l'autorisation de les contacter

Étape 1 : « Mais où dois-je faire de la publicité ? » → Trouve une plateforme où ces quatre choses sont vraies

Les plateformes diffusent du contenu à une audience. Si tu n'es pas familier avec les plateformes disponibles, je t'invite à me rejoindre sur la planète Terre. Si tu as déjà consommé du contenu, ce que tu as fait, tu as directement ou indirectement utilisé une plateforme et fait partie de son audience. Et partout où il y a une audience, tu peux généralement faire de la publicité. Donc, si tu veux devenir un excellent entrepreneur, tu dois en apprendre davantage à leur sujet. Voici ce que je recherche dans une plateforme sur laquelle je veux faire de la publicité :

• Je l'ai utilisée et en ai tiré de la valeur en tant que consommateur. Donc, j'ai une idée de son fonctionnement.

Copyright © 2024 par ACQUISITION.COM LLC. NON DESTINÉ À LA DISTRIBUTION.

- Je peux cibler des personnes, sur la plateforme, intéressées par ce que j'offre.
- Je sais comment formater des publicités spécifiques à la plateforme (ce que j'explorerai à l'étape trois).
- J'ai le montant minimum d'argent à dépenser pour placer une publicité.

... Et oui, les plateformes changent tout le temps, mais ces principes restent les mêmes.

Conseil de Pro : Place des publicités là où tes concurrents placent des publicités (pour commencer)

Les plateformes ont souvent différents types de publicités. Par exemple, sur LinkedIn, tu peux envoyer des annonces par message ou diffuser des annonces dans le fil d'actualité. Sur Instagram, tu peux diffuser des publicités dans le fil d'actualité ou dans les stories. Sur YouTube, tu peux diffuser des publicités dans la barre latérale, au milieu de la vidéo ou en tant que pré-roll. Alors, comment savoir par où commencer ? Regarde l'emplacement des publicités des autres personnes dans ton secteur et commence par là. S'ils peuvent le faire fonctionner, tu le peux aussi. *Reproduis avant d'itérer.*

Étape Action : Commence par une plateforme qui répond aux quatre critères. Et commence à regarder, écouter ou lire des publicités sur la plateforme comme première étape pour apprendre à en créer une.

Étape n°2 : « Mais comment faire pour que les bonnes personnes le voient ? » → Cible-les.

Alors, si nous commençons avec le monde entier, ce que nous faisons un peu, nous devons être un peu plus spécifiques. Par exemple, si tu choisis une plateforme qui a 100 000 000 d'utilisateurs, tu as déjà exclu 99 % du monde - dès le départ. Et si tous ceux qui achètent chez toi parlent anglais, tu veux également *exclure* les audiences au sein de la plateforme qui ne parlent pas anglais. Si cela représente la moitié des utilisateurs de la plateforme, tu as déjà exclu 99,5 % du monde. La spécificité est bonne.

Le bon message à la mauvaise audience tombera dans l'oreille d'un sourd. Peu importe la qualité de tes annonces. Si tu fais de la publicité auprès des résidents de la Floride pour une entreprise locale dans l'Iowa, cela ne fonctionnera probablement pas. Donc, tu as un seul objectif en ciblant - faire en sorte que le plus grand nombre possible de personnes susceptibles d'acheter tes produits voient ta publicité.

Copyright © 2024 par ACQUISITION.COM LLC. NON DESTINÉ À LA DISTRIBUTION.

Nous avons fait notre première phase de ciblage en choisissant notre plateforme. Nous faisons la deuxième phase *à l'intérieur* de la plateforme elle-même. Les plateformes publicitaires modernes offrent deux façons de cibler. Tu peux les utiliser séparément ou les combiner :

1) <u>Cible une audience similaire</u>. Les plateformes modernes peuvent montrer ta publicité à une audience qui est similaire à, et bien plus vaste, que la liste que tu fournis. Les annonceurs appellent cela **une audience similaire**. Les plateformes modernes créeront des audiences similaires pour toi tant que tu télécharges leur taille minimale de liste. Plus la liste est grande et la qualité des contacts élevée, plus l'audience similaire sera réactive. Commence avec ta liste clients anciens et actuels. Si ta liste de clients est assez grande pour atteindre le minimum de la plateforme, utilise-la. Sinon, ajoute ta liste de contacts chauds. Si elle n'est toujours pas assez grande, ajoute tes leads de contact froid pour atteindre le minimum. C'est exactement ce que je fais. Forcer la liste à la bonne taille rend parfois l'audience similaire trop large. Et c'est OK parce que tu peux...

2) <u>Cible avec des critères de ton choix</u>. Les options de ciblage incluent : l'âge, le revenu, le genre, les intérêts, le moment, l'emplacement, etc. Par exemple, si tu sais que personne de plus de quarante-cinq ans ou de moins de vingt-cinq ans n'a jamais acheté ton produit, exclus quiconque en dehors de cette plage. Si tu vends des pièces de voiture, montre ta publicité *pendant* les salons de l'automobile et *sur* les chaînes dédiées à l'automobile. Si seules les personnes avec des animaux de compagnie achètent ton produit, inclus les animaux de compagnie comme intérêt. Des filtres de base sur l'audience similaire générée par la plateforme sont une façon simple d'obtenir que plus de bonnes personnes voient tes publicités. Résultat final : des publicités plus efficaces.

Conseil de Pro : Ciblage local

Comme les marchés locaux sont déjà très *petits* par rapport aux marchés nationaux, tu ne voudras pas ajouter beaucoup plus de filtres. Sois aussi spécifique que possible, mais pas plus. Le marché local à lui seul représente déjà 0,1 % d'une nation, donc tu es déjà assez restreint.

Plus tu utilises de filtres, plus la liste devient spécifique. Plus la liste est spécifique, plus tes publicités sont efficaces, mais plus rapidement tu la « brûleras ». Cependant, cette spécificité te permet d'obtenir plus de réussites dès le départ. Les succès auprès d'audiences spécifiques et plus petites te donnent maintenant les fonds nécessaires pour faire de la publicité auprès d'audiences plus vastes et plus générales par la suite. *C'est ainsi que tu fais évoluer les choses.*

Étape Action : Rassemble toutes tes listes de prospects en un seul endroit. Sépare-les en clients passés et actuels, contacts chauds et contacts froids. À terme, tu auras une liste de personnes qui ont interagi avec tes annonces payantes en te fournissant des coordonnées mais qui n'ont pas acheté. Cela sera utile. Ensuite, si la plateforme le permet, utilise ces listes par ordre de qualité pour créer ton audience similaire. Enfin, si la plateforme le permet également, ajoute des filtres par-dessus ton audience similaire pour cibler un pourcen-

Copyright © 2024 par ACQUISITION.COM LLC. NON DESTINÉ À LA DISTRIBUTION.

tage encore plus élevé de personnes à impliquer avec ta publicité. Si tu es incapable de créer une audience similaire, commence simplement par cibler des centres d'intérêt.

Étape n°3 : « Mais que devrait dire ma publicité ? » → Accroche + Valeur + Appel à l'action (CTA)

Jusqu'à aujourd'hui, je ne change pas de chaîne lorsque je vois une publicité. Je saute et mets rarement les publicités en sourdine. En fait, je n'ai aucun abonnement premium qui supprime les publicités sur aucune plateforme médiatique non plus. La raison principale : je *veux* consommer les publicités. Je *veux* voir comment les entreprises font trois choses.

1) Comment elles accrochent leurs clients idéaux.

2) Comment elles présentent les éléments de valeur.

3) Comment elles donnent à leur audience un appel à l'action.

En examinant les publicités de cette manière, cela transforme ce qui était autrefois une nuisance quotidienne (les publicités) en une expérience d'apprentissage continue. Consommer délibérément des publicités, en gardant à l'esprit les éléments fondamentaux, fait de moi un meilleur publicitaire. Et cela te rendra également meilleur.

Utilisons les trois éléments pour créer une publicité.

1) Accroche - Je dois les inciter à remarquer ma publicité

2) Valeur - Je dois les intéresser sur ce que j'ai à offrir

3) Appels à l'action - Je dois leur dire quoi faire ensuite

1) Accroche : *Le fait que les gens remarquent ta publicité est la partie la plus importante... de loin.* L'objectif de chaque seconde de la publicité est de vendre la seconde suivante de celle-ci. Et le titre est la première vente. Comme le dit David Ogilvy « Après avoir rédigé votre titre, vous avez dépensé quatre-vingts centimes de votre dollar publicitaire. » Concentre tes efforts vers le début. Aussi fou que cela puisse paraître (et tous les professionnels hochent la tête), ma publicité est devenue 20 fois plus efficace lorsque j'ai concentré la majorité de mes efforts sur les cinq premières secondes. Nous avons besoin que les yeux et les oreilles du public restent suffisamment longtemps pour qu'ils se rendent compte que « c'est pour moi, je vais continuer à prêter attention ». Cette « première impression » est la partie de la publicité que je teste le plus.

Imagine que tu es à une soirée cocktail dans une grande salle de bal. Beaucoup de gens parlent en groupes. Une musique forte se joue en arrière-plan. Dans tout ce bruit, un seul son perce à travers tout ça et tu te retournes. Veux-tu connaître le son ? Ton nom. Tu l'entends, et *instantanément*, tu cherches la source.

Les scientifiques appellent cela " l'effet cocktail ». En termes simples, même lorsqu'il se passe beaucoup de choses, une seule chose peut encore attirer et retenir notre attention. Ainsi, notre objectif avec les mentions est de tirer parti de l'effet cocktail et de nous démarquer à travers tout le bruit.. Après tout, s'ils ne remarquent jamais ta publicité, rien d'autre n'a d'importance.

Copyright © 2024 par ACQUISITION.COM LLC. NON DESTINÉ À LA DISTRIBUTION.

Une **accroche** *est tout ce que tu fais pour attirer l'attention de ton public.* Les mentions vont de l'hyper-spécifique - pour attirer l'attention d'une personne - à pas du tout spécifique - pour attirer l'attention de tout le monde. Laisse-moi t'expliquer. Si quelqu'un fait tomber un plateau de vaisselle, *tout le monde* regarde. Si un enfant crie « MAMAN ! », alors les *mamans* regardent. Si quelqu'un dit ton nom, *toi*, seul, tu regardes. Mais encore une fois, ils attirent tous l'attention. Et j'essaie de rendre mes mentions suffisamment spécifiques pour attirer les bonnes personnes *et* assez larges pour en attirer autant que possible. Fais donc attention à la manière dont les annonceurs utilisent les mentions, surtout ceux qui ciblent ton public.

Voici ce que je recherche avec les mentions verbales - *l'utilisation de mots pour attirer l'attention* :

1) Étiquettes : Un mot ou un ensemble de mots plaçant les gens dans un *groupe.* Il peut s'agir de caractéristiques, de traits, de titres, de lieux et d'autres descripteurs. Exemple : *Mamans du comté de Clark* *Propriétaires de salle de sport* *Télétravailleurs* *Je recherche XYZ*, etc. Pour être le plus efficace, *tes clients idéaux doivent s'identifier avec l'étiquette.*

   a) Les gens s'identifient automatiquement à leur région locale. Ainsi, avec les publicités locales, plus c'est local, mieux c'est. Une publicité locale avec une mention du type « RÉGION LOCALE + TYPE DE PERSONNE » reste l'une de mes méthodes préférées pour attirer l'attention. Cela fonctionnait il y a deux cents ans, ça fonctionne aujourd'hui et ça fonctionnera demain. Alors pense : Américains < Texans < Résidents de Dallas < Résidents d'Irving. Si tu habites à Irving, tu penseras immédiatement que cette publicité pourrait te concerner. Donc, elle attire ton attention.

2) Questions - Oui : Des questions auxquelles, si les gens répondent « oui, c'est moi », ils se qualifient eux-même pour l'offre. Exemple : *Vous réveillez-vous pour aller aux toilettes plus d'une fois par nuit ?* *Avez-vous des difficultés à nouer vos lacets ?* *Possédez-vous une maison valant plus de 400 000 $?*

3) Déclarations Si - Alors : Si elles répondent à tes conditions, *alors* tu les aides à prendre une décision. *Si vous dépensez plus de 10 000 $ par mois en publicités, nous pouvons vous faire économiser 20 % ou plus...* *Si vous êtes né entre 1978 et 1986 à Muskogee, en Oklahoma, vous pourriez être admissible à une action en justice collective...* *Si vous voulez XYZ, alors prêtez attention...*

4) Résultats ridicules : Des choses bizarres, rares ou hors du commun que quelqu'un voudrait. *Studio de massage réservé deux ans à l'avance. Clients furieux.* *Cette femme a perdu 50 livres en mangeant de la pizza et a viré son entraîneur* *Le gouvernement distribue des chèques de mille dollars à quiconque peut répondre à trois questions* etc.

Les appelants ne doivent pas nécessairement être que des mots. Ils peuvent également être des bruits ou des éléments visuels dans l'environnement. Revenons à la soirée cocktail. Bien sûr, un plateau de vaisselle qui tombe attirerait l'attention de tout le monde, mais le cling*cling*cling* d'un couteau contre une flûte de champagne attirerait également l'attention de tous, mais pour des raisons différentes - l'un signale un désastre embarrassant et l'autre signale une nouvelle importante... *mais, dans les deux cas, tout le monde veut toujours savoir ce qui se passe ensuite.* Donc, si la plateforme le permet, les bons publicitaires utilisent des appelants verbaux et non verbaux *ensemble.*

 Copyright © 2024 par ACQUISITION.COM LLC. NON DESTINÉ À LA DISTRIBUTION.

Voici ce que je recherche avec les appelants non verbaux - en utilisant le cadre et le porte-parole pour attirer l'attention :

1) <u>Contraste</u> : Tout ce qui « ressort » dans les premières secondes. Les couleurs. Les sons. Les mouvements, etc. Note ce qui attire ton attention. Exemple :

   a) Une chemise vive attire presque toujours plus l'attention qu'une chemise noire ou terne.

   b) Les personnes attirantes attirent presque toujours plus l'attention que les personnes au look simple.

   c) Les objets en mouvement attirent presque toujours plus l'attention que les objets immobiles.

2) <u>Ressemblance</u> : Pense visuellement à *montrer* des étiquettes - des caractéristiques, des traits, des titres, des lieux et d'autres éléments avec lesquels tu t'identifies.

   a) Tu veux travailler avec des personnes qui ont l'air, parlent et agissent de manière familière pour toi (et tu pourrais ne pas avoir l'air, parler ou agir de manière familière pour eux). Donc, si tu sers une large clientèle, utilise plus d'ethnies, d'âges, de sexes, de personnalités, etc. dans tes publicités. Si tu sers une clientèle étroite (comme par exemple, des dispositifs médicaux pour les personnes âgées), utilise des personnes qui leur ressemblent.

      i) Fais comme un canard. Si tu veux attirer des canards, ressemble à un canard, marche comme un canard et fais comme un canard. Si tu veux attirer des plombiers, habille-toi comme un plombier, parle comme un plombier, sois dans un environnement de plomberie. Même avec le même message, ta publicité fonctionnera beaucoup mieux si tu ressembles au rôle (ou trouve des gens qui le font).

      ii) Si tu vois une publicité pour des médecins, remarque le porte-parole. Quel âge a-t-il? Genre ? Ethnie ? Porte-t-il une blouse blanche ? Un stéthoscope ? Est-il dans un établissement médical ? Toutes ces choses suscitent l'intérêt d'un type spécifique de personne pour les produits et services liés à la santé, les incitant à prêter plus d'attention qu'ils ne l'auraient fait autrement.

      iii) Les mascottes fonctionnent également bien car elles ne vieillissent pas, ne demandent jamais plus d'argent et ne prennent jamais de jours de congé. Pense à Mickey Mouse pour Disney. Le Gecko Geico, Tony le tigre pour Kellogg's. Le bonhomme Michelin, etc. Une mascotte est un excellent moyen de créer un porte-parole durable pour ton entreprise.

      iv) Avancé : Peu importe les ressemblances que tu choisis d'utiliser, si ce n'est pas toi, l'entreprise devient moins dépendante de toi et donc plus vendable. Tu peux aussi simplement être un vilain moche. De plus, les jolies personnes convertissent mieux de toute façon. La bonne nouvelle, c'est que cela ne coûte pas cher d'obtenir une belle personne pour dire des choses devant une caméra.

3) <u>La scène</u> : Pense à *montrer* les questions-oui et les déclarations si-alors.

Exemple : Une publicité avec...

a) Une personne qui se retourne constamment dans son lit interpelle les personnes ayant des problèmes de sommeil.

b) Une poire à côté d'un sablier peut attirer l'attention des personnes ayant une silhouette en forme de poire.

c) Une pièce pleine d'objets empilés jusqu'au plafond interpelle les personnes ayant trop de choses.

d) Un rocher frappant une fenêtre interpelle les personnes ayant des fenêtres brisées.

e) Un repère local. Les habitants pensent : « *Eh bien, je connais cet endroit !* » et prêtent attention.

Maintenant, cette liste n'est pas exhaustive. *Loin* de là. Je te montre cela pour lever le voile. De cette manière, tu peux voir les innombrables façons dont les annonceurs se démarquent dans le bruit, afin que tu puisses en faire autant.

Conseil de Pro : Publicités infinies

Voici l'un des conseils les plus rentables que je puisse te donner pour créer des publicités. Enregistre une dizaine de nouvelles publicités chaque semaine. Mais enregistre trente phrases d'accroche ou questions au début de la publicité. Pense à des clips de cinq secondes. Ce sont les accroches que les gens consomment avant de décider de regarder la suite. Avec trente accroches et dix publicités principales, tu peux créer trois cents variations en quelques heures seulement. Une fois que tu connais la meilleure accroche, tu l'appliques à toutes les publicités.

Étape Action : Je suis toujours impressionné par les façons intelligentes et innovantes dont les annonceurs attirent l'attention de leurs prospects. Alors, au lieu de couper le son ou de cliquer sur « passer l'annonce », *cherche les accroches*. Deviens un étudiant du jeu. Mon objectif est que, pour le reste de ta vie, lorsque tu vois une publicité, *tu montes le volume*.

Maintenant, une fois qu'ils ont remarqué notre publicité, cela nous mène à la deuxième partie de la publicité : nous devons les intéresser...

2) Les intéresser. Si les gens pensent qu'une offre ou un lead magnet offre de grands avantages et des coûts minimes, ils lui accordent de la valeur. Et ils échangeront de l'argent ou des informations de contact pour l'obtenir. Mais si le coût l'emporte sur les avantages, ils ne lui accordent aucune valeur et n'en veulent pas. *Ainsi, les meilleures publicités présentent des avantages aussi grands que possible et des coûts aussi petits que*

 Copyright © 2024 par ACQUISITION.COM LLC. NON DESTINÉ À LA DISTRIBUTION.

possible. Cela rend une offre ou un lead magnet aussi précieux que possible et génère les prospects les plus engagés en conséquence.

Une bonne publicité, payante ou non, utilise des moyens clairs et simples pour répondre à la question : « *Pourquoi devrais-je m'intéresser à ton truc ?* » Elle explique aux gens pourquoi ils devraient vouloir ton lead magnet ou ton offre. Il existe mille façons de le faire, mais je vais partager avec toi mon système « Quoi - Qui - Quand ». Ce système mental repose sur la connaissance de l'équation de la valeur dans tous les sens. Tout ce que tu as à faire est de connaître huit éléments clés sur ton propre produit ou service : comment il répond à chaque élément de valeur pour ton prospect, et comment il les aide à éviter leurs coûts cachés (te souviens-tu de ceux-là ?). Pense à eux comme des carottes par rapport aux bâtons. Comment ton offre apporte plus de bonnes choses et moins de mauvaises choses. Ensuite, pense aux perspectives des personnes qui les vivraient (Qui). Et enfin, la période de temps (Quand) pendant laquelle ils auraient ces expériences (positives ou négatives).

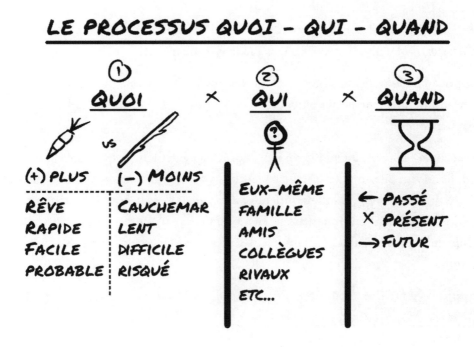

Dans les mots de David Ogilvy « Le client n'est pas idiot. Considère-le comme ta femme. » Alors, tu sais ce que cela signifie ? *Écris pour elle.* Les publicités incitent le prospect à se poser des questions. Et une bonne publicité répond à ces questions au moment précis où elles se posent. Donc, si tu peux répondre à ce à quoi ils pensent avec ta publicité, en utilisant les mots qu'ils utiliseraient, tu as gagné.

Commençons donc par <u>Le Quoi</u> : Huit éléments clés

- **Résultat rêvé** : Une bonne publicité montrera et révélera le bénéfice maximum qu'on peut obtenir en utilisant le produit que tu vends. Il devrait correspondre au résultat rêvé du prospect idéal pour ce type de produit ou service. Ce sont les résultats qu'ils vivront après avoir acheté le produit.

Copyright © 2024 par ACQUISITION.COM LLC. NON DESTINÉ À LA DISTRIBUTION. **137**

o **L'opposé - cauchemar** : Une bonne publicité leur montrera également les pires tracas, douleurs, etc. s'ils continuent sans ta solution. En bref, les choses désagréables qu'ils vivront s'ils n'achètent pas.

- **Perception de la probabilité de réussite** : En raison d'échecs passés, nous supposons que même lorsque nous achetons, il y a un *risque* de ne pas obtenir ce que nous voulons. Réduis cette perception du risque en minimisant ou en expliquant les échecs passés, en mettant l'accent sur le succès de personnes comme eux, en fournissant des assurances pour les autorités, des garanties, et en montrant comment ce que tu as à offrir leur donnera au moins une meilleure chance de succès que ce qu'ils font actuellement, etc.

  o **L'opposé - le risque** : Une bonne publicité leur montrera également à quel point il est risqué de ne pas agir. À quoi ressemblera leur vie s'ils continuent comme d'habitude ? Montre comment ils répéteront leurs échecs passés et comment leurs problèmes deviendront plus importants *voire* pires...

- **Le retard** : Une bonne publicité leur montrera à quel point leur trajectoire actuelle est lente ou qu'ils ne pourront *jamais* obtenir ce qu'ils veulent à leur rythme actuel...

  o **L'opposé - Vitesse** : Pour obtenir les choses que nous voulons, nous savons que nous devons y consacrer du temps. Une bonne publicité *montrera* et *dira* à quelle vitesse ils obtiendront la chose qu'ils veulent.

- **Effort et sacrifice** : Une bonne publicité leur montrera également la quantité de travail et de compétences dont ils auront besoin pour obtenir le résultat *sans* ta solution. Et comment ils seront obligés de continuer à renoncer aux choses qu'ils aiment et de souffrir des choses qu'ils détestent. Ou pire, qu'ils travaillent dur et sacrifient énormément en ce moment... et n'ont *rien* obtenu. En d'autres termes, ils perdent plus de temps et d'argent à faire ce qu'ils font actuellement que s'ils achetaient simplement notre solution !

  o **L'opposé - la facilité** : Pour obtenir ce que nous voulons, nous savons que nous devons changer *quelque chose*. Mais nous supposons ensuite que nous devons faire des choses que nous détestons et renoncer à des choses que nous aimons. Et la facilité vient d'un manque de *travail* ou de *compétences* nécessaires. Une bonne publicité infirme cette hypothèse. Elle explique et montre comment tu peux éviter de faire les choses que tu détestes, faire plus de choses que tu aimes, sans travailler dur, ni avoir beaucoup de compétences, et *quand même* obtenir le résultat rêvé.

 Copyright © 2024 par ACQUISITION.COM LLC. NON DESTINÉ À LA DISTRIBUTION.

Ce sont les 8 éléments clés. Maintenant, tu comprends parfaitement le « Quoi » - comment nous livrons les quatre éléments de valeur, et comment nous évitons leurs quatre opposés. Passons maintenant au « Qui ».

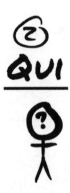

Qui : Les humains sont principalement motivés par le statut. Et le statut d'un humain découle de la façon dont les autres humains le traitent. Donc, si ton produit ou service change la façon dont les autres personnes traitent ton client, ce qui est le cas d'une certaine manière, cela *vaut la peine* de montrer comment. Parler des éléments de valeur du point de vue de quelqu'un d'autre montre toutes les façons dont cela améliorera le statut de ton client. Nous voulons donc décrire deux groupes de personnes. Le premier groupe est constitué des personnes gagnant en statut, tes clients. Le deuxième groupe est constitué de ceux qui le leur accordent : conjoint, enfants, parents, famille élargie, collègues, patrons, amis, rivaux, concurrents, etc.

Toutes ces perspectives nous offrent différentes opportunités de montrer comment le statut du prospect pourrait s'améliorer. Et - elles nous offrent une *tonne* d'avantages supplémentaires. Par exemple, si tu perds du poids, tes enfants ont-ils un nouveau modèle à suivre ? Est-ce que ton conjoint décide maintenant de devenir plus en forme aussi ? As-tu plus de chances d'être promu au travail ? La science dit que oui. Est-ce que ton rival ne t'inflige plus ces petites piques pendant le dîner ?

Parlons d'exemples concrets. Si je disais que quelque chose était sans risque, je voudrais expliquer comment leur conjoint ne les presserait pas à propos de l'achat puisqu'il n'y a pas de risque. Je parlerais du fait que leurs enfants remarqueraient qu'ils ne sont plus aussi stressés ou distraits par le travail. Comment leurs concurrents remarquent que leurs téléphones ne sonnent pas autant parce que tous leurs clients affluent vers ton nouveau client. Comment leurs amis propriétaires d'entreprise disent « les affaires doivent bien marcher » lorsqu'ils arrivent avec leur nouvelle voiture sur le parcours de golf. Tu vois l'idée. Ce sont tous des avantages supplémentaires pour le prospect que nous manquerions si nous ne considérions *que* leur propre perspective.

De plus, nous pouvons appliquer chaque nouvelle perspective (Qui) à chaque moteur de valeur. C'est ainsi que tu obtiens tant d'histoires, d'exemples, d'angles, etc., pour décrire les avantages (plus de carottes et moins de bâtons).

Copyright © 2024 par ACQUISITION.COM LLC. NON DESTINÉ À LA DISTRIBUTION.

Cela m'amène au troisième pilier du système Quoi - Qui - Quand.

Quand : Les gens pensent souvent à comment leurs décisions affectent le moment présent. Mais si nous voulons être particulièrement persuasifs (et nous le voulons), nous devrions également expliquer ce à quoi leurs décisions ont conduit dans le passé *et* ce vers quoi leurs décisions *pourraient* les mener à l'avenir. Nous faisons cela en les amenant à visualiser à travers leur propre chronologie (passé - présent - futur). De cette manière, nous les aidons à voir les conséquences de leur décision (ou de leur indécision) *dès maintenant*.

Utilisons l'exemple de la perte de poids mentionné précédemment, mais *du point de vue de la personne à qui tu t'adresses*. Nous lui montrerions les moqueries subies pendant l'enfance (passé), les difficultés à boutonner son jean préféré (présent) ou le besoin de passer à *un autre* cran de ceinture (futur). À quoi ressemble ce cauchemar pour son conjoint ? Pour ses rivaux ? C'est gênant !

N'oublie pas que nous pouvons également faire passer la même chronologie à travers la perspective de *quelqu'un d'autre*. Leur enfant demandant pourquoi les autres enfants se moquent d'eux (parce qu'ils ont adopté de mauvaises habitudes alimentaires) (passé), ou comment leurs enfants se plaignent maintenant que les papas des autres enfants participent à l'entraînement alors que, eux, ils ne le font pas (présent), ou comment leur médecin a dit qu'ils pourraient ne pas accompagner leur fille jusqu'à l'autel le jour de son mariage (futur). Remarque : tout cela représente les *choses indésirables* qu'ils veulent éviter. Nos prochains éléments de copie opposeraient ces aspects négatifs avec les choses positives qui pourraient se produire (présent et futur) *s'ils achètent notre produit*.

Nous utilisons à la fois les incitations positives et l'évitement des aspects négatifs, puis nous combinons cela avec le passé, le présent et le futur de la vie du prospect pour créer des incitations *puissantes* dans notre copie.

En mettant ensemble le Quoi, le Qui et le Quand, nous répondons à *POURQUOI ils devraient être intéressés*.

Si je continuais avec l'exemple de la perte de poids, je pourrais parler de la manière dont :

Leur conjoint (QUI) *percevra à quelle vitesse* (QUOI) *ils rentrent dans « ce costume que votre femme adore et qui ne vous allait pas mais qui vous va maintenant » à l'avenir* (QUAND). *Ou comment leurs enfants* (QUI) *mois après mois* (QUAND) *seront de plus en plus intéressés par une alimentation saine et suivront lors des séances d'entraînement* (QUOI). *Ou comment eux-mêmes* (QUI) *jettent un coup d'œil à leur reflet dans une vitrine du centre commercial dans quelques mois* (QUAND) *et réalisent que « en fait, les vêtements me vont vraiment dans ce magasin »* (QUOI).

Conseil de Pro : Rends tes publicités aussi spécifiques que possible, mais sans exagérer

Plus ta copie est spécifique, plus elle peut être efficace, mais elle a aussi tendance à être plus longue. Si elle devient trop longue pour la plateforme, elle en diminue l'efficacité. Donc, rends l'annonce aussi spécifique que possible dans l'espace le plus efficace dont tu disposes. Si tu as des ressources audio et visuelles à ta disposition, utilise *le contraste*, *la ressemblance* et la scène elle-même pour <u>correspondre à ta copie</u> - elle devient ainsi plus spécifique sans devenir plus longue. Et cela rend ton annonce encore plus efficace et rentable.

Quand on combine :

- tout ce que nous pouvons pour inciter le prospect à se diriger *vers* les quatre moteurs de valeur, tout en les *éloignant* de leurs opposés

- les nombreuses perspectives que nous pouvons leur montrer pour gagner en statut, *et*

- les différentes chronologies pour chacun...

...Cela donne *une raison* pour laquelle ils devraient être intéressés. Et maintenant, nous avons beaucoup de façons de susciter l'intérêt ! De plus, plus nous couvrons d'angles, plus ils seront intéressés.

Aussi, puisque tu as demandé, la seule différence entre les publicités longues et courtes est le nombre d'angles que nous avons le temps de couvrir dans le cadre de rédaction. Les publicités plus longues en utilisent davantage, tandis que les publicités plus courtes en utilisent moins. Donc, ajoute ou retire en fonction de la plateforme, mais garde les accroches (les premières secondes) et les appels à l'action (ce qu'il faut faire ensuite) identiques.

Conseil de Pro : Obtiens une inspiration illimitée

De nombreuses plateformes disposent d'une base de données d'annonces passées et présentes. À l'heure actuelle, si tu recherches « [PLATEFORME] bibliothèque d'annonces » dans un moteur de recherche, en quelques clics, tu les trouveras. Si tu vois une annonce qui est diffusée pendant longtemps (un mois ou plus), suppose qu'elle est rentable. Ensuite, prends des notes sur les accroches qu'ils utilisent, comment ils illustrent les éléments de valeur et leurs appels à l'action. Observe <u>les mots qu'ils utilisent</u> *et* <u>comment ils les mettent en œuvre</u>. Analyse une cinquantaine d'annonces et tu auras une énorme longueur d'avance pour créer tes propres annonces gagnantes.

Copyright © 2024 par ACQUISITION.COM LLC. NON DESTINÉ À LA DISTRIBUTION.

Étapes à suivre : Récupère autant d'angles publicitaires avec ton offre que possible en utilisant le cadre Quoi - Qui - Quand.

Quoi : Connais les huit points clés sur ton propre produit ou service. Comment il répond à chaque élément de valeur et comment il aide à éviter leurs opposés.

Qui : Montre comment les huit points clés de ton produit ou service peuvent changer *le statut de ton prospect*. Ensuite, montre comment *les personnes qu'il connaît* lui confèrent un statut lorsqu'il achète ton produit ou lui retirent du statut s'il ne le fait pas..

Quand : Amène le prospect à visualiser les conséquences de l'achat et du non-achat à travers son passé, son présent et son futur. Surtout à travers son changement de statut avec les personnes qu'il connait. De cette manière, nous l'aidons à voir la valeur de sa décision (ou de son indécision) à ce moment précis.

> **Note de l'Auteur : Tu n'as pas besoin de devenir un expert en rédaction publicitaire.**
> Je ne le suis certainement pas. Et si je pensais que la rédaction était un frein pour la plupart, j'y aurais consacré plus de temps. Bien sûr, les entrepreneurs de classe mondiale ont des compétences en rédaction publicitaire. Mais les rédacteurs publicitaires de classe mondiale n'ont pas nécessairement des compétences entrepreneuriales. *Ne sacrifie pas l'une pour l'autre.* Si tu expliques clairement ton offre en utilisant le cadre Quoi - Qui - Quand, tu auras assez de compétences pour éliminer la rédaction en tant que frein à ta croissance. Et c'est tout ce que tu as à faire : devenir assez bon pour croître. Après tout, si tu cibles les bonnes personnes et que tu as une offre incroyable, tu n'as pratiquement pas besoin de beaucoup de texte au départ. *Tu dois simplement expliquer ton offre.* Deviens assez compétent pour rendre tes annonces rentables, puis évolue et vois ce qui se brise ensuite.

J'inclus également quelques astuces publicitaires supplémentaires qui m'ont bien servi à la fin du chapitre. Mais même si tu ne les utilises jamais, il ne te manquera qu'une seule chose pour transformer ces personnes intéressées en prospects engagés...

3) Appel à l'Action (CTA) - Dis-leur quoi faire ensuite

Si ton annonce les a intéressés, alors ton public aura une énorme motivation... pour un temps très court. Profites-en. Dis-leur *exactement* quoi faire ensuite. Épelle-le : Clique sur ce bouton. Appelle ce numéro. Réponds par « OUI ». Va sur ce site web. Scanne ce QR code (clin d'œil). Tant d'annonces ne font *toujours pas* cela. Ton public ne peut pas savoir quoi faire sauf si tu le lui dis.

Fais en sorte que les CTA soient rapides et faciles. Des numéros de téléphone simples, des boutons évidents, des sites web simples. Par exemple, un CTA courant est de diriger le public vers un site web. Alors, rends ton adresse web courte et mémorable :

Copyright © 2024 par ACQUISITION.COM LLC. NON DESTINÉ À LA DISTRIBUTION.

Au lieu de… <u>alexsprivateequityfirm.com/livre-gratuit-et-cours2782</u>

Utilise… <u>acquisition.com/training</u>

Remarque : Cela vient d'un gars qui a dépensé 370 000 $ pour un domaine composé d'un seul mot, <u>Acquisition.com</u>. Donc, je peux surestimer les domaines simples, mais je ne pense pas. Je pense que tout le monde les sous-estime. Juste mon avis.

Alex Hormozi ✔
@AlexHormozi

Suppose que le public n'a aucune idée de qui vous êtes, de ce que vous faites, de comment cela fonctionne, qu'il est pressé et qu'il a une éducation de CE2

Au-delà de ces bases que la plupart oublient encore, tu peux également utiliser toutes les tactiques comme l'urgence, la rareté et les bonus de l'Étape 7 du chapitre « Implique tes leads » pour rendre tes CTA encore plus percutants. Elles s'appliquent ici, et partout ailleurs où tu demandes à ton public de faire quelque chose.

Alors, nous pouvons maintenant choisir une plateforme pour faire de la publicité, cibler à qui nous montrons nos annonces, créer les annonces qu'ils voient et leur dire quoi faire ensuite. Tout ce qu'il nous reste à faire maintenant, c'est obtenir leurs coordonnées.

Étape n°4 « Comment obtenir leurs infos ? » → Obtiens la permission de les contacter

Après qu'ils soient passés à l'action - Obtiens. Leurs. Coordonnées. Ma manière préférée d'obtenir des coordonnées est une simple page de destination. Ne te prends pas trop la tête. Plus ta page de destination est simple, plus il est facile de tester. Concentre-toi sur les mots et l'image. Voici mes trois modèles préférés. Choisis-en un et commence à tester.

Copyright © 2024 par ACQUISITION.COM LLC. NON DESTINÉ À LA DISTRIBUTION.

PAGES DE DESTINATION

<u>Et fais en sorte que tes pages de destination correspondent à tes annonces.</u> Les gens cliquent sur une annonce parce que tu leur as promis un avantage. Alors, reproduis ce même aspect visuel et langage sur ta page de destination. Assure-toi que ce que tu as promis dans ton annonce est ce que tu offres. Cela semble simple, mais beaucoup de gens l'oublient et gaspillent de l'argent jusqu'à ce qu'ils s'en souviennent. Tu ne veux pas te retrouver avec une expérience Frankenstein où tout semble différent. Tu veux une expérience continue de « clic pour acheter ».

<u>Fais passer plus de personnes par plus d'étapes.</u> Dans l'œuvre séminale de Robert Cialdini, « *Influence* », il montre que les gens aiment se considérer comme cohérents. Donc, si tu leur rappelles l'action qu'ils viennent de prendre (CTA) et montre comment faire la prochaine action est aligné avec cela, tu obtiendras plus de personnes à faire la deuxième action (Coordonnées). Par exemple, « Maintenant que tu as fait A, tu dois faire B pour tirer le meilleur parti de A » <u>ou</u> « Faire A fait de toi une personne qui fait A. Les personnes qui font A font aussi B. »

Pour être clair, nous ne vendons rien. Nous demandons simplement s'ils sont intéressés par ce que nous vendons. Et s'ils sont intéressés, ils nous donneront un moyen de leur en dire plus à ce sujet. Et quand ils le font, ils deviennent des prospects engagés. Youpi !

Étape Action : Crée ta première page de destination. J'ai perdu quatre ans à avoir trop peur de créer une page de destination. Quand j'ai finalement essayé, j'ai terminé avant le déjeuner. De nos jours, il existe des tonnes d'outils « glisser-déposer » pour construire des sites web en quelques minutes. Et si tu es toujours inquiet à ce sujet, des freelances peuvent construire un site, probablement en utilisant les mêmes outils de glisser-déposer, à moindre coût. Alors, fais-le simplement.

→ **Maintenant, tu as des prospects engagés grâce aux publicités payantes !** Hourra ! Nous l'avons fait !

 Copyright © 2024 par ACQUISITION.COM LLC. NON DESTINÉ À LA DISTRIBUTION.

Conclusion de la partie I sur les annonces payantes

Qu'est-ce qui *doit* se produire pour que la publicité fonctionne ? Eh bien, nous devons montrer notre annonce aux bonnes personnes. Donc, nous choisissons la bonne plateforme et ciblons les personnes au sein de cette plateforme qui ont le pourcentage le plus élevé de notre audience. Une fois que nous faisons cela, nous devons les inciter à <u>remarquer</u> notre annonce. Une fois qu'ils la remarquent, ils doivent la consommer pour avoir une <u>raison</u> d'agir maintenant plutôt que plus tard. Nous faisons cela en utilisant l'équation de la valeur. Et nous la démontrons dans le passé, le présent et le futur, de leur point de vue et de celui des personnes qu'ils connaissent. Une fois qu'ils ont une raison d'agir, ils doivent avoir <u>un moyen de nous donner la permission de les contacter</u>. *Cette action les transforme en prospects engagés.* Et comme ces choses doivent se produire, elles sont lentement mais sûrement devenues les trois éléments fondamentaux de chaque annonce que je crée :

1) Accroches (pour qu'ils la remarquent)

2) Éléments de valeur (pour leur donner une raison de faire quelque chose)

3) Appels à l'action (pour leur donner un moyen de le faire)

Maintenant... une seule question subsiste... à quel point sommes-nous efficaces ? Parlons d'argent.

Copyright © 2024 par ACQUISITION.COM LLC. NON DESTINÉ À LA DISTRIBUTION.

Copyright © 2024 par ACQUISITION.COM LLC. NON DESTINÉ À LA DISTRIBUTION.

#4 Lancer des annonces payantes
Partie II : Parlons d'argent

«Je tente simplement d'acheter un dollar et de le vendre pour deux» - Proposition Joe, The Wire

Nous nous concentrons sur l'efficacité des annonces payantes tout au long de ce chapitre et du précédent parce que *l'efficacité compte plus que la créativité.* Toutes les publicités fonctionnent. La seule différence entre les publicités est à quel point elles fonctionnent bien. Peut-être que les gens deviennent fous en essayant de créer des annonces payantes parce qu'il y a des mots comme «copy» (rédaction), «creative» (créativité) et «media», puis ils se concentrent à l'excès sur la perfection de tous ces éléments (comme si c'était possible). Tu peux ajuster toute la journée et toute la nuit... jusqu'à ce que les vaches rentrent à la maison ! En réalité, les annonces payantes, tout comme toute forme de publicité, sont centrées sur *le retour sur investissement.* Et avec les publicités payantes, cela devient clair comme de l'eau de roche, car tu investis X dollars pour que les gens voient l'annonce et tu récupères Y dollars s'ils achètent ton produit. Donc, si tu veux une machine à prospects de *100 millions de dollars,* il te suffit de la rendre «assez bonne» pour la faire évoluer. Pourquoi ? Parce que «assez bon» est suffisant.

Comme l'efficacité est primordiale, nous voulons être aussi efficaces que possible pour pouvoir évoluer autant que possible. De cette manière, nous obtenons autant de prospects que notre petit cœur le désire.

Cela dit, il y a suffisamment de nuances dans l'évolutivité des publicités payantes pour que ce soit préférable de le traiter dans son propre chapitre. Ce chapitre répond à quatre grandes questions sur les publicités telles que je les comprends :

- Combien dois-je dépenser ? → Les Trois Phases de l'Évolution des Publicités Payantes

- Comment savoir comment je performe ? → Coût et Repères

- Si mes publicités ne sont pas rentables, comment les réparer ? → Acquisition financée par le Client

- Qu'aurais-je aimé savoir avant de lancer ma première publicité payante ? → Leçons

« Mais combien dois-je dépenser en publicités payantes ? » → Les trois phases de l'évolution des publicités payantes

Il y a trois étapes pour dépenser de l'argent en publicités selon ma vision.

Phase Une : Suivre l'argent

Phase Deux : Perdre de l'argent

Phase Trois : Imprimer de l'argent

Analysons-les ensemble.

Copyright © 2024 par ACQUISITION.COM LLC. NON DESTINÉ À LA DISTRIBUTION.

Phase Une : *Suivre l'argent*. Avant de dépenser un dollar en publicités, mets tout en place pour que tu puisses suivre précisément tes retours. Si tu ne suis pas, tu risques de te faire nettoyer. Ce serait comme aller dans un casino et jouer à ton jeu préféré aussi longtemps que tu en as envie plutôt que aussi longtemps que tu peux te le permettre. Mais une fois que tu as le suivi, tu peux faire plus de choses qui te rapportent de l'argent et moins de choses qui ne t'en rapportent pas. Cela truque le jeu en ta faveur. Alors, engage un consultant, regarde des tutoriels et mets tout en place. Fin de l'histoire. Une fois que tu as le suivi, tu peux commencer à perdre de l'argent comme un pro (clin d'œil).

Phase Deux : *Perdre de l'argent* (en plaisantant à moitié). Je préfère appeler cela 'investir dans une machine à imprimer de l'argent'. Après tout, lors de la diffusion de publicités payantes, tu paies d'abord. Donc, ton compte en banque doit baisser avant de remonter.

J'insiste sur cela car je préfère te préparer : *tu vas perdre de l'argent*. En fait, j'ai perdu de l'argent *plus de fois* que j'en ai gagné en diffusant des publicités payantes. Mais chaque fois que je gagne de l'argent avec des publicités payantes, je récupère tout ce que j'ai perdu, *et même plus*. Donc, le nombre de fois où je perds est élevé, mais le montant que je perds est faible parce que je sais quand arrêter. Et mon nombre de victoires est faible, mais le montant que je gagne est très élevé parce que je sais quand appuyer sur l'accélérateur. Donc, imagine cela.

Supposons que je dépense 100 $ par annonce, pour dix annonces - 1 000 $ au total. Neuf d'entre elles perdent tous les 100 $. Ensuite, l'une d'entre elles me rapporte 500 $ pour les 100 $ dépensés. Je suis toujours en déficit de 500 $. Beaucoup de gens s'arrêtent ici parce qu'ils voient une perte de 500 $. Mais pas nous. Nous voyons un gagnant. Donc maintenant, on s'attache et on multiplie par 100. On dépense 10 000 $ sur l'annonce gagnante et on en fait 50 000 $.

Note : j'ai quand même perdu *neuf fois*, mais *la fois* où j'ai gagné, j'ai gagné gros. Et c'est important, car tu pourrais perdre neuf ou quatre-vingt-dix-neuf fois d'affilée avant de gagner gros. Mais, pour gagner gros, tu dois voir les gagnants et augmenter les mises, *doubler, tripler, quadrupler, multiplier par 10*. C'est pourquoi la publicité payante ressemble beaucoup à un casino. Tu perdras souvent au début pour apprendre le jeu. Mais - avec assez de compétences - tu finis par devenir le casino. Cela dit, pendant cette phase de «perte d'argent», tu peux quand même être intelligent à ce sujet. Voici comment je le fais.

Je budgétise deux fois la somme que je collecte d'un client en trente jours lorsque je teste de nouvelles publicités. J'ai gaspillé des tonnes d'argent en laissant des publicités tourner trop longtemps avant de réaliser qu'elles étaient nulles. Mais d'un autre côté, j'ai perdu encore plus d'argent en abandonnant des publicités avant de leur donner une chance. Finalement, j'ai trouvé le bon compromis en budgétisant <u>deux fois</u> la somme que je collecte d'un nouveau client au cours des trente premiers jours pour tester une nouvelle publicité. Par exemple, si je sais que je fais 100 $ de profit avec un client au cours des trente premiers jours, je laisserai une publicité aller jusqu'à 200 $ de dépenses avant de l'arrêter (tant que j'obtiens des prospects). Si je n'obtiens aucun prospect d'une publicité du tout, avant de dépenser 1x le cash des trente jours, je l'arrête (100 $ dans l'exemple).

Construire une machine publicitaire coûte de l'argent. J'ai travaillé avec une entreprise qui a mis un an pour rendre rentables ses annonces payantes. C'était difficile. Mais d'autres entreprises dans leur secteur diffusaient des publicités rentables, ce qui signifiait que *nous le pouvions aussi*. Une fois qu'elles étaient ren-

 Copyright © 2024 par ACQUISITION.COM LLC. NON DESTINÉ À LA DISTRIBUTION.

tables, elles récupéraient leur argent « perdu » pendant toute une année le *mois suivant*. Construire une machine publicitaire coûte de l'argent... et c'est *normal*. Assure-toi simplement de mesurer les retours sur une longue période, pas la semaine suivante. Peux-tu imaginer quelque chose de plus précieux qu'une machine qui imprime de l'argent ? Il serait déraisonnable de s'attendre à ce qu'elle soit bon marché (ou facile). Une fois que tu commences à gagner plus d'argent que ce que cela te coûte pour le faire, tu es dans la phase trois.

Phase Trois : *Imprimer de l'argent*. Si tu récupères plus d'argent que tu n'en dépenses - la réponse est simple - *dépense autant que tu peux*. Après tout, si tu avais une machine magique qui te donnait 10 $ pour chaque 1 $ que tu y mettais, quel serait ton budget ? Exactement. Tout l'argent. Mais en réalité, tu as probablement une contrainte dans ton entreprise qui t'empêche d'avoir un afflux illimité de clients. Alors voici comment j'augmente mon budget.

Au lieu de me demander « Combien d'argent devrais-je dépenser pour une publicité ? », je me demande « Combien de clients je veux ? » ou « Combien de clients puis-je gérer ? » Donc, une fois que les publicités atteignent le seuil de rentabilité ou mieux, je réoriente mon budget à partir de mes objectifs de vente. Si je ne peux gérer que 100 clients le mois suivant et que les clients me coûtent 100 $ à obtenir, je devrais dépenser 10 000 $ pour les obtenir (100 x 100 $). Mais comme les publicités deviennent moins efficaces à mesure qu'elles se développent, j'ajoute généralement vingt pour cent au budget. Cela signifie donc 12 000 $ sur trente jours, soit 400 $ par jour en dépenses publicitaires. Je réoriente mon budget publicitaire quotidien à partir de mon objectif d'obtention de prospects. Ensuite, *je m'y engage*. Si le nombre te terrifie, c'est que tu fais les choses correctement. Fais confiance aux données. C'est ainsi que tu évolues. Et c'est pourquoi la plupart des gens ne le font jamais.

« Comment est-ce que je performe ? » - Coût et retours - Indicateurs d'efficacité

Les annonces payantes efficaces génèrent plus d'argent qu'elles n'en coûtent. Si cela semble douloureusement évident, tant mieux. Tu as déjà dépassé la plupart des gens. Je mesure l'efficacité des publicités payantes en comparant le bénéfice brut à vie d'un client (LTGP*) avec le Coût d'Acquisition d'un Client (CAC). J'exprime ce ratio comme LTGP/CAC.

<u>Je mesure le LTGP au lieu de « la valeur à vie » ou « LTV** »</u>

Le bénéfice brut à vie représente tout l'argent qu'un client dépense sur tes produits, moins tout l'argent nécessaire pour le livrer. Par exemple, si un client achète quelque chose pour 15 $ et que cela coûte 5 $ pour le livrer, ton bénéfice brut est de 10 $. Ainsi, si ce client achète dix choses au cours de sa vie, alors il aura acheté un total de 150 $ de produits. Mais cela t'a coûté un total de 50 $ pour livrer ces produits. Cela fait du bénéfice brut à vie de 100 $.

---

*   *Lifetime Gross Profit : Bénéfice Brut à Vie*

**   *Lifetime Value : Valeur à Vie*

Copyright © 2024 par ACQUISITION.COM LLC. NON DESTINÉ À LA DISTRIBUTION.

Le bénéfice brut est important en général car c'est l'argent réel que tu utilises pour acquérir des clients, payer le loyer, couvrir la masse salariale et... tout le reste pour faire fonctionner ton entreprise.

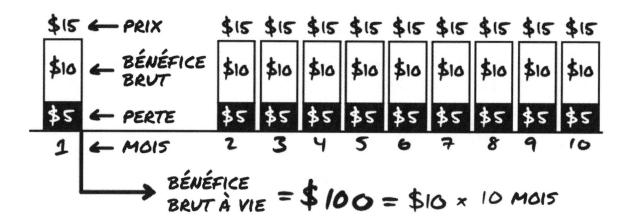

Donc, si tu m'as déjà entendu dire « Je fais du 3 pour 1 avec ça », je fais référence à mon ratio LTGP-CAC. Je compare combien j'ai gagné par rapport à combien j'ai dépensé. Donc, si le LTGP est supérieur au CAC, tu fais de la publicité rentable. S'il est inférieur au CAC, tu perds de l'argent.

Quel est un bon ratio LTGP-CAC ? Toutes les entreprises dans lesquelles j'investis et qui ont du mal à évoluer ont au moins une chose en commun - leur ratio LTGP-CAC était *inférieur à* 3 pour 1. Dès que je le fais monter au-dessus de 3 pour 1 (soit en diminuant le CAC, soit en augmentant le LTGP), elles décollent. *C'est un schéma que j'ai personnellement observé, pas une règle.*

$$LTGP > CAC = \$+ \quad \smiley$$

$$LTGP < CAC = \$- \quad \frownie$$

$$\frac{LTGP}{CAC} > 3 \quad \moneyface$$

Tu as deux grands leviers pour améliorer le ratio LTGP-CAC :

- Réduire le CAC : Obtiens des clients moins chers. Fais cela avec des publicités plus efficaces en suivant les étapes que nous venons d'expliquer.
- Augmenter le LTGP : Augmente le montant que tu gagnes par client. Fais cela avec un meilleur modèle commercial.

 Copyright © 2024 par ACQUISITION.COM LLC. NON DESTINÉ À LA DISTRIBUTION.

Pour maximiser les gains… *je préfère faire les deux.*

Par exemple, si tu gagnes un milliard de dollars par client, tu pourrais dépenser neuf cent quatre-vingt-dix-neuf millions de dollars pour obtenir un client et avoir *toujours* un million de dollars en surplus. Tu pourrais dépenser à peu près tout ce qu'il faut pour obtenir un client. Peu importe la médiocrité de tes annonces, tu continuerais probablement de gagner. En revanche, si tu gagnes un centime par client, tu devrais obtenir chaque client pour *moins d'un centime* pour que cela fonctionne. Même avec les meilleures annonces, tu échouerais.

Je soulève cela parce que nous parlons avec des centaines d'entrepreneurs chaque mois. Ils pensent souvent avoir des annonces médiocres (CAC élevé), alors qu'en réalité, ils ont un modèle commercial médiocre (LTGP faible). Voici une constatation qui te surprendra probablement autant qu'elle m'a surpris. Le coût d'acquisition de clients, entre les concurrents dans la même industrie, est <u>beaucoup plus proche que tu ne le penses</u>. La différence entre les gagnants et les perdants réside dans *le montant qu'ils gagnent auprès de chaque clien*t.

Alors, comment savoir si ce sont tes annonces ou ton modèle commercial qui ont besoin de travail ? J'utilise le CAC moyen de l'industrie comme guide. Renseigne-toi sur les moyennes de l'industrie pour le coût d'acquisition de clients. Si ton CAC est inférieur à 3 fois la moyenne de l'industrie (bien), *concentre-toi sur ton modèle commercial* (LTGP). Si ton CAC est supérieur à 3 fois la moyenne (mauvais), *concentre-toi sur ta publicité* (CAC).

Les choses ne peuvent devenir que moins chères. À la fin, tu dois simplement augmenter tes revenus. Penses-y comme ça - réduire le coût d'acquisition d'un client de 100 $ finira par demander plus de travail que gagner un supplément de 100 $ auprès d'eux. Donc, une fois que ton coût est assez bas, concentre-toi sur ton modèle commercial. Les coûts ne peuvent approcher zéro que jusqu'à un certain point, mais ce que tu gagnes peut augmenter jusqu'à l'infini. Augmenter l'efficacité publicitaire au-delà d'un certain point revient à essayer de « s'économiser » jusqu'à un milliard de dollars. On a l'impression de progresser, mais on n'y arrivera jamais.

« Mes annonces ne sont pas rentables, comment puis-je les réparer ? » → Acquisition financée par le client

Pour de nombreuses entreprises, le bénéfice brut à vie (LTGP) est supérieur au coût d'acquisition d'un client (CAC). Hourra. Mais *pas après le premier achat*. Bouh. Le profit du *premier achat* du client est souvent inférieur au coût pour les attirer. Il peut falloir de nombreux mois pour collecter l'intégralité du LTGP. Ainsi, tu reçois ton argent plus tard au lieu de le recevoir maintenant. Ce problème de trésorerie entrave ta capacité à développer tes annonces et à attirer davantage de clients. Bouh encore.

Copyright © 2024 par ACQUISITION.COM LLC. NON DESTINÉ À LA DISTRIBUTION.

Mais... si ton client dépense plus que ce que cela te coûte pour l'attirer _et_ le satisfaire - dans les 30 premiers jours - alors tu as les fonds nécessaires pour mettre à l'échelle *maintenant* et *pour toujours*. **J'appelle cela l'acquisition financée par le client.** Je choisis trente jours car toute entreprise peut obtenir de l'argent sans intérêt pendant trente jours sous la forme d'une carte de crédit. Et si nous gagnons plus que le coût pour attirer et satisfaire le client au cours des trente premiers jours, nous équilibrons notre bilan. Maintenant, nous n'avons aucune dette et un nouveau client dont nous pouvons continuer à tirer profit éternellement. Ensuite, nous répétons le processus. L'argent n'est plus ton goulot d'étranglement. C'est la clé d'une expansion illimitée. *Je répète la même image ci-dessus pour que tu puisses la consulter.*

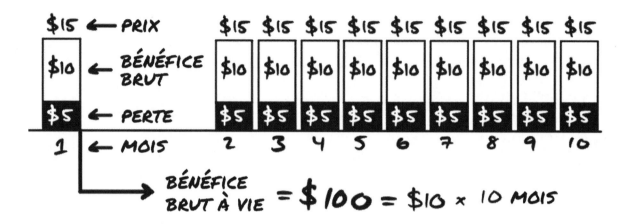

Voyons l'acquisition financée par le client en action :

- Disons que nous avons une adhésion mensuelle à 15 $ qui nous coûte 5 $ à livrer. Cela nous laisse un bénéfice brut de 10 $.

    (Adhésion de 15 $) - (Coût de 5 $) = Bénéfice brut de 10 $ par mois

- Et disons que notre membre moyen reste pendant dix mois. Cela fait de notre bénéfice brut à vie 100 $.

    (Bénéfice brut de 10 $ par mois) x (10 mois) = 100 $ LTGP

- Si le coût pour attirer un client est de 30 $ (CAC = 30 $), nous avons un ratio LTGP : CAC de 3,3:1.

    (100 $ LTGP) / (30 $ CAC) = 3,3 LTGP / 1 CAC → 3,3:1 Nos annonces rapportent de l'argent. Hourra.

 Copyright © 2024 par ACQUISITION.COM LLC. NON DESTINÉ À LA DISTRIBUTION.

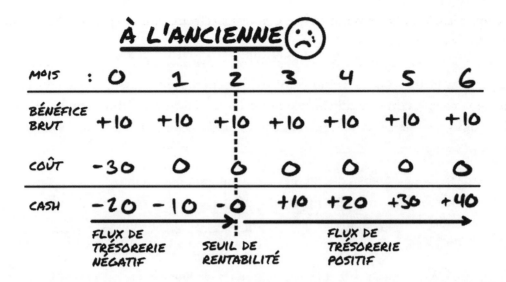

Mais attends... il y a un problème. Tu as dépensé 30 $ en publicités et n'as récupéré que 10 $. Dix dollars arrivent au compte-gouttes, mois après mois, jusqu'à ce que tu récupères enfin ta mise... deux mois plus tard. C'est difficile ! Ne te trompe pas, tu devrais absolument faire cet échange. Mais maintenant, nous avons un problème de trésorerie.

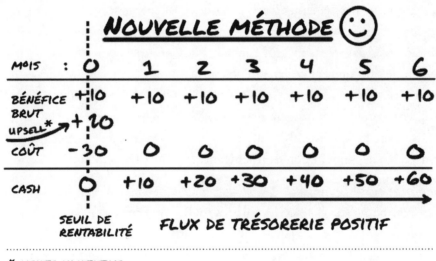

Voici comment je résous cela : *Je leur vends immédiatement plus de choses.*

- Si je propose une vente incitative (upsell) de 100 $ (avec une marge de 100 %) que l'un des cinq nouveaux clients prend, cela ajoute 20 $ de bénéfice brut par client.

  (100 $ de vente incitative) / (5 clients) = 20 $ de vente incitative moyenne par client.

- Cela nous fait passer de 10 $ à 30 $ au cours des trente premiers jours (notre fenêtre de seuil de rentabilité). Le premier achat est de 10 $. Mais maintenant, *la vente incitative moyenne ajoute 20 $.*

  10 $ + 20 $ = 30 $ de bénéfice brut par client en moins de 30 jours.

- Et comme cela coûte 30 $ pour les acquérir, nous atteignons le seuil de rentabilité. Super !

  30 $ CAC - 30 $ encaissés dans les trente jours = des clients gratuits !

Chaque tranche de 10 $ par mois qui entre par la suite est un « bonus ». Maintenant, je peux aller chercher un autre client tout en continuant de percevoir ce bénéfice de 10 $ par mois pour les neuf mois suivants. C'est ainsi que l'argent est généré. Les choses que je peux vendre ou proposer en vente incitative sont illimitées.

Si je couvre le coût pour acquérir et servir un client dans les trente premiers jours, je peux rembourser ma carte, puis recommencer. C'est ainsi que j'ai développé chaque entreprise que j'ai lancée au cours des sept dernières années au-delà de <u>1 million de dollars par mois au cours des douze premiers mois</u> - sans financement extérieur. Une fois l'efficacité mise de côté, la créativité est votre seule limite.

<u>En résumé</u> : trouve un moyen de faire en sorte que tes clients te remboursent dans les trente premiers jours afin que tu puisses réinvestir ton argent pour acquérir plus de clients.

Leçons personnelles des annonces payantes

1) **Ne confonds pas les problèmes de ventes avec les problèmes de publicité**. Le coût pour acquérir des clients ne provient pas seulement de la publicité (bien que cela provienne surtout de là)... Par exemple, une entreprise dans laquelle j'ai investi a passé douze semaines et dépensé 150 000 $ pour diffuser des annonces payantes. Ils attiraient les bons prospects au téléphone, mais ils n'achetaient pas. Le propriétaire a dit que la publicité ne fonctionnait pas. Mais les publicités fonctionnaient bien, voire très bien ; c'étaient leurs ventes qui étaient médiocres. Le propriétaire a jeté l'éponge... à deux mètres de l'or. Frustrant. Confondre un problème de publicité avec un problème de vente leur a coûté une valeur d'entreprise estimée à ~30 millions de dollars. Si tes leads engagés ont le problème que tu résouds et l'argent à dépenser, et qu'ils n'achètent pas, alors tes publicités fonctionnent bien – tu as un problème de vente.

2) **Ton meilleur contenu gratuit peut devenir les meilleures annonces payantes**. Certaines des meilleures annonces payantes que j'ai jamais diffusées provenaient de contenus gratuits. Si tu crées un contenu gratuit qui génère des ventes, ou qui performe très bien, neuf fois sur dix, il fera une excellente publicité payante.

   a) **Contenu Généré par l'Utilisateur (UGC** pour *User-Generated Content*). Si tu pouvais inciter tes clients à créer des témoignages ou des avis en utilisant ton produit, publie-les. S'ils fonctionnent bien en tant que contenu gratuit, ils font souvent d'excellentes publicités payantes. Avoir un système en place pour encourager ces contenus publics de la part des clients est ma méthode préférée pour obtenir un flux constant de publicités potentielles. Et – la meilleure partie – c'est qu'il n'y a pas de travail supplémentaire.

3) **Si tu dis que tu es nul(le) en quelque chose, tu seras probablement nul(le) en cela**. Ne dis jamais « Je ne suis pas doué(e) en technologie » ou « Je déteste les trucs techniques ». Cela ne fait que te maintenir plus pauvre que tu ne devrais l'être. J'ai dit cela pendant... attends...QUATRE ANS. Puis

 Copyright © 2024 par ACQUISITION.COM LLC. NON DESTINÉ À LA DISTRIBUTION.

un jour, j'ai craqué parce que je détestais mon concepteur de site web plus que la technologie elle-même. « Si cet idiot peut le faire, alors je le peux aussi. » Quatre ans de perte de temps et d'argent inversés avec quatre heures d'effort concentré.

À toi de jouer

Je peux t'apprendre comment placer une annonce en vingt minutes. Ça te coûtera 100 $. Ça en vaut la peine, non ? J'espère bien. C'est une compétence importante. Ça ne te rapportera pas d'argent, mais tu apprendras une leçon qui vaut bien plus que cent dollars : faire de la publicité est plus facile que tu ne le penses. En fait, les plateformes dépensent des milliards pour le rendre aussi facile que possible (afin de gagner plus d'argent). Voici tout ce que tu as à faire :

Cherche « COMMENT PLACER UNE ANNONCE SUR [PLATEFORME]. » Puis, place une annonce pour 100 $. Ne va pas jusqu'au bout pour abandonner. Dépense ton argent. Arrache le pansement. Dès que tu le fais, tu n'es plus un observateur, <u>tu es dans le jeu</u>.

Une fois que tu as assemblé toutes ces pièces, il est temps de l'envoyer. Dépense de l'argent. Commence avec une somme d'argent acceptable que tu es prêt à perdre chaque mois. Attends-toi à la perdre. Tu ne gagneras pas, tu apprendras.

Si tu te souviens de notre checklist publicitaire, tu devras choisir chaque ligne pour remplir ta carte d'action. Cela lance ton parcours dans la publicité payante pour obtenir plus de prospects engagés.

<u>Exemple de checklist publicitaire :</u>

Checklist quotidienne de publicités payantes	
Qui :	Toi-même
Quoi :	Ton offre
Où :	N'importe quelle plateforme/audience à laquelle tu peux acheter l'accès
À qui :	Audience cible ou audience similaire
Quand :	Tous les jours, 7 jours sur 7
Pourquoi :	Engager des leads pour vendre
Comment :	Accroche + Valeur (Quoi Qui Quand) + CTA
Combien :	Budget d'apprentissage, puis retour à l'objectif de vente
Combien de fois :	+ de 30 appels x 10 annonces
Combien de temps :	Le temps qu'il faudra

Copyright © 2024 par ACQUISITION.COM LLC. NON DESTINÉ À LA DISTRIBUTION.

Conclusion de la partie II sur les annonces payantes

Les annonces payantes sont le moyen le plus rapide d'augmenter le nombre de prospects que tu obtiens. Nous avons consacré la majeure partie de ce chapitre à parler d'efficacité. Parce que lorsque tu comprends vraiment comment les annonces génèrent de l'argent, il devient beaucoup plus facile de réussir. J'ai eu beaucoup de succès avec les publicités payantes, mais ce n'était pas parce que j'étais le plus créatif ou que j'avais la meilleure copie. C'était parce que je connaissais les chiffres. Alors suis les étapes indiquées.

Je recommande de faire les annonces payantes en <u>dernier</u> pour deux raisons. Premièrement, les compétences acquises avec les trois autres méthodes te serviront pour celle-ci. Deuxièmement, les publicités payantes coûtent de l'argent. De l'argent que tu auras si tu commences par les trois autres méthodes. Alors, acquiers les compétences et gagne de l'argent avec les trois autres méthodes, afin d'avoir la courbe d'apprentissage la plus courte pour celle-ci.

Et une fois que nous avons tout cela, nous passons à l'échelle. Nous nous attendons à perdre plus de fois que nous ne gagnons. Et une fois que nous gagnons, nous augmentons considérablement. Et c'est ainsi que nous procédons.

Les annonces payantes sont la dernière des quatre méthodes fondamentales qu'une seule personne peut utiliser pour faire savoir aux autres ce qu'elle propose. Mais avant de passer à la seconde moitié du livre, je veux te montrer comment mettre ces méthodes sous stéroïdes.

BONUS GRATUIT : Formation bonus - La voie rapide des annonces payantes

Lancer des annonces payantes, c'est la voie rapide. C'est risqué, mais ça peut rapporter gros. J'ai enregistré une analyse approfondie des systèmes publicitaires qui m'ont servi dans différents secteurs et gammes de prix. Tu peux le trouver ici gratuitement, comme toujours : <u>Acquisition.com/training/leads</u> . Mon cadeau pour toi - de l'argent que tu feras à l'avenir. Et comme toujours, tu peux également scanner le QR code ci-dessous si tu n'aimes pas taper dans la barre de recherche.

SCANNE MOI

 Copyright © 2024 par ACQUISITION.COM LLC. NON DESTINÉ À LA DISTRIBUTION.

Les quatre principes sous stéroïdes : Plus, Mieux, Nouveau

« Si tu n'as pas de succès du premier coup, utilise la force. »

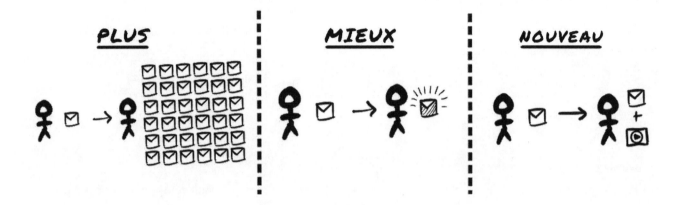

J'ai interrogé à peu près 50 personnes du groupe.. Toutes étaient des entrepreneurs cherchant à développer leurs entreprises. Chacun d'entre eux avait soif du « lien manquant » qui les inonderait de prospects engagés. Après avoir terminé une présentation sur la génération de leads, j'ai *ouvert la session aux questions-réponses :*

Le premier propriétaire d'entreprise a pris la parole : « J'ai l'impression d'avoir saturé le marché. Je ne pense pas que nous puissions devenir plus importants dans la niche des chiropracteurs que nous ne le sommes déjà. »

« Quel est votre chiffre d'affaires ? » demandai-je.

« 2 000 000 $ par an. »

« Et combien dépensez-vous en publicité ? »

« Environ 30 000 $ par mois sur Facebook. »

« Quel est votre taux de conversion du clic à la conversion ? »

« Je ne sais pas. »

« Donc, vous ne suivez pas le rendement global ? »

« Je suppose que non. »

« D'accord... Sur quelles autres plateformes faites-vous de la publicité ? »

« Aucune. »

« Combien de contenu créez-vous pour les chiropracteurs ? »

« Aucun. »

Copyright © 2024 par ACQUISITION.COM LLC. NON DESTINÉ À LA DISTRIBUTION.

« Combien de prospections à froid faites-vous ? »

« Aucune. »

« Et les 30 000 $ que vous dépensez, sur une seule plateforme, pour une entreprise de deux millions de dollars, ont saturé l'industrie des chiropracteurs évaluée à 15,1 milliards de dollars ? Cela vous semble-t-il raisonnable ? »

Un deuxième propriétaire d'entreprise intervint avant qu'il ne puisse répondre : « Si cela peut aider, je suis aussi dans la niche des chiropracteurs, et j'ai dépensé 30 000 $ en publicité, sur *quatre* plate-formes, la semaine dernière... »

« Vous avez toujours l'impression d'avoir saturé votre niche ? » demandai-je.

Il a compris le message.

***

J'ai cette conversation tous les jours avec des entrepreneurs cherchant à se développer. En général, ils ont réussi à obtenir suffisamment de clients sur une plateforme pour atteindre un chiffre d'affaires annuel compris entre 1 et 3 millions de dollars. Cela reste encore relativement imprévisible. Ils connaissent des hauts et des bas, mais ils ont saisi l'essentiel de ce qu'ils doivent faire et ont rencontré certains succès. C'est à ce stade qu'ils rencontrent un obstacle parce qu'ils pensent qu'ils ne peuvent pas gagner plus d'argent. Ils supposent avoir « exploité » leur marché. Je n'invente pas. J'ai eu une conversation avec un autre entrepreneur réalisant environ 3 000 000 $ par an dans le domaine de la perte de poids. Il craignait que l'augmentation de ses dépenses publicitaires au-delà de 40 000 $ par mois ne sature sa plateforme publicitaire. Pour information, cette plateforme compte plus d'un milliard d'utilisateurs actifs quotidiens. Et il vendait des produits de perte de poids... en Amérique... une industrie de 60 milliards de dollars. Ridicule.

Il existe plus de prospects là-bas que tu ne peux l'imaginer. J'ai utilisé un système pour débloquer ces prospects encore et encore, et maintenant tu peux aussi l'utiliser.

Comment obtenir encore plus de prospects : Plus, Mieux, Nouveau

Tout d'abord, tu contactes des personnes qui te connaissent. Puis, tu commences à créer du contenu gratuit. Ensuite, tu commences à contacter des personnes qui ne te connaissent pas. Enfin, tu commences à diffuser des annonces payantes. C'est ainsi que tu réalises les quatre principes fondamentaux pour obtenir des prospects engagés. Et il n'y a vraiment rien d'autre qu'une seule personne peut *faire, seule,* pour les obtenir.

Mais que faire si tu suis ces quatre étapes et que tu n'obtiens toujours pas autant de prospects engagés que tu le souhaites ? Eh bien, ne t'inquiète pas ! Il existe des moyens d'améliorer chacune des quatre techniques pour obtenir encore plus de prospects engagés *par toi-même.* Je les utilise à chaque fois que je veux augmenter le flux de prospects engagés dans une entreprise de mon portefeuille. Ils sont faciles à retenir : **Plus, Mieux, Nouveau**

En d'autres termes :

 Copyright © 2024 par ACQUISITION.COM LLC. NON DESTINÉ À LA DISTRIBUTION.

1) Tu peux faire *plus* de ce que tu fais actuellement.

2) Tu peux *mieux* faire ce que tu fais actuellement.

3) Tu peux le faire dans un *nouvel* espace.

Et, tout comme l'histoire au début avec le propriétaire de l'agence, c'est *exactement ce que je lui demandais.* Pourrais-tu faire de la publicité davantage ? Pourrais-tu faire de la meilleure publicité ? Pourrais-tu faire de la publicité dans un nouvel espace ?

Commençons donc par celui que je fais réellement en premier : *Plus.*

Plus

Tu as déjà fait de la publicité à ce stade. Et tu sais que la publicité que tu fais fonctionne dans une certaine mesure. La prochaine chose évidente que tu peux faire pour obtenir plus de leads engagés est de faire - *plus. Beaucoup plus.* Augmente le volume à ta capacité maximale.

Même sans aucune amélioration, si tu doubles tes efforts, tu obtiendras plus de leads engagés. Fais le double de prospection, publie le double de contenu, lance le double d'annonces, double la dépense publicitaire, etc. Tu ne le regretteras pas. À moins, bien sûr, que tu n'aimes pas l'argent.

Alors que nous nous concentrerons toujours sur les tests pour nous *améliorer,* ce que nous allons aborder dans un instant, c'est que <u>les plus grandes augmentations</u> viennent souvent du fait de faire *plus* de publicité.

Copyright © 2024 par ACQUISITION.COM LLC. NON DESTINÉ À LA DISTRIBUTION.

Voici comment tu peux faire *plus* : La règle des 100

La règle des 100 est simple. Tu fais de la publicité pour tes produits en effectuant 100 actions principales chaque jour, pendant cent jours d'affilée. C'est tout. Je ne fais pas beaucoup de promesses, mais celle-ci est claire. Si tu fais 100 actions principales par jour et que tu le fais pendant 100 jours consécutifs, tu obtiendras plus de prospects engagés. Engage-toi à suivre la règle des 100 et tu n'auras plus jamais faim.

Voici à quoi cela ressemble appliqué à chacune des quatre méthodes de base :

Approches chaleureuses :

100 démarches par jour

Exemples d'actions principales : e-mail, SMS, message direct, appel, etc.

Publication de contenu :

100 minutes par jour à créer du contenu.

Publie au moins un contenu par jour sur une plateforme. À mesure que tu t'améliores, publie encore plus.

Exemples d'actions principales : vidéos ou articles courts et longs, podcasts, infographies, etc.

Prospections à froid :

100 démarches par jour

Exemples d'actions principales : e-mail, SMS, message direct, appel à froid, distribution de flyers, etc.

Comme pour toute publicité à froid, prévois des taux de réponse plus bas, alors utilise l'automatisation.

Annonces payantes :

100 minutes par jour pour créer des annonces payantes

Exemples d'actions principales : annonces médias à réponse directe, publipostage, séminaire, spots de podcast, etc.

100 jours consécutifs de diffusion de ces annonces payantes. Utilise le budget quotidien que nous avons calculé ensemble dans le chapitre sur les annonces payantes. Vise l'Acquisition Financée par le Client.

Conseil de Pro : Plus d'annonces signifie de meilleures annonces, ce qui signifie plus de prospects.

Facebook a examiné les comptes de tous les annonceurs sur leur plateforme. Ils ont découvert quelque chose de curieux. Le top 0,1 % des annonceurs teste onze fois plus de créations que tous les autres. Souvent, ce n'est pas que tu ne peux pas faire évoluer une annonce de manière rentable. Tu ne peux tout simplement pas faire évoluer une annonce *médiocre* de manière rentable. Et la seule manière de trouver des annonces *exceptionnelles* est d'en créer onze fois plus. Le succès laisse des indices. Fais ce que font les 0,1 % pour obtenir ce que les 0,1 % obtiennent.

Voici quelques inspirations de quelqu'un qui suit la Règle des 100 :

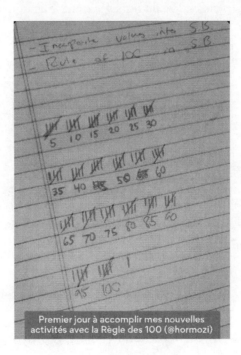

Premier jour à accomplir mes nouvelles activités avec la Règle des 100 (@hormozi)

Copyright © 2024 par ACQUISITION.COM LLC. NON DESTINÉ À LA DISTRIBUTION.

Mieux

MIEUX

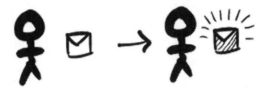

S'améliorer te permet d'obtenir plus de prospects pour le même effort. C'est ce que nous voulons. Et tu ne peux t'améliorer qu'en faisant une chose - tester. Alors, tu fais de plus en plus... *jusqu'à ce que ça casse.* Ensuite, tu le rends *meilleur.* En d'autres termes, si tu fais *plus* assez longtemps, ton CAC finira par devenir trop élevé pour être soutenable. Alors, tu fais une modification pour voir s'il s'améliore. Si c'est le cas, continue. Sinon, abandonne. Des milliers de ces petits tests séparent les gagnants des débutants.

Chaque action qu'un prospect effectue avant de devenir client est un point potentiel de « décrochage ». *Je fais donc beaucoup de tests à l'étape où la plupart des prospects décrochent.* J'appelle cela des « contraintes ». Les contraintes sont les points où les plus petites améliorations génèrent le plus grand impact sur les résultats. C'est pourquoi elles sont si importantes. On obtient le meilleur rendement pour notre argent. Par exemple, si tu as trois étapes dans ton processus :

30% Opt-in (ils fournissent leurs coordonnées)

5% Candidature ← *C'est la contrainte car elle a le plus grand décrochage*

50% Programmation

Mais oublions la contrainte un instant. Imaginons que nous améliorons chaque étape de 5% individuellement.

30 + 5% → 35% Optin = Augmentation de 16% des prospects (1.16x)

5 + 5% → 10% Candidature = Augmentation de 100% des prospects (2x)

50 + 5% → 55% Programmation = Augmentation de 10% des prospects (1.1x)

Nous obtenons des résultats très différents ! Améliorer la contrainte se révèle également être le grand gagnant. Alors, *concentre-toi sur la contrainte.* Et, une fois de plus, si tu n'es pas sûr(e) de quelle étape est la plus contraignante, identifie l'étape où la plupart des prospects se désistent. Tu obtiendras la plus grande récompense pour la plus petite amélioration.

   Copyright © 2024 par ACQUISITION.COM LLC. NON DESTINÉ À LA DISTRIBUTION.

<u>Voici comment je m'améliore</u> : Je teste une chose par semaine par plateforme. Et je le fais pour quatre grandes raisons.

1) Si tu testes plusieurs choses en même temps sur une plateforme, tu ne sais jamais vraiment ce qui a fonctionné.

2) Les étapes s'influencent mutuellement. Un seul changement peut affecter les résultats à d'autres étapes. Par exemple, si tu modifies la première étape et que plus de personnes s'inscrivent, mais que moins de personnes postulent, ce n'est pas bon. Mais tu ne le saurais pas si tu changeais les deux étapes. Si tu fais un changement, tu peux voir ce qu'il s'est passé. Si tu fais plusieurs changements... bonne chance pour essayer de comprendre ce qui a fonctionné (ou non).

3) Cela te force à prioriser ce qui te rapportera le plus de prospects engagés. Tu peux faire une quantité infinie de tests. Mais le temps est limité. Tu dois donc choisir judicieusement tes tests. Par exemple, si tu ne fais qu'un « grand » test par semaine par plateforme, ne le gaspille pas avec un simple changement de couleur de rouge à rouge vif.

4) Peut-être le plus important ; tu fais le test suffisamment longtemps pour voir si tu obtiens réellement une amélioration. Trop court et tu n'obtiens pas suffisamment de données. Trop long et tu gaspilles du temps que tu aurais pu passer à améliorer la prochaine contrainte. Avec la taille de mon équipe et le montant d'argent que je dépense en publicité, une semaine est généralement suffisante pour moi.

Dans chaque entreprise que je possède, je mets en place un calendrier de tests. Chaque lundi, nous effectuons un test A/B par plateforme. Nous lui accordons une semaine. Et le lundi suivant, nous faisons trois choses :

1) Nous regardons les résultats et choisissons les gagnants pour chaque test de plateforme.

2) Ensuite (très important), nous consignons les résultats du test dans un journal de tous les tests. Ainsi, la prochaine fois que nous faisons quelque chose, nous commençons avec une multitude d'améliorations, pas à zéro.

3) Nous trouvons notre prochain test pour surpasser notre version actuelle « mieux ». Si nous ne pouvons pas surpasser la version que nous exécutons actuellement en quatre essais (ou un mois), nous passons à la prochaine contrainte.

Tu continues d'allouer des efforts pour améliorer les choses. Mais, à un certain moment, les efforts que tu mets pour améliorer apportent des rendements de plus en plus faibles. À un moment donné, il est plus logique d'investir tes efforts dans quelque chose qui rapportera plus. C'est seulement à ce moment-là que nous essayons quelque chose de *nouveau*.

Copyright © 2024 par ACQUISITION.COM LLC. NON DESTINÉ À LA DISTRIBUTION.

> ### Conseil de Pro : Le début > la fin (la plupart du temps)
>
> En général, les étapes avec le plus bas pourcentage se produisent généralement au début. Et, les étapes avec des pourcentages plus élevés se produisent à la fin. Par exemple, 1% des personnes peuvent cliquer sur une annonce, puis 30% vous fourniront leurs coordonnées. C'est pourquoi (la plupart du temps), tu finiras par te concentrer davantage sur le début que sur la fin. Et c'est bien. Ces étapes sont généralement la contrainte. Elles offrent les rendements les plus importants pour les améliorations les plus petites. L'appel à l'action. Les éléments de valeur. L'offre. L'incitation à l'action. Le titre de la page de destination. Le sous-titre. L'image, etc. Tu suis le chemin dans l'ordre logique pour le prospect.

> ### Conseil de Pro : Mieux, Plus, Nouveau
>
> Quand je discute avec des entreprises qui réalisent moins d'un million de dollars de bénéfices par an, je recommande généralement de se concentrer d'abord sur l'augmentation des revenus. Elles n'ont pas effectué suffisamment de volume pour que les changements en pourcentage fassent une grande différence. Mais une fois que tu dépasses le million de dollars de bénéfices annuels, améliorer les choses peut être la chose la moins coûteuse et la plus rentable à faire. Donc, une fois qu'une entreprise est suffisamment grande, je change l'ordre de « plus, mieux, nouveau » à « mieux, plus, nouveau ».

Nouveau

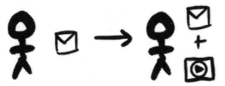

Donc, après avoir amélioré tes efforts marketing avec « plus » et « mieux », la seule chose qui te reste est « de nouveaux endroits, de nouvelles façons ». En termes simples, du « nouveau ». Et si tu penses que ton entreprise ne peut pas vraiment devenir plus grande, laisse-moi te montrer pourquoi elle le peut. Ensuite, je te montrerai comment elle peut le faire.

 Copyright © 2024 par ACQUISITION.COM LLC. NON DESTINÉ À LA DISTRIBUTION.

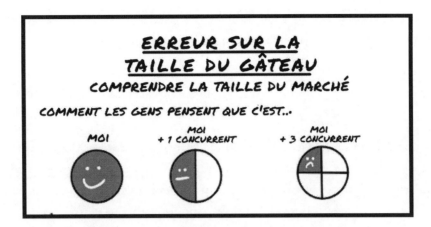

La plupart des propriétaires d'entreprise ne regardent que la plateforme et la petite communauté dans laquelle ils commercialisent. Et généralement, il n'y a que trois ou quatre grandes entreprises qui font de la publicité dans leur créneau. Alors, ils supposent que ces entreprises *doivent* se partager l'ensemble du marché. C'est exactement ce que l'entrepreneur dans mon introduction a fait. Pense un moment à quel point cela est ridicule. J'appelle ce problème : **la taille de la tarte illusoire**. Voici un dessin pour illustrer comment le marché est, en réalité, beaucoup plus grand que la plupart des gens ne le pensent.

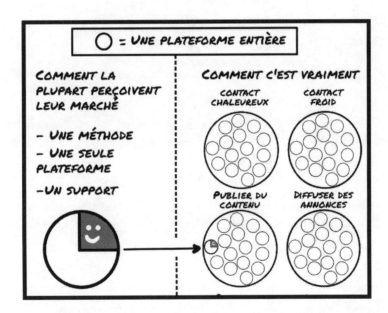

La taille de la tarte illusoire. Une petite entreprise utilise l'un des quatre principes, sur une plateforme, d'une manière spécifique, avec un public très ciblé. Et dans cet espace, en faisant de la publicité de la même *manière,* il peut n'y avoir qu'une poignée d'autres concurrents.

Ils supposent à tort que la <u>minuscule</u> partie de l'univers à laquelle ils font de la publicité représente l'ensemble du marché disponible ! C'est pourquoi la plupart des entreprises restent petites. Lorsqu'elles atteignent un plafond, elles pensent qu'il n'y a plus de prospects à obtenir. Elles croient avoir atteint leur taille maximale possible. Parce que, pour beaucoup, dire « Je suis aussi grand que possible » est beaucoup plus

Copyright © 2024 par ACQUISITION.COM LLC. NON DESTINÉ À LA DISTRIBUTION.

facile que de dire « Je ne suis pas aussi bon en publicité que je le pensais ». Ce faux argument maintient les entrepreneurs partout dans une situation financière plus précaire qu'elle ne devrait l'être.

Quand passer à quelque chose de *nouveau* : lorsque les retours que tu obtiens en faisant plus↔mieux sont plus faibles que ce que tu pourrais obtenir avec un nouvel emplacement ou une nouvelle manière de faire de la publicité.

Il y a beaucoup d'autres tranches d'attention (et de prospects potentiels) juste à *l'intérieur du minuscule univers de « publication de contenu »*. Ils pourraient ajouter de nouveaux emplacements (car de nombreuses plateformes ont plusieurs endroits et formes de contenu). Par exemple, sur Instagram, tu peux créer des stories, des publicités dans Messenger et des publications. Sur YouTube, tu peux faire des vidéos courtes, longues, des publications communautaires, etc. Ou, ils pourraient ajouter une *nouvelle plateforme*. Ils passent de Messenger sur Instagram à Messenger sur Facebook. Ils passent de vidéos courtes sur YouTube à des vidéos courtes sur Instagram (Reels), etc. Et une fois qu'ils ont épuisé ces options, ils pourraient ajouter une toute nouvelle activité des quatre méthodes principales.

Et si tu es curieux, l'ordre dans lequel je choisis mon prochain « nouveau » dépend d'une seule chose : qu'est-ce qui me permettra d'obtenir le plus de prospects pour la quantité de travail ? C'est la règle. Et neuf fois sur dix, cela se déroule comme suit :

Nouveaux emplacements → Nouvelles plateformes → Nouveaux quatre principes.

FACILE ⟶ DIFFICILE

NOUVEL EMPLACEMENT **X** NOUVELLES PLATEFORMES **X** NOUVEAUX 4 PRINCIPES

En résumé, peu importe comment tu fais de la publicité, tu pourrais le faire de nouvelles manières (différents styles de contenu) ou sur de nouveaux espaces (pense à d'autres plateformes). Enfin, fais complètement une nouvelle activité des quatre principes. Et, tu l'as deviné, chacun nous donne ce que nous voulons - plus de prospects. Maintenant, cela est beaucoup plus difficile en pratique, c'est pourquoi j'épuise d'abord « plus, mieux ». Mais à un certain moment, tu dois élargir vers de nouveaux espaces, de nouvelles plateformes et de nouvelles activités des quatre principes pour faire connaître davantage tes produits aux gens.

Étape Action : Épuise d'abord « plus, mieux ». Une fois que tu ne peux plus le faire (c'est-à-dire que les retours sont inférieurs plutôt que de mettre le même effort dans une nouvelle plateforme), essaie du « *nouveau* ». Utilise cet ordre approximatif : nouvel emplacement, nouvelle plateforme, nouvelle activité des quatre principes. Lance-toi. Mesure tes performances. Et évolue à partir de là en utilisant « plus - mieux ». Ensuite, répète le processus.

Copyright © 2024 par ACQUISITION.COM LLC. NON DESTINÉ À LA DISTRIBUTION.

Résumé de « Plus, Mieux, Nouveau » :

Tout d'abord, *fais beaucoup* plus de publicités qui fonctionnent jusqu'à ce que cela « casse ». Ensuite, *le prochain point de rupture devient évident.* Enfin, maintiens ce niveau de publicité tout en revenant, en corrigeant la contrainte et en *l'améliorant.* Donc, en réalité, « *mieux* » et « *plus* » travaillent l'un avec l'autre plus qu'ils ne travaillent séparément. La première question que je me pose généralement avant d'investir dans une entreprise qui doit attirer plus de clients est « Qu'est-ce qui les empêche de faire dix fois ce qu'ils font actuellement ? » Parfois, rien - nous faisons simplement plus. D'autres fois, nous devons simplement améliorer quelque chose d'abord. Alors, réponds à cette question et tu sauras quoi faire ensuite.

Ce n'est qu'une fois que tu as épuisé « plus - mieux » que les véritables retours viennent du « nouveau ». D'abord, opte pour de nouveaux espaces publicitaires sur une plateforme que tu connais. Deuxièmement, opte pour des espaces que tu connais sur une nouvelle plateforme. Ensuite, une fois que tu prends le coup de main sur cette nouvelle plateforme, utilise de nouveaux formats sur celle-ci. Une fois que tu as épuisé cela, tu peux ajouter une nouvelle activité des quatre principes à ce que tu fais actuellement. Cela te donne ma manière simple, réelle, de mettre les quatre principes sous stéroïdes pour obtenir encore plus de prospects.

Conclusion

La publicité est *le processus de faire connaître.* C'est ce que nous faisons pour informer des inconnus des produits que nous vendons. Nous avons résolu le problème des « choses » avec ton lead magnet ou offre d'inscription. Cependant, pour les transformer en prospects engagés, tu dois leur en parler. Ainsi, nous avons passé cette section à examiner les seules quatre façons dont une seule personne peut faire de la publicité - faire connaître aux autres ce qu'elle vend. Et pour le faire, tu échanges du temps, de l'argent, ou les deux. t lorsque tu le fais, tu peux faire de la publicité auprès des personnes qui tu connais (chaud) ou tu peux faire de la publicité auprès d'inconnus (froid). Tu peux faire de la publicité publique (contenu/publicités) ou privée (démarchage).

Quand le faire ? Chaque fois que je construis une entreprise, je pense de cette manière : après avoir fait des approches chaleureuses pour lancer mon bassin de clients, si j'ai plus de temps que d'argent, je passe à la publication de contenu. Si j'ai plus d'argent que de temps, je choisis la démarche froide ou la diffusion d'annonces.

Mais souviens-toi, tu n'as besoin d'en faire qu'une pour obtenir des prospects engagés. Alors, choisis-en simplement une. Ensuite, *maximise-la.* Fais-en plus. Améliore-la. Essaye du nouveau. Et, toutes les méthodes publicitaires se cumulent ensemble. L'argent, les systèmes et l'expérience que tu as acquis grâce à la méthode précédente t'aideront à maîtriser la suivante. Une entreprise qui publie du contenu gratuit et diffuse des annonces payantes tirera plus de ses annonces *et* de son contenu qu'une entreprise qui ne fait que l'un ou l'autre. Une entreprise qui fait des prospections à froid et qui crée du contenu obtiendra plus de ses prospections à froid *et* travaillera mieux avec ses prospects chauds qu'une entreprise qui n'applique qu'un seul principe. Chaque combinaison des quatre activités publicitaires de base se renforce mutuellement d'une manière ou d'une autre.

Personnellement, j'ai tout fait. J'ai construit ma première entreprise en publiant du contenu et en faisant des approches chaleureuses. J'ai construit mes salles de sport en publiant du contenu gratuit et en diffusant des annonces payantes. J'ai construit Gym Launch en diffusant des annonces payantes et en faisant des prospections à froid. J'ai construit Prestige Labs avec des affiliés (que nous abordons dans la section IV). J'ai construit ALAN avec des annonces payantes et des affiliés (également dans la section IV). J'ai construit Acquisition.com en publiant du contenu. Il existe de nombreuses façons d'obtenir des prospects engagés. Si tu en maîtrises une, tu pourras te nourrir pour le reste de ta vie. *Elles fonctionnent toutes si tu les fais.*

Prochainement

Si tu suis les étapes de ce livre, tu vas manquer d'heures dans la journée. Tu ne pourras pas faire plus, ni mieux... sans parler d'ajouter quelque chose de nouveau ! Donc, tu auras besoin d'aide pour ton voyage vers le pays des prospects infinis. Tu auras besoin d'alliés. Ces alliés se présentent sous quatre bouquets différents. Et comme il y en a plus d'eux que de toi, ils sont la clé pour y arriver. Alors allons les chercher.

BONUS GRATUIT : Formation bonus - Plus, Mieux, Nouveau

C'est l'un de mes sujets préférés concernant le développement des entreprises. Nos PDG de portefeuille le citent comme l'un des systèmes les plus impactants que je leur ai donnés. Si tu veux voir une version vidéo où je détaille cela, tu peux la trouver ici gratuitement, comme toujours : Acquisition.com/training/leads. Et bien sûr, tu peux également scanner le QR code ci-dessous si tu n'aimes pas taper dans la barre de recherche.

 Copyright © 2024 par ACQUISITION.COM LLC. NON DESTINÉ À LA DISTRIBUTION.

Section IV : Obtenir des générateurs de leads

Obtiens des personnes qui t'apportent plus de prospects.

« *Donne-moi un levier assez long et un point d'appui sur lequel le poser, et je déplacerai le monde.* »
— *Archimède*

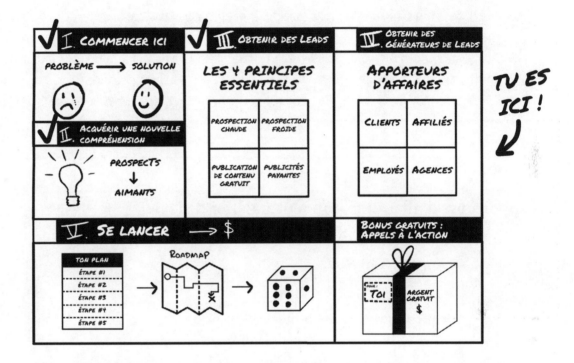

Construire une machine à prospects de 100 millions de dollars, est une question de levier.

Une vieille dame peut soulever un semi-remorque avec un levier assez long. L'homme le plus fort du monde, sans levier, *ne le peut pas*. La longueur du levier détermine le poids que quelqu'un peut soulever. C'est ce qu'on appelle l'effet de levier. Nous pouvons utiliser le principe de l'effet de levier dans la publicité. Laisse-moi t'expliquer :

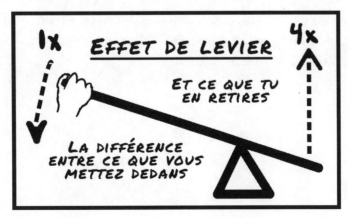

Copyright © 2024 par ACQUISITION.COM LLC. NON DESTINÉ À LA DISTRIBUTION.

Quelqu'un avec Internet peut envoyer un message à des millions de personnes en une seule fois. Quelqu'un qui écrit des cartes postales à la main *ne le peut pas*. Internet nous permet d'atteindre plus de personnes pour le même temps passé. Donc, c'est un effet de levier plus élevé.

Cela signifie que l'effet de levier se résume à ce que nous obtenons pour le temps que nous passons à l'obtenir. Nous voulons donc utiliser des activités à effet de levier plus élevé pour obtenir ce que nous voulons. Plus de choses, nous voulons. Moins de temps pour les obtenir. Bien.

Et nous voulons des *prospects. Beaucoup de prospects.*

Conseil de Pro : Ne confonds pas le levier avec la vitesse

Une personne ne peut se déplacer qu'à une certaine vitesse. Quelqu'un qui est 1000 fois en avance sur toi n'avance pas 1000 fois plus vite. C'est impossible, car ils sont engagés dans des activités différentes. Par conséquent, le futur qui semble si éloigné devient plus proche que tu ne le penses grâce à l'utilisation de l'effet de levier.

Les apporteurs d'affaires te donnent un effet de levier

Alex Hormozi ✓
@AlexHormozi   ···

Seules deux personnes peuvent informer les gens au sujet des produits que tu vends

1) Toi
2) Les autres personnes

Il y a plus d'autres personnes que de toi

Les gens peuvent se renseigner sur les articles que nous vendons à partir de deux sources. *Nous* pouvons leur faire savoir en utilisant les quatre principes. Ou bien, *d'autres personnes* peuvent leur faire savoir en utilisant les quatre principes. J'appelle ces autres personnes des « **apporteurs d'affaires** ». Lorsque d'autres personnes le font pour nous, nous gagnons du temps. Cela signifie que nous obtenons plus de prospects engagés pour moins de travail. Effet de levier, bébé.

Copyright © 2024 par ACQUISITION.COM LLC. NON DESTINÉ À LA DISTRIBUTION.

Imagine quatre scénarios :

Scénario #1 : Tu <u>es</u> l'apporteur d'affaires. Tu appliques les quatres principes toute la journée, tous les jours, tout seul. Tu obtiens suffisamment de prospects pour payer les factures.

Travail : ÉLEVÉ Prospects : FAIBLE Effet de levier : FAIBLE

Scénario #2 : Tu engages un apporteur d'affaires. Tu fais appliquer les quatres principes par un apporteur d'affaires à ta place. Maintenant, l'apporteur d'affaires apporte suffisamment de prospects pour payer les factures sans que tu fasses de publicité. Tu travailles moins que dans le scénario #1 et tu obtiens le même nombre de prospects.

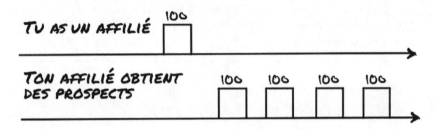

Travail : FAIBLE. Prospects : FAIBLE. Effet de levier : ÉLEVÉ.

Scénario #3 : Tu as beaucoup d'apporteurs d'affaires. Tu passes tout ton temps à recruter d'autres apporteurs d'affaires. Le nombre de tes prospects augmente à chaque fois que tu en recrutes un de plus. Tu travailles toute la journée, tous les jours, mais tu obtiens beaucoup plus de prospects que lorsque c'était seulement toi. Tu travailles plus que dans le scénario #2 mais tu obtiens beaucoup plus de prospects.

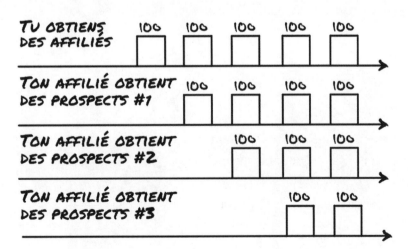

Travail : ÉLEVÉ. Prospects : ÉLEVÉ. Effet de levier : PLUS ÉLEVÉ.

Copyright © 2024 par ACQUISITION.COM LLC. NON DESTINÉ À LA DISTRIBUTION. **171**

Scénario #4 : Tu as un apporteur d'affaires qui recrute d'autres apporteurs d'affaires. Tu recrutes quelqu'un qui recrute d'autres personnes pour faire de la publicité en ton nom. Ils recrutent plus d'apporteurs d'affaires chaque mois. Tu n'as eu à travailler que pour obtenir le premier apporteur d'affaires *une fois*, mais les prospects continuent d'augmenter sans que tu travailles. Tu travailles moins que dans le scénario #3, et tu obtiens plus de prospects chaque mois.

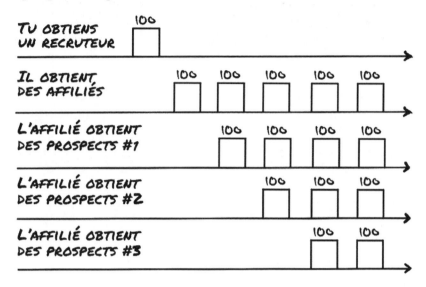

Travail : FAIBLE. Prospects : ÉLEVÉ. Effet de levier : LE PLUS ÉLEVÉ.

Maintenant, tu as les éléments pour créer une machine à prospects de 100M$.

Copyright © 2024 par ACQUISITION.COM LLC. NON DESTINÉ À LA DISTRIBUTION.

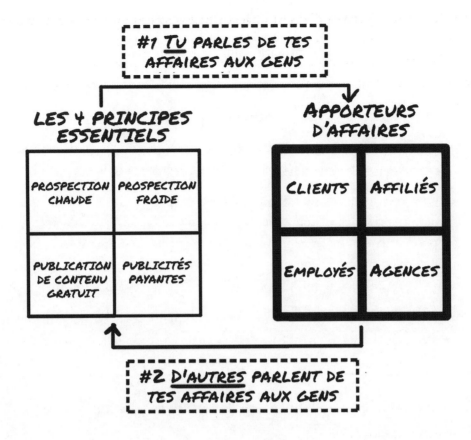

Présentation de la section « Apporteurs d'affaires »

Les apporteurs d'affaires ne font pas partie des 4 actions essentielles car ce ne sont pas des actions que tu accomplis. Tu ne « fais pas » d'affiliés, tu ne « fais pas » de recommandations de clients, tu ne « fais pas » d'agences, tu ne « fais » pas d'employés. *Mais tu dois appliquer les quatre principes pour les obtenir..* Ils proviennent de marchés chauds, de marchés froids, de la publication de contenu et de la diffusion d'annonces payantes. Et une fois que tu les as, *ils* le font pour toi.

Ainsi, les principes fondamentaux s'empilent. Une fois pour obtenir des apporteurs d'affaires, et une deuxième fois pour qu'ils obtiennent, à leur tour, des prospects engagés en ton nom. Mais cela ne doit pas nécessairement s'arrêter là. En fait, cela ne devrait pas. Le processus se répète. Les apporteurs d'affaires peuvent recruter d'autres apporteurs d'affaires ! Ainsi, nous faisons quelque chose une fois, puis les apporteurs d'affaires peuvent le faire indéfiniment.

Mais attends, je pensais que ce livre parlait d'obtenir des prospects ? Alors, est-ce que j'essaie d'obtenir des prospects ? Ou est-ce que je veux des apporteurs d'affaires ? Réponse : Oui. Les apporteurs d'affaires commencent en tant que prospects, puis s'intéressent aux articles que tu vends et deviennent des prospects engagés comme n'importe qui d'autre. La différence est qu'ils suscitent l'intérêt d'autres personnes pour les articles que tu vends aussi ! Et idéalement, chaque prospect devient un apporteur d'affaires.

Les chapitres suivants expliquent en détail *comment amener d'autres personnes à faire de la publicité pour toi*. Et si tu veux atteindre les 10M$+, tu dois les comprendre :

Copyright © 2024 par ACQUISITION.COM LLC. NON DESTINÉ À LA DISTRIBUTION.

#1 Clients - ils achètent tes produits, puis en parlent à d'autres personnes pour t'apporter des prospects.

#2 Employés - les personnes dans ton entreprise qui t'apportent des prospects.

#3 Agences - les entreprises offrant des services qui t'apportent des prospects.

#4 Affiliés - les entreprises qui parlent de tes articles à leur public pour t'apporter des prospects.

*Les quatre types d'apporteurs d'affaires permettent à d'autres personnes de découvrir *tes* produits. En d'autres termes, tous les quatre offrent un effet de levier plus élevé que si tu le faisais tout seul.

Une fois que tu comprends les quatre apporteurs d'affaires, tu peux construire une machine à obtenir des prospects pour chaque entreprise que tu démarrera tout au long de ta vie. Je vais détailler comment j'utilise les quatre types d'apporteurs d'affaires, en expliquant leurs différences, comment travailler avec eux, quand les solliciter, les meilleures pratiques, et comment mesurer tes progrès. À la fin de cette section, tu sauras comment inciter d'autres personnes à te fournir plus de prospects que tu ne peux l'imaginer.

Et puisque nous utilisons déjà le principe des quatre pour obtenir des clients, commençons par quelque chose que nous pouvons faire dès maintenant - inciter ces clients à recommander davantage de clients.

BONUS GRATUIT : Bonus avancé - Fais-en sorte que les autres le fassent pour toi

Cela a peut-être été l'un de mes chapitres préférés dans le livre. Il m'a fallu tellement de temps pour comprendre comment combiner tout en un simple modèle. Si tu veux encore plus de formations sur comment inciter d'autres personnes à te procurer des prospects, et comment cela s'applique à l'expansion, va sur : Acquisition.com/training/leads. Et comme toujours, tu peux également scanner le QR code ci-dessous si tu n'aimes pas taper dans la barre de recherche.

SCANNE MOI

Copyright © 2024 par ACQUISITION.COM LLC. NON DESTINÉ À LA DISTRIBUTION.

#1 Recommandations de clients
- Le bouche-à-oreille

« La meilleure source d'un nouveau travail, c'est le travail sur votre bureau. »
— *Charlie Munger*

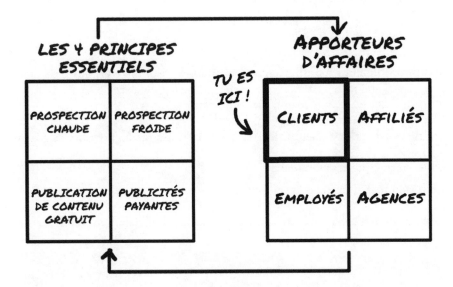

Octobre 2019.

Leila et moi étions assis ensemble sur le canapé du salon de ses parents. Celui sur lequel elle regardait des films quand elle était enfant. Les bords délavés de la table basse nous invitaient à poser nos pieds. Nous équilibrions des ordinateurs portables sur nos cuisses. Des rallonges serpentaient autour du canapé pour atteindre les prises de courant dans le couloir. Sa belle-mère faisait du bruit dans la cuisine. Ce n'était vraiment *pas* un environnement de travail. Mais, on faisait avec.

Deux ans plus tôt, j'avais tout perdu et j'avais rencontré ses parents *le même week-end…*

« Eh papa, j'ai rencontré ce gars sur internet. Il a tout perdu et n'a plus d'argent. Mais ne t'inquiète pas, j'ai quitté mon travail et je suis allée vivre avec lui pour l'aider avec sa prochaine grande idée d'entreprise. Au fait, est-ce qu'on peut rester ici un moment ? »

…Une excellente première impression, Alex.

Mais beaucoup de choses avaient changé depuis. Nous étions maintenant multimillionnaires. Nous gagnions assez pour acheter la maison d'enfance de Leila en cash. *Chaque semaine.* Leila examinait les rapports de nos responsables de département. Oh oui, nous avions maintenant des cadres aussi.

« Hey, les chiffres de vente semblent un peu faibles cette semaine », dit-elle.

« Vraiment ? Combien avons-nous conclu ? »

Copyright © 2024 par ACQUISITION.COM LLC. NON DESTINÉ À LA DISTRIBUTION.

« Quinze. Et les ventes ont commencé à baisser la semaine dernière aussi. Y a-t-il quelque chose de différent de ton côté ? »

« Je ne sais pas. Laisse-moi vérifier. » Je me suis connecté au portail publicitaire de Facebook. Des notifications de rejet rouge ont rempli l'écran.

« Eh bien. Cela explique tout », dis-je.

« Quoi ? Que s'est-il passé ? »

« Toutes les publicités ont été désactivées. »

« Eh bien... C'est un problème. Quand penses-tu pouvoir les remettre en ligne ? »

« Il faudra un jour ou deux pour lancer une nouvelle campagne. »

Je plissai les yeux devant l'écran. Quelque chose d'encore plus inquiétant me sauta aux yeux. *Facebook avait rejeté les publicités il y a deux semaines.*

J'agissais comme si rien n'allait mal.

« Donc, nous avons conclu 15 ventes cette semaine, et combien la semaine précédente ? » demandai-je.

« 21. »

« Eh bien, j'ai une bonne et une mauvaise nouvelle. »

« Euh... d'accord... »

« La mauvaise nouvelle, c'est que les publicités ont été désactivées il y a deux semaines, ce qui explique la baisse. La bonne nouvelle, c'est que notre produit est tellement bon que nous faisons toujours 500 000 dollars par semaine uniquement par le bouche-à-oreille. »

« Tu as ignoré les publicités pendant deux semaines !? » Elle affichait un air du genre *« Oh non, tu n'as pas fait ça »*.

Je haussais les épaules avec un sourire gêné. « Tu m'aimes toujours, non ? »

Nous avons éclaté de rire devant l'absurdité de la situation.

Ces deux années étaient folles. Le montant d'argent que nous gagnions n'avait aucun sens. Nous n'avions pas compris à quel point, avant de prendre quelques années de recul. Nous étions simplement reconnaissants de faire cela ensemble, avec tous nos défauts. Et cette période accidentelle sans diffusion d'annonces payantes a clairement révélé quelque chose : *Nos clients parlaient de nous à leurs amis.*

Quelques mois plus tard

Je me tenais sur scène et regardais l'audience de plus de 700 propriétaires de salles de sport. Chacun avait payé 42 000 dollars pour être là. Tous portaient des t-shirts noirs « Gym Lord » et des fausses moustaches adhésives. C'était hallucinant.

J'étais en plein milieu de ma présentation, expliquant comment un excellent service génère des prospects grâce au bouche-à-oreille. Pendant ce temps, je me demandais si l'argent que nous avions gagné pendant deux semaines sans diffuser d'annonces payantes était un coup de chance. Me sentant confiant, j'ai interrompu la présentation. Il était temps de le découvrir :

« Bon, juste pour vous montrer à quel point c'est important, qui ici a découvert Gym Launch par le biais d'un autre propriétaire de salle de sport ? Levez la main. » Dès que les mots ont quitté mes lèvres, j'ai ressenti un regret instantané. *Et si personne ne lève la main ? Et si notre croissance était forcée ? Je suis vraiment idiot.*

J'ai regardé autour de la pièce avec le bras levé comme un singe. La pièce était immobile. *Oh non.*

Puis... quelques propriétaires de salles de sport ont levé la main. *Ça ne semble pas génial, mais ça pourrait être pire.* Puis, d'autres. *Merci mon Dieu.* Puis, encore plus. Puis, *une vague* de mains. *Incroyable.* Les gens regardaient sur les côtés et derrière eux. *C'était presque toute la salle.* J'ai laissé le moment s'installer pour nous tous. Je ne l'oublierai jamais. Je savais que nous avions un bon bouche-à-oreille, mais pas à *ce* point-là.

« Cela », ai-je dit, « c'est la puissance du bouche-à-oreille. »

***

Je sais que tu n'étais pas là quand Leila et moi-même avons compris que nous gagnions plus de 500 000 $ par semaine grâce au bouche-à-oreille. Je sais que tu n'étais pas là pour voir 30 millions de dollars de clients dire que quelqu'un les avait recommandés. La première fois que j'ai réalisé la puissance des recommandations, c'était par accident. En voyant combien cela me rapportait, j'ai étudié ce qui avait fonctionné. Je voulais m'assurer de pouvoir le recréer délibérément. Pour que je puisse te transmettre cette capacité, je dois te transmettre les croyances qui l'ont créée. Et ces expériences ont façonné ces croyances. *C'est pourquoi je les partage.*

Copyright © 2024 par ACQUISITION.COM LLC. NON DESTINÉ À LA DISTRIBUTION.

Les gens ont copié nos offres, nos publicités et nos lead magnets. Ils ont copié nos pages de destination, nos e-mails et nos scripts de vente. Ils ont copié tout ce qu'ils pouvaient, mais avec peu de succès. Ils pensent que c'est une question de « publicité », et c'est le cas. Mais la *meilleure* publicité est un client satisfait. Un produit exceptionnel transforme chaque client en un apporteur d'affaires.

Le monde perd rapidement confiance. Chaque jour, de plus en plus de clients font leurs recherches. Ils s'arment d'informations pour prendre leurs décisions d'achat. Et ils ont bien raison. Alors, pour jouer à des niveaux plus élevés, notre produit doit non seulement livrer... mais aussi *ravir*. Les clients doivent obtenir *tellement de valeur* qu'ils se sentent obligés d'en parler à d'autres personnes. La bonne nouvelle, c'est qu'une fois que tu sais comment faire, c'est plus facile que tu ne le penses.

Dans ce chapitre, j'explique comment obtenir les prospects les moins chers, les plus rentables et de la meilleure qualité qui soit : les recommandations.

Comment fonctionnent les recommandations

Une recommandation se produit lorsque quelqu'un envoie un prospect engagé vers ton entreprise. Tout le monde peut recommander, mais les meilleures recommandations viennent de tes clients. Ainsi, ce chapitre se concentre sur l'obtention de plus de recommandations de tes clients.

Comment les recommandations font croître ton entreprise

Les recommandations sont importantes car elles font croître ton entreprise de deux manières :

1. **Elles ont plus de valeur (LTGP* plus élevé).** Les recommandations achètent des choses plus chères et les achètent plus souvent. Ils ont également tendance à payer en cash. Charmant.

2. **Elles coûtent moins cher (CAC** plus bas).** Si un client t'envoie un autre client parce qu'il aime tes produits, ce nouveau client ne te coûte rien. Et les clients gratuits sont moins chers que les clients payants. Donc, les clients gratuits = bien.

---

*   *Lifetime Gross Profit* : Bénéfice Brut à Vie

**   *Customer Acquisition Cost* : Coût d'Acquisition Client

 Copyright © 2024 par ACQUISITION.COM LLC. NON DESTINÉ À LA DISTRIBUTION.

Mais que signifient vraiment ces chiffres ? Jette un coup d'œil à cela... imagine que tu avais un ratio LTGP à CAC de 4 pour 1. Cela signifie que cela te coûte vingt-cinq pour cent de ton bénéfice brut à vie d'un client pour en obtenir un autre. Pas mal. Mais maintenant, *imagine si chaque client t'apportait deux autres clients*. Tu aurais maintenant un ratio LTGP à CAC de 12 pour 1 - tu utiliserais un peu plus de 8,3 % de ton bénéfice brut à vie pour obtenir un nouveau client. Ainsi, tu obtiens trois clients pour le prix d'un. Maintenant, on se comprend. Hourra. Quelle affaire ! De plus, *les recommandations sont exponentielles*. Laisse-moi t'expliquer.

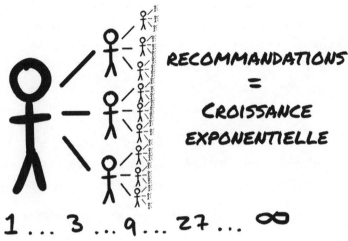

RECOMMANDATIONS = CROISSANCE EXPONENTIELLE

1 ... 3 ... 9 ... 27 ... ∞

Le nombre de prospects engagés que tu obtiens grâce aux quatre principes dépend de *la quantité* que tu y investis. Les relations entre les entrées et les sorties sont assez linéaires. Si tu atteins 100 personnes, tu obtiens des prospects engagés. Si tu doubles cela, tes prospects doublent approximativement. Si tu dépenses 100 $ en publicités, tu obtiens des prospects engagés. Si tu doubles cela, tes prospects doublent approximativement. Ainsi, peu importe la qualité de ta publicité, la quantité que tu obtiens dépend de la quantité que tu fais. Et c'est génial. Mais avec le bouche-à-oreille, nous pouvons faire encore mieux. Avec le bouche-à-oreille, un client en apporte deux. Deux en apportent quatre. Quatre en apportent huit. Et ainsi de suite. Ce n'est pas linéaire, *c'est exponentiel*.

Rien ne se développe comme le bouche-à-oreille. Tu veux savoir pourquoi si peu de personnes se développent par le bouche-à-oreille ? Ils perdent des clients plus rapidement qu'ils ne les acquièrent. Regarde l'équation de croissance par recommandation pour le voir en action. Recommandations (entrée) moins clients perdus (sortie).

ÉQUATION DE CROISSANCE DES RECOMMANDATIONS

% CLIENTS RECOMMANDÉS CHAQUE MOIS **—** % CLIENTS PERDUS CHAQUE MOIS **=** % CROISSANCE CUMULATIVE MENSUELLE

- Si les recommandations sont supérieures à la perte de clients : tu grandis sans avoir besoin d'autres publicités (youpi !)
- Si les recommandations sont égales à la perte de clients : tu as besoin d'autres publicités pour faire croître ton entreprise (bof)
- Si les recommandations sont inférieures à la perte de clients : tu dois faire de la publicité pour atteindre le point d'équilibre (Bouh - pour la plupart des gens)

Cela devient fou lorsque tu examines les pourcentages. Si le pourcentage de recommandations chaque mois est plus élevé que le pourcentage de clients qui partent, ton entreprise se multiplie chaque mois. Tu devrais dépenser beaucoup plus d'argent en publicités, faire beaucoup plus de prospections ou publier beaucoup plus de contenu simplement pour maintenir cette croissance. Tu finis par atteindre un mur. Mais avec les recommandations, tu peux maintenir la croissance, *peu importe à quel point tu grandis*. C'est ainsi que des entreprises comme PayPal et Dropbox ont explosé pour devenir des entreprises multinationales de plusieurs milliards de dollars. Je vais détailler leurs stratégies exactes plus tard dans le chapitre.

D'autre part, les petites entreprises s'en sortent à peine parce qu'elles ont à peu près autant de clients qui partent que de nouveaux qui arrivent. Une roue de hamster infernale. Voici pourquoi…

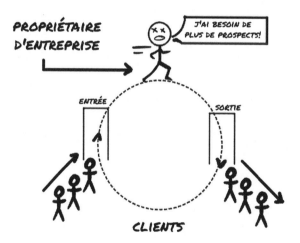

Deux raisons pour lesquelles la plupart des entreprises ne reçoivent pas de recommandations

Premièrement, leur produit n'est pas aussi bon qu'elles le pensent.
Deuxièmement, elles ne le demandent pas.

 Copyright © 2024 par ACQUISITION.COM LLC. NON DESTINÉ À LA DISTRIBUTION.

Problème n°1 : Le produit n'est pas assez bon

« Tout le monde adore nos produits, il suffit de faire passer le mot ! » - dit chaque propriétaire de petite entreprise avec un produit qui n'est pas aussi bon qu'il le pense.

Je vais enlever mon chapeau de gentilhomme pendant une seconde. Si ton produit était exceptionnel, les gens en parleraient déjà et tu aurais plus de clients que tu ne pourrais en gérer. Ainsi, si tu vends directement aux consommateurs et qu'ils ne te recommandent pas à d'autres, cela signifie que ton produit a des possibilités d'amélioration.

J'aime me demander : « Pourquoi mes clients ont-ils trop honte de parler de mon produit aux gens qu'ils connaissent ? » Il peut être correct, mais il est *banal*, c'est-à-dire qu'il n'est pas digne de remarques.

En fait, la plupart des choses que je paie sont plutôt médiocres. Mon gars de la piscine oublie des trucs la moitié du temps. Mes paysagistes font beaucoup de bruit aux pires heures possibles. Mes agents d'entretien mettent régulièrement mes vêtements dans le placard de ma femme (je suppose que c'est ce que je mérite pour des t-shirts extra schmedium*). La liste est longue.

Les propriétaires d'entreprise se demandent pourquoi ils n'obtiennent pas de recommandations. La réponse est devant eux. *Ils ne sont tout simplement pas assez bons*. Laisse-moi te montrer comment je vois les choses :

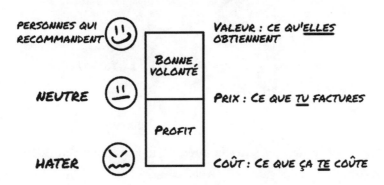

Le prix, c'est ce que tu factures. La valeur, c'est ce que ton client obtient. La différence entre le prix et la valeur, c'est la bonne volonté. Cela signifie que le prix communique non seulement la valeur, mais c'est aussi ainsi que nous jugeons la valeur. Les geeks de l'économie appellent cela le « surplus du consommateur ». Mais je vais simplement l'appeler la bonne volonté. Tu veux beaucoup de bonne volonté. Beaucoup de bonne volonté crée le bouche-à-oreille.

Il y a deux façons de bâtir de la bonne volonté avec tes clients. Tu peux baisser ton prix ou tu peux offrir plus de valeur. Après tout, si tu baisses assez le prix de ton produit, les gens se précipiteront pour l'obtenir. Mais tu perdrais probablement de l'argent. Donc, baisser le prix est, au mieux, une solution temporaire. Tu ne peux baisser le prix que jusqu'à un certain point et pendant un certain temps. Et, comme le légendaire marketeur Rory Sutherland le dit, *« n'importe quel imbécile peut vendre quelque chose pour moins cher. »*

---

*   Schmedium» est un terme argotique utilisé pour décrire quelque chose qui est entre les tailles «small» (petit) et «medium» (moyen), donc ni petit ni moyen mais quelque part entre les deux.

Copyright © 2024 par ACQUISITION.COM LLC. NON DESTINÉ À LA DISTRIBUTION.

Donc, pour bâtir de la bonne volonté et obtenir des recommandations, la question n'est pas comment baisser notre prix, mais comment offrir plus de valeur ?

Six façons d'obtenir plus de recommandations en <u>offrant</u> plus de valeur

Il existe six façons d'obtenir des recommandations en offrant plus de valeur. Et cela se trouve être en corrélation avec les parties d'une publicité. C'est bien sympa.

1. Points saillants → Vends à des clients de meilleure qualité

2. Résultat rêvé → Fixe de meilleures attentes

3. Augmenter la probabilité perçue de réussite → Obtiens de meilleurs résultats pour plus de gens

4. Réduire le délai → Obtiens des résultats plus rapidement

5. Réduire les efforts et les sacrifices → Continue d'améliorer tes produits

6. Appel à l'action → Dis-leur quoi acheter ensuite

1) **Points saillants → Vends à de meilleurs clients.** Nous voulons vendre à de meilleurs clients parce qu'ils tirent le maximum de valeur de nos produits. Les clients qui tirent le maximum de valeur ont la meilleure bonne volonté. Et les clients qui ont la meilleure bonne volonté sont les plus susceptibles de recommander. Oui, c'est aussi simple que ça. Laisse-moi te donner un exemple concret :

Nous avons une entreprise de notre portefeuille qui faisait des relations publiques pour de petites entreprises génériques. Ils avaient beaucoup de ventes, mais aussi beaucoup de résiliations. Ils ont donc atteint un plafond et n'ont pas connu de croissance pendant des années.

Pour voir ce que nous pouvions faire, nous avons examiné leurs clients présentant le moins de résiliations, pour voir s'ils avaient quelque chose en commun - et c'était le cas. Ils étaient tous dans une niche spécifique et cherchaient à lever des fonds auprès des investisseurs. La solution semblait évidente : en obtenir plus ! Cependant, le fondateur avait une grande inquiétude - ces clients ne représentaient que quinze pour cent de son activité. S'il modifiait son ciblage et que cela échouait, il perdrait quatre-vingt-cinq pour cent de son activité (!). Mais l'entreprise ne connaissait de toute façon pas de croissance. Une situation difficile pour tout entrepreneur. Cependant, après avoir examiné les

Copyright © 2024 par ACQUISITION.COM LLC. NON DESTINÉ À LA DISTRIBUTION.

données à maintes reprises, il a accepté de *modifier les points d'appels de la publicité pour cibler ce client plus restreint, mais parfaitement adapté.*

Les résultats : l'entreprise a dépassé son plafond. Ils ont connu une croissance pour la première fois depuis des années, et sont maintenant sur la voie pour ajouter *des millions par mois*. De plus, leur coût de publicité - une dépense énorme pour leur entreprise stagnante - a diminué. Ils ont obtenu des prospects encore moins chers car ils pouvaient être plus précis dans leur message. Mais ce n'est pas tout, les prospects moins chers ont tiré encore plus de valeur du produit car il *était fait pour eux*. Et ces clients, parce qu'ils avaient plus de bonne volonté envers l'entreprise, ont commencé à le recommander de manière régulière.

Étape Action : *Améliore la qualité du prospect, et tu amélioreras la qualité du produit.* Découvre ce que tes clients les plus réussis ont en commun. Utilise ces similitudes pour cibler un nouveau public qui a plus de chances d'obtenir le plus de valeur. Ensuite, vends <u>uniquement</u> aux personnes qui répondent à ces nouveaux critères. Prépare-toi à construire plus de bonne volonté. Plus de bonne volonté signifie plus de recommandations.

2) **Résultat rêvé → Fixe de meilleures attentes :** La manière la plus rapide, la plus facile et la moins chère de rendre ton produit remarquable, c'est de le rendre meilleur que ce à quoi ils s'attendent. Et c'est plus facile que tu ne le penses, car *tu* fixes les attentes.

Conseil de Pro : Conseil en rendez-vous

Lors des premiers rendez-vous, j'aime fixer la barre aussi bas que possible en admettant toutes mes imperfections. Après avoir dit à ma femme toutes mes imperfections, j'ai plaisanté en disant : « Je ne peux que m'améliorer à partir de maintenant ! »

As-tu déjà entendu un inconnu te dire qu'un nouveau film était génial ? Ensuite, tu vas le voir et tu te dis « ce n'était pas aussi bien que je m'y attendais ». D'un autre côté, as-tu déjà eu quelqu'un te dire qu'un film était nul, puis tu l'as quand même vu et tu t'es dit « ce n'était pas aussi mauvais que je m'y attendais ». Nos attentes d'une expérience peuvent *considérablement* influencer l'expérience elle-

Copyright © 2024 par ACQUISITION.COM LLC. NON DESTINÉ À LA DISTRIBUTION.

même. Nous pouvons augmenter la bonne volonté en abaissant les attentes. Cela nous donne de la marge pour surprendre positivement.

Au début, je promettais tout et n'importe quoi pour inciter les gens à acheter. Tenir ces promesses s'est transformé en cauchemar. Alors, j'ai commencé à réduire mes promesses tout en maintenant la qualité. Cela m'a donné plus de place pour surprendre positivement, et j'ai obtenu un avantage majeur : des recommandations. Les attentes des clients sont changeantes. C'est pourquoi nous définissons les attentes pour eux. Et si nous fixons ces attentes, alors nous pouvons les dépasser.

Étape Action : Réduis progressivement les promesses que tu fais lors de tes offres. Continue de les réduire jusqu'à ce que tes taux de conversion diminuent. À ce moment-là, arrête. Cela maximise le nombre de clients que tu obtiens *et* la bonne volonté que tu construis avec eux. Plus de clients maximisés et plus de bonne volonté signifient plus de recommandations.

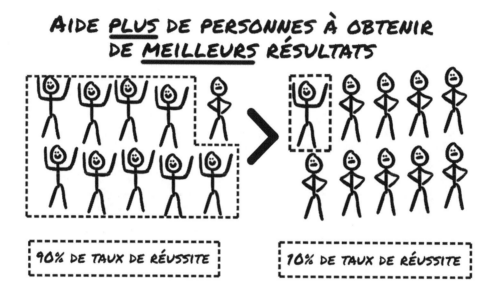

3) **Augmenter la probabilité perçue de réussite → Obtiens de meilleurs résultats pour plus de gens :**

Les clients ayant les meilleurs résultats tirent le maximum de valeur de ton produit. Découvre ce qu'ils font pour obtenir le maximum de valeur, et tu peux aider tes autres clients à faire de même. Il y a deux étapes, nous avons identifié les meilleurs clients *à qui vendre*. Maintenant, pour obtenir de meilleurs résultats pour tout le monde, nous découvrons ce que les meilleurs clients *ont fait*.

Laisse-moi te montrer à quoi cela ressemblait chez Gym Launch. Nous avons commencé par suivre les activités des clients. La rapidité pour lancer leur première annonce payante. La rapidité pour réaliser leur première vente. Leur participation aux appels, etc. Ensuite, nous avons comparé les activités de nos clients *moyens* à celles de nos *meilleurs* clients. Nous avons découvert quelque chose d'énorme. Si un propriétaire de salle de sport lançait des annonces payantes et réalisait une vente dans les sept premiers jours, leur LTGP* *triplait*. Une fois que nous avons réalisé cela, nous nous sommes concentrés sur le fait de faire lancer des annonces à tout le monde et de réaliser des ventes dans les sept premiers

---
*   *Lifetime Gross Profit :* Bénéfice Brut à Vie

jours. Les résultats de nos clients moyens ont explosé. Plus de clients, plus de témoignages et plus de recommandations ont suivi. Voici le processus que j'utilise pour obtenir de meilleurs résultats pour plus de personnes :

Étape #1 : Interroge les clients pour trouver ceux qui ont obtenu les meilleurs résultats.

Étape #2 : Entretiens-toi avec eux pour découvrir ce qu'ils ont fait différemment.

Étape #3 : Examine les *actions* qu'ils avaient en commun.

Étape #4 : Oblige les nouveaux clients à répéter les actions qui ont donné les meilleurs résultats.

Étape #5 : Mesure l'amélioration des résultats moyens des clients (vitesse et résultat).

Étape #6 : <u>Assure-toi que les conditions de ta garantie correspondent aux actions qui donnent les meilleurs résultats pour inciter plus de personnes à les faire.</u>

Conseil de Pro : Fais des activités réussies les conditions de ta garantie

<u>NE FAIS PAS ÇA SI TU DÉTESTES L'ARGENT ET AIDER LES GENS</u> : Dès que tu commences à obtenir des résultats pour tes clients, note ce qu'ils ont fait. Ensuite, commences à garantir à tes nouveaux clients ces mêmes résultats. Mais fais-le à condition qu'ils fassent ce que les meilleurs clients ont fait. La garantie vend à plus de gens. Les conditions leur procurent de meilleurs résultats. Tu gagnes. Ils gagnent.

Étapes à suivre : Découvre ce que les personnes les plus performantes ont fait. Ensuite, encourage tout le monde à le faire. Construis tes garanties autour des actions qui génèrent le plus de succès. Plus de réussite. Plus de bonne volonté. Plus de recommandations.

Copyright © 2024 par ACQUISITION.COM LLC. NON DESTINÉ À LA DISTRIBUTION.

4) **Réduire le délai → Obtiens des victoires plus rapidement :**

Je définis une « victoire » comme toute expérience positive qu'a un client. Des victoires plus rapides augmentent leur perception de la vitesse, augmentent la probabilité qu'ils restent et renforcent leur confiance envers toi. Triple victoire. Pour faire en sorte que les victoires *semblent* arriver plus rapidement, nous leur offrons des victoires *plus souvent*.

Imaginons que vous ayez un produit qui prend une semaine pour être livré. Le client peut obtenir une victoire à la fin de cette semaine ou gagner chaque jour avec des mises à jour sur l'avancement quotidien. Même quantité de progrès, sept fois plus de victoires. De plus, si quelqu'un dit que sept choses vont se produire et que les sept se produisent réellement, je lui fais encore plus confiance. Recommander un ami devient maintenant moins risqué, car sept promesses ont été faites et toutes ont été tenues.

Voici cinq méthodes que j'utilise pour obtenir des succès plus rapidement dans la réalité :

1) Si j'ai sept petites choses à livrer, je les livre à des intervalles courts plutôt que toutes d'un coup.

2) Les mises à jour sont des victoires. Si c'est un projet plus important, je partage des mises à jour de progrès aussi fréquemment que possible. On ne peut jamais donner trop de bonnes nouvelles. Et des mises à jour régulières, qu'il y ait du progrès ou non, valent mieux que de laisser tes clients dans l'expectative.

3) Les clients forment leur impression durable d'une entreprise dans les quarante-huit premières heures après leur achat. Force une bonne impression. Force autant de victoires que possible dans cette fenêtre de temps. Définis de nombreuses attentes. Réponds à de nombreuses attentes. Répète.

4) Les clients devraient toujours savoir quand ils entendront parler de toi la prochaine fois. J'ai entendu une expression sympa d'un ami PDG - BAMFAM : Fixe un rendez-vous à l'autre, lors d'un rendez-vous. Encore une fois, ne laisse jamais un client dans le no man's land. Ils devraient toujours savoir ce qui se passe... *ensuite*.

5) N'attends jamais que les clients te pardonnent. Jamais. Alors agis en conséquence. Par exemple, tu peux livrer en avance, mais jamais en retard. J'ajoute cinquante pour cent à mes délais pour toujours livrer en avance. Ce qui est « à l'heure » pour moi, c'est *en avance* pour eux.

 Copyright © 2024 par ACQUISITION.COM LLC. NON DESTINÉ À LA DISTRIBUTION.

Étape Action : Décompose les résultats en la plus petite unité possible. Communique aussi souvent que raisonnablement (même s'il n'y a pas de progrès, tiens-les informés). Fixe des échéances avec une marge de manœuvre. Livre en avance. Plus de victoires pour les clients signifie plus de bonne volonté. Et plus de bonne volonté signifie plus de recommandations.

VALEUR CONTINUE

$....$.....$.....$.....$.....

5) **Réduire l'effort et les sacrifices → Continue d'améliorer ton produit :** Si le client fait moins de choses qu'il déteste pour bénéficier de ton produit, tu l'as amélioré. Si le client renonce à moins de choses qu'il aime pour bénéficier de ton produit, tu l'as amélioré. Et il n'y a pas de produit parfait. Tu peux *toujours* le rendre meilleur. Et plus tu facilites les bénéfices pour eux, plus tu obtiens de la bonne volonté et plus ils sont susceptibles de recommander. Voici mon processus pour continuer à améliorer ce que je vends.

   Étape #1 : Utilise les données du service client, les enquêtes et les avis pour trouver le problème le plus courant avec ton produit.

   Étape #2 : Trouve la solution. Pour prendre de l'avance, recueille les commentaires des clients qui ont fait fonctionner ton produit malgré le problème qu'il a.

   Étape #3 : Utilise ces commentaires pour améliorer ton produit.

   Étape #4 : Donne la nouvelle version à un petit groupe de tes clients (qui ont des difficultés).

   Étape #5 : Obtiens ta prochaine série de commentaires. Si tu as résolu le problème initial, déploie la mise à jour pour tous les clients. Si ce n'est pas le cas, retourne à l'étape #2.

   Étape #6 : Passe au problème le plus courant suivant et répète le processus. Fais cela jusqu'à la fin des temps.

Étape Action : Continue à améliorer ton produit. Fais des enquêtes. Effectue des changements. Mets en œuvre. Mesure. Répète. Je mène ce processus chaque mois. Établis cela comme un processus mensuel récurrent. Un produit qui demande moins d'efforts et de sacrifices signifie plus de bonne volonté. Et plus de bonne volonté signifie plus de recommandations.

6) **Appel à l'action → Dis-leur quoi acheter ensuite :** Si tu as un produit incroyable, ils en voudront plus. Tu dois satisfaire leur envie d'acheter. Sinon, ils achèteront quand même... mais *chez quelqu'un d'autre*. Ne laisse pas cela se produire. Vends-leur à nouveau. Tu peux soit leur vendre une nouvelle chose, soit plus de la chose qu'ils viennent d'acheter. Dans les deux cas, tu obtiendras encore plus de bonne volonté et tu prolongeras la durée de vie du client. Et, plus de choses ils peuvent acheter, plus de choses ils peuvent recommander à leurs amis.

Par exemple, dans une entreprise de perte de poids que je connais, de nombreux clients recommandaient des amis pour leur produit de premier niveau. Mais certains ne l'ont pas fait. Beaucoup de ces clients qui n'ont pas recommandé le premier produit, lorsqu'ils ont acheté quelque chose de plus cher, ont ensuite recommandé cela à leurs amis ! Donc, tu dois continuer à vendre.

Dans mon expérience, les gens s'obsèdent souvent sur leurs offres initiales. Et cela a du sens. Mais ensuite, ils négligent l'arrière-plan, *et les clients se désintéressent*. Et les clients qui se désintéressent de ton produit sont peu susceptibles de recommander, donc continue à les vendre pour éviter cela.

Étape Action : Traite chaque client comme si c'était la première fois que tu lui vendais quelque chose. Assure-toi que ta prochaine offre soit plus convaincante que la première. Rappelle-leur d'acheter plus après chaque grande victoire. Plus de choses à acheter signifient plus d'opportunités d'ajouter encore plus de valeur. Plus de valeur signifie plus de bonne volonté. Et plus de bonne volonté signifie, tu l'as deviné, plus de recommandations.

Une question pour tous les guider

Regroupons ces six étapes en une expérience de pensée. Je t'encourage à l'essayer avec ton équipe. La voici :

Tu as perdu tous tes clients sauf un. Les dieux de la publicité t'interdisent d'appliquer les quatre principes et décrètent :

- Tous les clients doivent venir de ce seul client.

- Enfreins nos conditions et nous détruirons ton entreprise, ainsi que toutes les autres que tu commenceras, pour l'éternité.

C'est dur. Mais la question demeure : comment traiterais-tu ce client ? Que ferais-tu pour rendre son expérience si précieuse qu'il enverrait tous ses amis ? Quels résultats devrait-il obtenir ? Comment serait son intégration ? Quel type de client choisirais-tu ? Réfléchis-y. Écris-le. *Ton entreprise en dépend.* Ensuite... *Fais-le* :)

 Copyright © 2024 par ACQUISITION.COM LLC. NON DESTINÉ À LA DISTRIBUTION.

Commence à agir comme si les dieux de la publicité pouvaient révoquer tes privilèges des quatre principes à tout moment. Bientôt, tu verras que tu n'as pas d'autre choix que de commencer à ajouter plus de valeur pour obtenir plus de recommandations de clients.

Maintenant que nous avons couvert cela. Veux-tu savoir comment tu peux obtenir *encore plus* de recommandations ?

→ Demande-les.

Recommandations : Demande-les

Sais-tu pourquoi les entreprises ont si peu de recommandations par rapport à ce qu'elles pourraient avoir ? Elles ne les demandent jamais. Tes clients, comme n'importe quelle audience, ne peuvent savoir quoi faire que si tu leur dis.

Maintenant, j'ai essayé *beaucoup* de stratégies de recommandation. La plupart ont échoué. Et j'ai lutté jusqu'à ce que je réalise : Demander des recommandations fonctionne seulement si tu le traite comme une offre. *Les recommandations viennent quand tu montres la valeur que le client obtient en recommandant ses amis.* Laisse-moi te donner deux études de cas rapides pour montrer la puissance de demander des recommandations :

Étude de cas n°1 : Dropbox offrait un stockage gratuit à ses clients et à leurs amis recommandés. Le programme de recommandation est devenu viral, et ils ont multiplié leur entreprise par 39 en quinze mois.

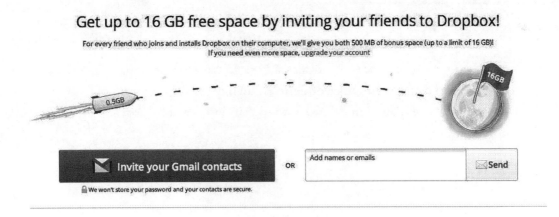

Étude de cas n°2 : PayPal offrait 10 $ de crédit aux clients *et* à leurs amis recommandés. En deux ans, le programme les a aidés à atteindre un million d'utilisateurs, et six ans plus tard, ils ont atteint 100 millions d'utilisateurs. Ils l'utilisent toujours aujourd'hui.

Alors, comment pouvons-nous exploiter la même croissance virale dans nos petites entreprises ? Nous faisons ce qu'ils ont fait. Nous le demandons.

Sept façons de demander des recommandations

Il y a trois composantes à un programme de recommandation : comment tu donnes l'incitatif, ce avec quoi tu incites et comment tu le demandes. Plutôt que de te donner cent variations qui peuvent, ou non, fonctionner, voici les sept combinaisons qui ont le mieux fonctionné pour moi :

1) Avantage unilatéral de recommandation : Je préfère payer les clients plutôt qu'une plateforme. Paie à la personne qui fait la recommandation ou à l'ami le coût moyen d'acquisition d'un client (CAC). Rends-les conscients de l'incitatif.

   Exemple : Imagine que cela coûte 200 $ pour acquérir un nouveau client. Demande au client actuel de faire une véritable introduction à trois voies à un ami, par appel, SMS ou e-mail. Pas seulement un nom et un numéro. De plus, demande-leur de le faire immédiatement après leur achat... n'attends pas. Ensuite, envoie leur un paiement de 200 $ lorsque leur ami s'inscrit <u>OU</u> donne à leur ami une réduction de 200 $.

   Exemple : Cela fonctionne très bien pour les conjoints car ils bénéficient tous les deux de l'avantage. Demande toujours le conjoint et accorde une réduction pour le foyer.

2) Avantages bilatéraux de recommandation : C'est ce que Dropbox et PayPal ont utilisé. Nous payons notre CAC aux deux parties. La moitié va à celui qui recommande (en crédit ou en espèces) et l'autre moitié va à l'ami (en crédit). De cette manière, ils bénéficient tous les deux d'un avantage.

   Exemple : Nous vendons des programmes à 500 $. Notre coût pour acquérir un client est de 200 $. Pour chaque ami qu'une personne recommande, nous leur donnons 100 $ en espèces et offrons à leur ami une réduction de 100 $ à l'inscription. Valable jusqu'à 3 amis. Cela a très bien fonctionné pour mes entreprises locales.

Copyright © 2024 par ACQUISITION.COM LLC. NON DESTINÉ À LA DISTRIBUTION.

Conseil de Pro : Fais tourner tes annonces payantes gratuitement

Dans nos entreprises de services, nous obtenons régulièrement un nombre supplémentaire de 25 à 30 % d'inscriptions grâce aux recommandations. *Si nous demandions une recommandation juste après leur inscription.* Ainsi, si nous avions inscrit 100 clients pour une promotion, nous obtenions généralement 25 à 30 clients supplémentaires grâce aux recommandations. Et comme nous opérons toujours avec un ratio LTGP : CAC supérieur à 3:1, l'argent provenant des recommandations couvrirait souvent le coût des annonces (et même plus). Bingo bango.

---

3) <u>Demande une recommandation dès l'achat</u> : Sur le contrat de vente ou la page de paiement, demande quelques noms et numéros de téléphone de *personnes avec lesquelles ils aimeraient le faire.* Montre-leur comment *ils* obtiendront de meilleurs résultats en le faisant avec un ami.

> Exemple : J'ai eu un nouveau vendeur qui est arrivé dans l'une de mes entreprises du portefeuille et a battu tous les records de ventes pour un événement à venir. Nous ne savions pas ce qu'il se passait. Alors j'ai passé un moment au téléphone avec lui - *comment vendez-vous plus de billets que tout le monde ?* Il a haussé les épaules et a dit : « Je fais la même chose que tout le monde. Je m'assure simplement de leur demander avec qui ils voudraient venir. Ensuite, je leur demande de me présenter. » <u>La moitié</u> de ses ventes provenaient de recommandations. Si simple, et pourtant <u>personne ne le fait</u>.

> Exemple de script : *Les personnes qui suivent notre programme avec quelqu'un d'autre ont tendance à obtenir 3 fois plus de résultats. Avec qui d'autre pourriez-vous suivre ce programme ?*

Conseil de Pro : Pas « si » mais « qui »

Une fois que quelqu'un est client, sois plus direct dans ta demande. Ne demande pas « SI » ils connaissent quelqu'un, demande « QUI » connaissent-ils.

---

4) <u>Ajoute les recommandations comme levier de négociation</u> : En plus de cela, tu peux demander des recommandations comme moyen de négocier un prix plus bas. En d'autres termes, si quelqu'un souhaite payer 400 $ et que ton prix est de 500 $, tu peux lui accorder une remise *en échange* d'une présentation à trois amis. Tu peux éthiquement facturer un prix différent pour la même chose parce que tu as modifié les termes de la vente.

> Exemple : « Je ne peux pas descendre en dessous de 500 $, mais si tu fais une introduction par SMS à trois de tes amis dès maintenant, je serais ravi de réduire ces frais d'inscription. »

Copyright © 2024 par ACQUISITION.COM LLC. NON DESTINÉ À LA DISTRIBUTION.

Et pour répondre à la question que tu n'as pas posée, si un client au prix fort découvre que tu as accordé une remise à quelqu'un d'autre (ce qui m'est arrivé), voici tout ce que tu dis : « *Oui, Stacy a eu une réduction de 100 $ parce qu'elle a recommandé trois amis. Je serais ravi de te donner 100 $ si tu me recommandes à trois amis. À qui penses-tu ?* » Ils reculeront ou te donneront trois amis. Gagnant-gagnant.

5) <u>Événements de recommandation</u> : Là où les gens obtiennent des points, des crédits, des dollars, ou même simplement des droits de vantardise pour avoir amené des amis dans une période de temps explicite. Les événements de recommandation durent généralement d'une à quatre semaines. Chaque fois que tu organises l'un de ces événements, vends à tout le monde les avantages de travailler avec d'autres. Utilise quelques statistiques (internes ou externes) pour montrer des taux de réussite élevés et l'avantage égoïste d'amener des amis. J'utilise des noms comme :

Promotion « Amène-un-ami »

« Challenge Conjoint »

Promotion « Partenaire d'objectif »

« Challenge Coach » où tu crées des équipes avec tes employés et clients. Ça fonctionne bien dans les entreprises de coaching.

6) <u>Programmes de recommandation continus</u> : Au lieu d'organiser une promotion de recommandation à durée limitée, parle constamment des avantages de faire les choses avec d'autres. Pense à inclure cela dans ton contenu gratuit, tes démarches, tes publicités payantes, etc. Après qu'un ami a fait cela, il a constaté une augmentation de 33 % du nombre *total* d'inscriptions. Pour donner un contexte, il avait 1 000 000 de clients qui ont acheté des billets pour son événement virtuel et 250 000 d'entre eux ont été recommandés... cela fonctionne.

7) <u>Bonus de recommandation déblocable</u> : Crée des bonus pour les personnes qui 1) recommandent et 2) laissent un témoignage. Quelques exemples : débloque des bonus VIP, des cours, des jetons, un statut, une formation, des marchandises, des niveaux de service, un support premium, des heures de service supplémentaires, etc.

Les bonus de recommandation déblocables fonctionnent bien si tu n'aimes pas verser de l'argent. Les bonus peuvent également être pour *les deux parties* si tu le souhaites (puisqu'ils te coûtent moins cher que de l'argent cash). Consulte la section sur les lead magnets pour trouver un peu plus d'inspiration. Comme toujours, plus ton offre est folle, plus les gens recommanderont. Si tu veux qu'ils recommandent, rends ton produit si bon qu'ils seraient stupides de ne pas le faire.

Tu n'es limité que par ta créativité

Voici à quoi cela ressemble de combiner quelques-unes des stratégies ci-dessus dans une promotion de recommandation percutante.

Offre à chacun une carte-cadeau pour un tiers du coût de leur programme. Dis-leur qu'ils peuvent l'offrir à un ami s'il s'inscrit avec eux. Donne une date d'expiration à la carte-cadeau de sept à quatorze jours à partir de la date où tu la donnes → cela les forcera à l'utiliser. Cela donne à la personne qui recommande un statut lorsqu'il la donne à son ami. Au lieu de dire « hé, rejoins mon programme avec 2000 $ de réduction », ils disent « j'ai cette carte-cadeau de 2000 $. Tu la veux ? Je ne veux pas la gaspiller. » Cela est perçu comme une affaire beaucoup plus importante pour eux et pour toi.

Tu peux toujours utiliser l'introduction en trois étapes avec cette tactique. Ensuite, envoie une photo de la carte-cadeau par SMS. Points bonus si tu écris le nom de l'ami dessus avant d'envoyer la photo. Cela donne une touche personnalisée et te donne une raison légitime de demander le nom de l'ami (clin d'œil).

PS - Tu peux également vendre les cartes-cadeaux à quatre-vingt-dix pour cent de réduction en tant que cadeaux achetables (uniquement pour les amis des clients). La personne qui recommande donne l'impression d'avoir dépensé beaucoup d'argent, et tu es payé pour acquérir de nouveaux clients. Je ne peux presque pas imaginer une meilleure façon de gagner de l'argent. Encore une fois, la seule limite est ta créativité.

Conseil de Pro : Fais correspondre ce que tu donnes avec ce que tu vends

Si tu ne veux pas donner d'argent, essaie de faire correspondre l'incitation à la recommandation au produit principal que tu vends. Par exemple, si tu as une entreprise de fabrication de t-shirts, offrir des t-shirts gratuits a beaucoup de sens. Parce que ton incitation attirera des personnes qui veulent réellement des t-shirts. Et elles sont plus susceptibles de devenir des clients payants. (Astuce : c'est pourquoi la carte-cadeau fonctionne si bien).

D'un autre côté, si tu offres un superbe t-shirt en édition limitée pour tes services informatiques, cela peut ou non attirer des personnes qui veulent des services informatiques. Alors, essaie de faire correspondre ce que tu donnes avec ce que tu vends.

Conclusion

Les recommandations ne sont pas une méthode publicitaire que tu peux simplement « faire ». Ce n'est pas un simple tour de passe-passe ou une astuce (bien que nous ayons appris certaines de celles-ci). *C'est une manière de faire des affaires.* Et cela commence par *toi.*

Après tout, recommander est toujours un risque pour le client. Ils risquent *leur* bonne volonté envers leur ami dans *l'espoir* d'obtenir plus en leur montrant quelque chose de cool (ton produit). Les clients ne recommandent que lorsqu'ils pensent qu'il est très probable que leur ami aura une bonne expérience. En d'autres termes, lorsque les avantages pour eux personnellement l'emportent sur le risque de nuire à la relation avec leur ami. Nous ajoutons donc des avantages pour eux et leurs amis avec des incitations, et nous réduisons le risque en construisant une bonne volonté (montrant que nous tenons nos promesses). Et nous faisons cela en utilisant les six moyens de donner à tes clients plus de valeur. Ne te méprends pas, construire une bonne volonté est un excellent travail pour obtenir des recommandations. Mais si nous sommes intelligents, ce que nous sommes, nous capitalisons sur cette bonne volonté, afin d'obtenir encore plus de recommandations, en utilisant les sept moyens de les demander. Ouf !

Donc, donne plus que tu ne reçois et tu ne connaîtras jamais la faim. *C'est ainsi que nous traitons nos clients.* Fais cela, et tu pourras monétiser la bonne volonté à jamais. Pour garder cela en perspective, je me rappelle toujours : *je suis rémunéré demain pour la valeur que je fournis aujourd'hui.*

Actions à entreprendre

Détermine tes pourcentages de recommandation et de rotation pour établir une base. Mets en œuvre les six étapes « donner de la valeur » pour créer une bonne volonté. Ensuite, capitalise sur cette bonne volonté en utilisant une ou plusieurs des sept manières de demander des recommandations.

À venir...

Maintenant, nous devons comprendre comment développer une équipe. Il semble que nous devrons appeler des coéquipiers potentiels, leur montrer la valeur de rejoindre l'équipe, puis les inviter à nous rejoindre. Attends... cela semble familier. Mais sérieusement, si tu veux vraiment une machine à prospects de 100M$, attache-toi. Le chapitre le plus précieux du livre arrive bientôt - *les employés.* Pour de vrai, ce n'est pas un chapitre ennuyeux, et tu en auras besoin si tu veux faire *beaucoup d'argent.*

 Copyright © 2024 par ACQUISITION.COM LLC. NON DESTINÉ À LA DISTRIBUTION.

BONUS GRATUIT : BONUS - Frénésie des recommandations clients

Si tu veux en savoir plus sur les façons d'utiliser le moyen le plus efficace et rentable d'obtenir des clients, j'ai créé une formation spécialement pour toi. Tu peux l'obtenir ici gratuitement : Acquisition.com/training/leads. Et comme toujours, tu peux également scanner le QR code ci-dessous si tu n'aimes pas taper dans la barre de recherche.

Copyright © 2024 par ACQUISITION.COM LLC. NON DESTINÉ À LA DISTRIBUTION.

#2 Employés

« Si tu veux aller vite, avance seul. Si tu veux aller loin, avance ensemble. »
— Proverbe africain

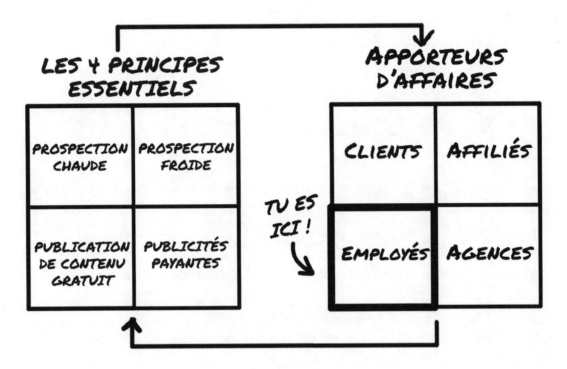

Juin 2021.

Le nouveau directeur des ventes prit la parole, « Je sais que nous sommes encore en dessous de notre objectif, mais je ne pense pas que nous devions changer quoi que ce soit, nous l'atteindrons ce trimestre. »

Les yeux se déplacèrent autour de la pièce et regardèrent dans toutes les directions sauf la mienne. Le silence dura assez longtemps pour que l'assistante de direction marque le sujet comme traité et passe à autre chose. Pas étonnant que nous ayons manqué notre objectif de prospection à froid pour le deuxième trimestre consécutif... personne n'a remis en question l'échec. *Quoi, maintenant on pense que la troisième fois sera la bonne ?*

« Attendez. » dis-je. Maintenant *tout le monde* regardait dans ma direction. « J'aimerais savoir pourquoi nous n'avons pas atteint ça deux trimestres d'affilée. Je sais que nous pouvons vendre - donc si nous voulons faire plus de ventes avec la prospection à froid, alors *faisons* plus de prospection à froid. Quel est le problème ? »

« Nous perdons un commercial toutes les quatre semaines. » dit le directeur des ventes. *Aha.*

« D'accord... Pourquoi notre taux de rotation est-il si élevé ? »

Copyright © 2024 par ACQUISITION.COM LLC. NON DESTINÉ À LA DISTRIBUTION.

« Je me posais la même question, mais le service des ressources humaines dit que nous sommes en fait en dessous de la moyenne de l'industrie pour ce poste. » continua-t-il, « Mais, d'ici à ce que nous en embauchions et intégrions un, un autre part. »

Je vis la directrice des ressources humaines acquiescer en signe d'accord. *On se rapproche.*

« D'accord, donc le problème est le recrutement. » dis-je. « Alors, comment se présente la situation du recrutement ? »

« Nous embauchons un candidat sur quatre que le service des ressources humaines nous propose. »

« Donc, s'ils partent aussi vite que nous les embauchons, et que vous n'embauchez qu'une personne sur quatre, cela signifie que vous n'obtenez qu'environ un candidat par semaine ? »

« Ouais, à peu près ça. » *Presque arrivé au but.*

« Compris. » Maintenant, je regardais la directrice des ressources humaines. « Quelle est la situation du tri des candidats ? »

« Nous obtenons un candidat qualifié sur dix entretiens de présélection, à peu près. » dit-elle.

« Il faut donc *quarante* entretiens pour obtenir un seul travailleur de première ligne, peu qualifié ? »

« Je suppose que oui. » *Bingo.*

« D'accord, il faut changer les choses. » dis-je. « Nous rencontrons des obstacles dans le tri en personne. Commencez à effectuer des entretiens de groupe et repérez les personnes excentriques. Orientez les autres, qui démontrent une bonne éthique de travail et des compétences sociales de base, vers le département des ventes. Nous pourrons leur enseigner le reste. Est-ce que cela vous convient ? » L'équipe acquiesça.

En six semaines, le recrutement a dépassé le taux de rotation. Nos ventes en prospection à froid ont augmenté de manière significative. À la fin du trimestre, les ventes en prospection à froid avaient doublé et représentaient plus de la moitié de nos ventes totales.

Le problème n'était pas notre méthode de prospection à froid, ni nos compétences, ni notre offre en général. Nous n'avions tout simplement pas assez de personnes *faisant* de la prospection à froid.

***

Si tu utilises les méthodes de ce livre, tu verras plus de prospects engagés affluer vers ton entreprise. Plus de prospects engagés signifie plus de clients. Mais à mesure que tu grandis, ta charge de travail augmente également. À un moment donné, elle nécessitera plus de travail que ce qu'une seule personne peut gérer. Et tu peux résoudre le problème d'un trop grand volume de travail pour une personne *en ayant plus de personnes qui travaillent.*

En résumé, pour faire plus de publicité, tu auras besoin de plus de travailleurs. Et ce chapitre te montrera comment les employés fonctionnent, pourquoi ils te rendent riche, comment les obtenir, et la méthode que j'utilise pour les transformer en générateurs de prospects.

 Copyright © 2024 par ACQUISITION.COM LLC. NON DESTINÉ À LA DISTRIBUTION.

Comment fonctionnent les employés

Les employés qui génèrent des prospects sont des personnes travaillant dans ton entreprise que tu formes pour obtenir des prospects. Ils obtiennent des prospects de la même manière que tu as obtenu tes propres prospects au début. Ils peuvent diffuser des annonces, créer et publier du contenu, et effectuer du démarches. Ils peuvent réaliser n'importe quelle forme de publicité *que tu les formes à faire*. Ainsi, plus tu as d'employés générateurs de leads, plus tu as de prospects engagés pour ton entreprise. Cela signifie également moins de travail que tu *as* à faire pour obtenir plus de leads. Plus de prospects et moins de travail ? J'en suis ! Mais attends... pas si vite...

Ne me méprends pas - *les employés demandent du travail*. Ils demandent simplement moins de temps et de travail que de tout faire par soi-même. Selon mon expérience, si tu échanges quarante heures d'action contre quatre heures de gestion, tu travailles trente-six heures de moins. Brillant. Et le meilleur, c'est que tu peux faire cet échange encore et encore. Tu peux échanger 200 heures de travail par semaine contre vingt heures de gestion. Ensuite, tu échanges les vingt heures de gestion contre un manager, qui te coûte quatre heures par semaine pour diriger. Ce qu'il te reste, ce sont quatre heures de travail pour 200 heures de prospection. Boom

En conclusion : Les employés créent une entreprise entièrement fonctionnelle qui se développe *sans toi*.

Pourquoi les employés te rendent riche

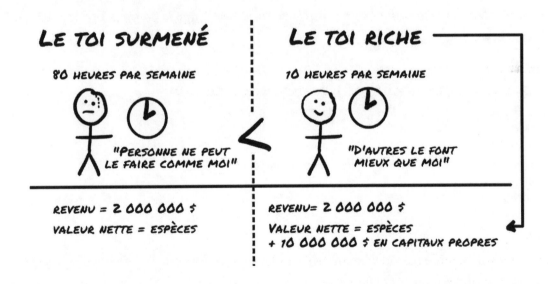

Pour que ton entreprise fonctionne sans toi, d'autres personnes doivent la diriger.

Scénario n°1 : Imagine que tu as une entreprise qui génère 5 000 000 $ de revenus par an et 2 000 000 $ de bénéfices. Et, pour réaliser ce profit, tu dois travailler sans relâche. Dans cette situation, tu as essentiellement un emploi bien rémunéré. Mais disons que tu es d'accord pour travailler sans relâche et que tu sais

Copyright © 2024 par ACQUISITION.COM LLC. NON DESTINÉ À LA DISTRIBUTION.

que ton entreprise s'effondrerait si tu prenais des vacances. Après tout, les vacances sont pour les perdants (je plaisante *tousse* en quelque sorte...). Nous avons quand même une autre chose importante à considérer...

Bien sûr, tu gagnes un peu d'argent, mais ton entreprise *ne vaut pas grand-chose*. Si l'entreprise ne génère de l'argent qu'avec toi dedans, alors c'est un *mauvais investissement* pour n'importe qui *d'autre*. Cela peut ne pas sembler être un gros problème maintenant, mais considérons une alternative.

Scénario n°2 : Ton entreprise génère les mêmes 5 000 000 $ de revenus et 2 000 000 $ de bénéfices. Mais il y a une grande différence : l'entreprise fonctionne sans toi.

Cela a deux avantages très intéressants. Premièrement, cela transforme ce qui était autrefois un emploi risqué en un actif précieux. Et deuxièmement, cela te rend beaucoup plus riche. Voici comment :

D'abord, tu récupères ton temps, que tu peux utiliser pour investir dans ton entreprise, acheter d'autres entreprises, ou prendre tes foutues vacances. Ensuite, tu deviens beaucoup plus riche parce que ton entreprise a maintenant de la valeur pour quelqu'un d'autre. Tu as transformé un passif qui dépendait de toi en un actif sur lequel tu peux compter.

Si tu as un actif qui génère des millions de dollars sans toi, cela signifie que quelqu'un d'autre pourrait l'utiliser pour générer des millions de dollars sans eux. En d'autres termes, ton entreprise est maintenant un bon investissement. Ensuite, des investisseurs à la recherche d'actifs, comme Acquisition.com par exemple, pourraient en acheter une partie ou la totalité. Et tes 2 000 000 $ de bénéfices par an, surtout s'ils sont en hausse, pourraient facilement valoir 10 000 000 $ ou plus *dès maintenant*. Ainsi, ta société est passée d'une valeur presque nulle à une valeur de 10 000 000 $. Donc, apprendre à déléguer à d'autres fait une différence de 10 000 000 $ sur ta valeur nette. . Je dirais que ça vaut la peine d'apprendre comment faire.

Rappel : *Tu t'enrichis avec ce que tu crées. Tu deviens riche avec ce que tu possèdes.* Et il m'a fallu des années pour réaliser cela car il n'y a pas si longtemps...

Tout ce que je croyais savoir sur les employés était faux

As-tu déjà entendu dire...

Si tu veux que ce soit bien fait, tu dois le faire toi-même.

Personne ne peut le faire comme moi.

Personne ne peut me remplacer.

Moi, je l'ai dit. J'ai vécu tout ça. Pendant des années, chaque fois que j'embauchais quelqu'un, je comparais ce qu'il pouvait faire à ce que je pouvais faire. Dans ma tête, c'était comme un « moi contre lui ». Pour prouver d'une manière ou d'une autre que j'étais le plus « capable ». Avec ma propre équipe ! Et cette croyance, cette façon de « diriger » les gens, ne m'a jamais rapporté plus d'argent.

Dans le monde des affaires, « personne ne peut le faire sauf moi » et « si tu veux que quelque chose soit bien fait, tu dois le faire toi-même » ne sont pas des faits... ce sont des erreurs. Quelqu'un a fait des choses similaires avant que tu n'arrives. Et quelqu'un continuera à faire une version de cela après ton départ. D'une manière ou d'une autre, tout le monde est remplaçable. Cela peut être par plusieurs personnes, par la technologie, ou plus tard dans le temps, mais *tout le monde* peut être remplacé. Ma suggestion : remplace-toi dès que possible. Ensuite, tu pourras être utile ailleurs. Beaucoup d'autres ont compris cela. Et toi aussi, tu peux.

Au début, chaque fois que je lançais une entreprise, je pouvais faire les choses mieux que les personnes que j'embauchais. Mon effectif entier finissait toujours par ressembler à un groupe hétéroclite de bricoleurs qui pouvaient un peu faire l'une des nombreuses choses que je pouvais faire. Cela m'a permis de démarrer au début, mais je suis tombé dans le piège de croire que j'étais meilleur que tout le monde. Je suis passé de l'arrogance, pensant que j'étais meilleur qu'eux, à la complainte car ils n'étaient pas aussi performants que moi. Et, pour une raison quelconque, je n'ai jamais réalisé que c'était moi qui les recrutais et qui les formais. À qui je faisais croire ça ? La réalité était double : d'abord, je n'avais pas les compétences nécessaires pour former ou diriger une équipe correctement. Deuxièmement, j'étais trop pauvre, et puis (quand j'avais un peu d'argent), trop économe pour embaucher quelqu'un de plus compétent. En d'autres termes, c'était de ma faute s'ils étaient nuls. Oops.

Plus je m'efforçais de surpasser mes employés, plus je devenais distrait, et plus mon entreprise se détériorait. Biensûr, à l'époque, *peut-être* que je pouvais faire n'importe quelle chose mieux que *n'importe lequel* de mes employés. Cependant, je ne pouvais pas tout faire mieux que tous mes employés. Et quand j'ai enfin compris cela, j'ai commencé à adopter de meilleures croyances concernant le talent :

'*Si tu veux que ce soit bien fait, trouve quelqu'un pour y consacrer tout son temps.*'

'*Si je peux le faire, quelqu'un d'autre peut le faire mieux.*'

'*Tout le monde est remplaçable, moi y compris.*'

Ces nouvelles croyances sur le talent ont, non seulement, créé une culture beaucoup plus saine dans mes entreprises, mais ont également eu des effets secondaires très rentables. Accorder ma confiance à mes employés pour qu'ils réussissent a *considérablement* valorisé *mon* temps et *mon* attention. Si quelqu'un d'autre peut le faire, pourquoi le ferais-je ? Si quelqu'un d'autre pouvait les former, pourquoi le ferais-je ? Si je pouvais apprendre d'autres choses pour faire croître l'entreprise pendant que mon équipe tenait la barre, cela aurait beaucoup plus de sens. Alors faisons ça.

Comment obtenir des prospects employés : les quatre principes fondamentaux internes

Tu te souviens des quatre principes fondamentaux ? Eh bien, ils fonctionnent aussi pour obtenir des employés. Imagine ça. En changeant le cadre de « faire connaître tes produits aux clients potentiels » à « faire connaître tes produits aux employés potentiels », cela devient *immédiatement* quelque chose que tu sais déjà faire. Mais certaines personnes ont aussi le problème inverse - elles savent déjà très bien comment obtenir des employés, mais ont encore du mal à obtenir des clients. Les employés ne sont que d'autres personnes à qui tu fais connaître tes produits. Alors, fais la même chose !

Copyright © 2024 par ACQUISITION.COM LLC. NON DESTINÉ À LA DISTRIBUTION. **201**

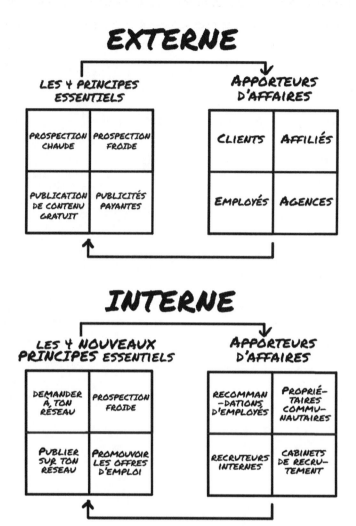

Aligne les actions pour obtenir des employés avec les actions pour obtenir des clients. C'est la même chose !

Clients → Employés

Prospection à chaud → Demander à ton réseau

Recommandations de clients → Recommandations d'employés

Prospection à froid → Recrutement

Affiliés → Associations, guildes, listes de diffusion, etc.

Publier du contenu → Publier des offres d'emploi

Agences → Cabinets de recrutement, etc.

Annonces payantes → Promotion des offres d'emploi

Employés → Employés (inchangé)

 Copyright © 2024 par ACQUISITION.COM LLC. NON DESTINÉ À LA DISTRIBUTION.

Les moyens que tu utilises pour obtenir des candidats et les personnes qui les obtiennent ont des équivalents avec les moyens que tu utilises pour obtenir des clients et leurs générateurs de prospects. Donc, lorsque tu as besoin de trouver de nouveaux talents, tu fais simplement de la publicité pour les attirer. Et quand tu as besoin de plus, tu en fais davantage. Tout comme la création d'un processus fiable pour obtenir des clients, tu peux également créer un processus fiable pour obtenir des employés. Et tu auras besoin <u>des deux</u> pour te développer.

Comment obtenir des employés pour te générer des prospects

Maintenant, tu embauches quelqu'un qui te coûte de l'argent chaque mois. Super. Assurons-nous que tu récupères ça *et plus* rapidement.

Remarque : certaines personnes à la recherche d'un emploi sauront déjà comment obtenir des prospects. Ces personnes sont géniales. Tu peux aussi compter sur elles, mais elles peuvent coûter plus cher. Et si tu débutes, tu pourrais ne pas avoir les moyens de les engager. Ta prochaine meilleure option est donc de les former. Heureusement, tu as tout un livre sur la génération de prospects à portée de main. La prochaine étape consiste donc à former tes employés sur la manière dont <u>tu</u> réalises ces actions de génération de prospects. Je pense à la formation avec ce modèle mental des 3 D : documenter, démontrer, dupliquer. Voici comment ça fonctionne.

Étape une - Documenter : *Tu élabores une checklist*. Tu sais déjà comment faire la chose. Maintenant, il te suffit d'écrire les étapes exactement comme tu les fais. Tu peux également demander à d'autres observateurs de confiance de te regarder et de documenter ce que tu fais. Points bonus si tu t'enregistres en train de faire la chose de plusieurs manières. Ainsi, tu peux te regarder *en tant qu'observateur* sans interrompre ton flux en prenant des notes en cours de route. Une fois que tu as tout mis dans la checklist, utilise-la lors de ta prochaine session de travail et suis seulement ces étapes. Peux-tu faire un travail, noté A+, en suivant *uniquement tes* instructions *exactes* ? Si tu le peux, tu as <u>la première version</u> de ta checklist pour le travail.

Étape deux - Démontrer : *Tu le fais devant eux*. Tout comme tes parents t'ont appris à nouer tes lacets. Tu t'assois et tu leur fais passer la liste étape par étape. Cela peut prendre un certain temps en fonction du nombre d'étapes nécessaires pour accomplir la tâche. S'ils te stoppent ou te ralentissent pour comprendre quelque chose, ajuste ta liste en conséquence. Maintenant, tu as <u>la deuxième version</u> prête pour qu'ils essaient.

Étape trois - Dupliquer : *Ils le font devant toi*. Maintenant, c'est leur tour. Ils suivent la même liste que toi. Sauf que cette fois-ci, c'est eux qui font et toi qui observes. Nous voulons simplement qu'ils *dupliquent* ce que nous avons fait. Donc, si la liste est correcte, le résultat sera le même. Et si la liste est incorrecte, tu le découvriras rapidement ! Corrige ta liste jusqu'à ce qu'elle soit correcte. Ensuite, fais-leur suivre la nouvelle liste jusqu'à ce qu'ils y arrivent. Et une fois qu'ils y arrivent, tu as maintenant un authentique générateur de prospects dans ton effectif. Félicitations !

Copyright © 2024 par ACQUISITION.COM LLC. NON DESTINÉ À LA DISTRIBUTION.

Conseil de Pro : Donne de courtes périodes aux gens pour prouver leur valeur

La plupart des emplois débutants dans la publicité ne sont pas compliqués. C'est davantage une question de détermination que de compétence. Si tu as correctement formé quelqu'un et qu'après trois semaines il ne répond toujours pas aux attentes, il est temps de mettre fin à cette collaboration.

Après avoir formé tes premiers employés de cette manière, tu auras résolu les problèmes pour ce travail, et cela sera assez fluide par la suite. Du moins, la partie formation. Pense à cela de cette façon : si tu disparaissais demain, un étranger pourrait-il obtenir les résultats que tu obtiens s'il suivait uniquement ta checklist ? C'est le niveau de clarté à atteindre.

Quelques notes utiles sur la formation :

- Une manière pratique de considérer cette approche de formation est la suivante : *si les personnes commettent des erreurs ou sont confuses, c'est probablement parce que nous avons commis une erreur ou avons rendu les choses confuses.* Si nous devons expliquer le sens d'une étape, alors cette étape est probablement trop compliquée, ou, encore plus probablement, nous avons tenté de regrouper plusieurs étapes en une seule.
- Si les personnes semblent comprendre uniquement après une explication prolongée ou plusieurs démonstrations, alors, une fois de plus, il y a des ajustements à faire. Les propriétaires d'entreprise qui négligent cela font face à des problèmes de formation persistants. Et, à bon entendeur, tu pourras probablement forcer une checklist médiocre à fonctionner, mais cela devient un *cauchemar* lorsque quelqu'un d'autre prend en charge ta formation.
- Il y a une différence entre la compétence et la performance. Autrement dit, elles peuvent savoir exactement quoi faire et *ne pas être encore très bonnes*. Si tel est le cas, alors tes instructions sont bonnes et *elles ont juste besoin de pratique.* En utilisant une analogie du monde du fitness, pense « lent puis fluide puis rapide ». Tu n'as pas besoin de changer quoi que ce soit, elles ont juste besoin de plus de répétitions.
- *Concentre-toi sur la capacité de ton employé à suivre les instructions plutôt que sur le fait qu'il obtienne le bon résultat.* C'est super important, car si tu formes tes employés à suivre des instructions, ils les suivront. Et, s'ils suivent les instructions et obtiennent le mauvais résultat... *alors tu sais que ce sont les instructions.* C'est bien. Tu as beaucoup plus de contrôle sur cela.
- Chaque fois qu'ils effectuent une étape avec succès, *fais-leur savoir qu'ils l'ont bien fait.* Et s'ils réagissent bien aux éloges, félicite-les ! Et s'ils se trompent, c'est aussi bien. C'est à ça que sert la formation. Ne prends pas leur place quand ils font une erreur, contente-toi de faire une pause, de reculer d'un pas et de les laisser réessayer. Des cycles de feedback rapides pour aider les gens à apprendre *plus rapidement.*
- S'ils suivent tes instructions *exactement* et obtiennent le mauvais résultat, félicite-les quand même pour avoir suivi les instructions. Félicite-les, puis apporte les corrections à ta checklist sur place.

 Copyright © 2024 par ACQUISITION.COM LLC. NON DESTINÉ À LA DISTRIBUTION.

- Évite les punitions ou les pénalités de quelque nature que ce soit pour les erreurs commises pendant la formation. En règle générale, récompense ce que tu veux qu'ils fassent davantage et ils le feront davantage. Apprendre une nouvelle compétence est déjà assez difficile, nous n'avons pas besoin de compliquer les choses
- Il est difficile de corriger *plusieurs choses lorsque tu n'as jamais fait quelque chose auparavant*. Donne des retours d'information, une étape à la fois. Donne un retour d'information à la fois. Pratique jusqu'à ce qu'ils y arrivent. Ensuite, passe à l'étape suivante.
- Chaque fois qu'il y a une baisse importante des performances normales, reforme l'équipe. Ils ont arrêté d'effectuer une étape importante du processus (souvent parce qu'ils ne savaient pas qu'elle était importante). Une fois que tu as compris l'étape, récompense les personnes qui la suivent dorénavant.

Comment calculer les retours des employés qui génèrent des prospects

En excluant le coût de l'annonce payante, le coût de la publicité (prospection, contenu, etc.) avec les employés dépend presque entièrement de la somme d'argent que tu les paies pour le faire. Nous simplifions cela en comparant simplement le montant d'argent que nous dépensons en salaires au montant d'argent que les prospects engagés qu'ils génèrent rapportent :

- Coût total de la masse salariale / Total des leads engagés = Coût par lead engagé.
    - Exemple : 100 000 $ / 1000 leads = 100 $ par lead engagé
- Si un sur dix des leads engagés devient client, alors notre CAC* est de 1000 $
    - (100 $ par lead engagé) x (10 leads engagés par client) = CAC de 1000 $
- Si chaque client a une valeur à vie (LTGP**) de 4000 $, alors tu as un LTGP : CAC de 4:1
    - (4000 $ LTGP) / (1000 $ CAC) = 4:1

Par exemple : au moment de la rédaction de ce livre, j'obtiens environ 30 000 leads engagés par mois sur Acquisition.com. Je ne lance aucune annonce payante et je ne fais aucune prospection. Mais l'équipe responsable de créer le contenu qui suscite cet intérêt coûte environ 100 000 $ par mois. Cela signifie que cela me coûte environ 3,33 $ par lead engagé (100 000 $ / 30 000 leads) en masse salariale pour les générer. Nous gagnons bien plus que 3,33 $ par lead, donc nous sommes rentables. Tu peux appliquer la même logique à la méthode publicitaire que tu utilises.

<u>Comment savoir sur quels employés se concentrer pour maximiser les retours</u>

Comme nous l'avons appris dans la partie II sur la gestion des annonces payantes, si le coût pour acquérir un client est dans les 3x de la moyenne de l'industrie, alors tu t'en sors bien. À partir de là, concentre-toi sur l'augmentation de ton LTGP.

---

*   *Customer Acquisition Cost* : Coût d'Acquisition Client

**   *Lifetime Gross Profit* : Bénéfice Brut à Vie

Si ton CAC est supérieur à 3x la moyenne de l'industrie, alors tu as un problème de vente ou un problème publicitaire. Nous diagnostiquons cela avec une question simple :

Est-ce que mes leads engagés ont le problème que je résous et l'argent à dépenser ?

- Si non, ils ne sont pas qualifiés - c'est un problème publicitaire.
- Si oui, ils sont qualifiés et :
    o Ils achètent mais tu n'en as pas assez - problème publicitaire.
    o Ils sont qualifiés mais n'achètent pas - problème de vente.

Ne vire pas ton commercial si tu as des problèmes publicitaires. Et de même, ne vire pas tes employés en publicité si tu as un problème de vente. Cette petite question peut t'aider à identifier sur quels employés te concentrer.

Mais fondamentalement, tu dois simplement calculer tous tes coûts pour acquérir un client. Et tant qu'ils représentent au moins un tiers du profit que tu réalises sur toute la durée de vie, tu es en bonne voie.

Conclusion

L'objectif de ce chapitre était de *modifier ta façon de voir les choses*. C'est à toi de promouvoir et de vendre la vision de ton entreprise. Fais-le, *à la fois*, publiquement *et* en privé, *aussi bien* auprès des employés que des clients. C'est le travail. Et une fois que tu deviens compétent, tu deviens inarrêtable.

Je dis cela car je crois que n'importe qui peut être formé pour faire des emplois « de terrain » pour n'importe quelle entreprise, que ce soit dans la publicité ou autre. Donc, le choix des personnes n'est pas aussi important que la manière dont tu les formes.

Comme je l'ai dit tout au long du livre et que je répète ici, il ne faut pas un génie pour faire de la publicité. Je dirais même que ça peut être préjudiciable. De toute façon, nous avons bien plus de fortes volontés que de génies. N'oublie pas, il ne s'agit pas d'intelligence, mais de courage. Et bien que certaines personnes puissent être des génies dès la naissance, *personne* ne naît avec une volonté de fer (après tout, nous arrivons tous au monde en pleurant). Tout cela pour dire que avoir du courage est une compétence. Et cela signifie que *n'importe qui* peut avoir du courage s'il apprend comment. Donc, si tu as une volonté de fer, et en tant qu'entrepreneur, tu en as probablement une, il ne te faudra pas longtemps pour comprendre que tu l'as acquise grâce à tes expériences de vie. Tu peux transmettre ces expériences comme des leçons à quiconque est assez intéressé pour écouter. Ensuite, ils peuvent se tenir sur tes épaules et avoir une meilleure chance de réussir dans la vie.

Et tu ne peux vraiment rien savoir de toute façon tant que tu ne les formes pas bien et que tu leur donnes une chance de réussir sur le terrain. De plus, pour les emplois de bas niveau, tu n'auras jamais de pénurie de main-d'œuvre. Sois sélectif lorsque tu dois faire d'énormes investissements dans des cadres supérieurs hyper spécifiques au salaire élevé à six chiffres multiples, du niveau de la direction. Autrement dit - les «employés de luxe».

Copyright © 2024 par ACQUISITION.COM LLC. NON DESTINÉ À LA DISTRIBUTION.

À ce stade, je trouve que c'est en fait une meilleure utilisation du temps d'embaucher et de former quiconque est *prêt*. Ensuite, <u>quand</u> tu trouves des gagnants (et avec cette méthode, tu le feras) : traite-les bien, ne les épuise pas et donne-leur ce qu'ils méritent.

Dans le pays des prospects débordants, tu auras besoin d'alliés. Les employés sont parmi les plus puissants de ces alliés. Nous avons discuté de : comment ils te rendent riche, comment ils fonctionnent, comment les faire fonctionner, comment les obtenir, comment les pousser à te générer des prospects, comment les motiver pour continer à te fournir des prospects, et comment savoir si tu fais du bon travail. Et une fois que tu as construit un système pour obtenir des personnes qui te fournissent des prospects (en appliquant les quatre principes fondamentaux en ton nom), tu as juste besoin d'en faire plus.

Note de l'auteur : Un mot sur les employés de luxe

J'ai délibérément exclu les employés de niveau directeur et supérieur car tu peux facilement te qualifier pour Acquisition.com sans eux. Et une fois que tu deviens une entreprise du portefeuille, nous le faisons pour toi.

Le prochain atout en matière de prospection...

La prochaine étape de notre parcours publicitaire nous conduit vers les agences. Oui, tu peux payer des personnes pour raccourcir ton chemin. J'ai payé des milliards de dollars à des agences et je pense avoir finalement *craqué* le code sur la façon de créer une victoire pour toutes les parties. Pour nous, afin que nous ne dépendions pas d'elles éternellement. Pour elles, afin qu'elles puissent réaliser plus de bénéfices et offrir plus de valeur à leurs clients. Elles ont été cruciales pour de nombreuses percées que j'ai eues, alors tu ne voudras pas manquer la prochaine...

Copyright © 2024 par ACQUISITION.COM LLC. NON DESTINÉ À LA DISTRIBUTION.

BONUS GRATUIT : TUTORIEL BONUS - Construire ou acheter - La carte des talents

Plus je fais des affaires, plus je me demande « qui » plutôt que « quoi » et « comment ». Cette formation pourrait être l'une des plus tactiques et importantes, car peu importe ce que tu veux construire, tu auras besoin d'aide. Comme c'est si important, j'ai créé une formation détaillant ce contenu de manière plus approfondie avec quelques téléchargements, etc. Tu peux la regarder gratuitement sur Acquisition.com/training/leads. Comme toujours, tu peux également scanner le QR code ci-dessous si tu n'aimes pas taper dans la barre de recherche.

Copyright © 2024 par ACQUISITION.COM LLC. NON DESTINÉ À LA DISTRIBUTION.

#3 Agences

« Tout est à vendre »

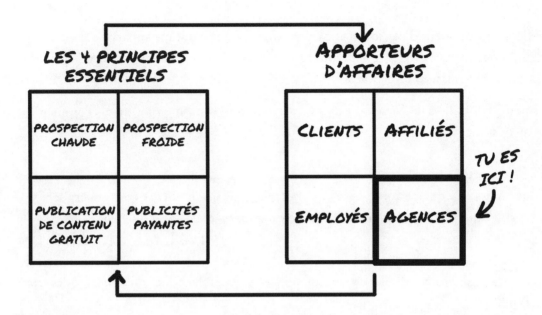

Été 2016.

Je n'étais pas un homme de la tech. J'étais un passionné de fitness qui avait appris quelques astuces en marketing et vente en créant mes salles de sport. Mais maintenant, j'en avais cinq et je lançais la sixième. Il était temps de passer à la vitesse supérieure. Facebook venait de publier de nouvelles fonctionnalités : le re-ciblage, les groupes d'intérêt, les pixels, etc. Et je ne comprenais rien de tout ça. J'ai acheté quelques formations, pour finir encore plus confus qu'au départ.

J'ai demandé à quelques amis s'ils connaissaient quelqu'un qui pourrait m'aider. J'ai eu deux recommandations. Les deux étaient des agences. J'étais effrayé. Je n'avais jamais collaboré avec une agence auparavant. Je n'avais entendu que des histoires d'horreur sur les agences de publicité. Surtout qu'elles coûtaient une fortune et qu'elles n'étaient pas efficaces. Mais ensuite, j'ai réalisé que même si leurs prestations fonctionnaient, j'aurais *besoin* d'elles pour toujours. Elles tiendraient mon entreprise par les parties sensibles ! Il s'est avéré que mes attentes n'étaient pas loin de la réalité. Elles ont proposé de gérer mes annonces, d'accord, mais à un prix exorbitant. Une somme que je ne pouvais pas justifier avec mes marges faibles. Cependant, mes coûts publicitaires me tuaient. À ce rythme, dans quelques mois, je ne pourrais plus maintenir mes portes ouvertes. Stressant.

J'ai refusé la première agence parce que je ne pouvais pas me le permettre à ce moment-là. Le deuxième appel prenait la même tournure. J'ai commencé à paniquer. *Comment vais-je résoudre ça ?* Dans ce qui semblait être un dernier effort désespéré pour rester en affaires, j'ai demandé au propriétaire de la deuxième agence ce que je voulais *vraiment…*

Copyright © 2024 par ACQUISITION.COM LLC. NON DESTINÉ À LA DISTRIBUTION.

« Peux-tu simplement me montrer en quelques heures comment tu gérerais des annonces sur mon compte ? »

« Non », a-t-il répondu. « Mon temps n'est pas à vendre. »

Inquiet mais toujours plein d'espoir... « Quel genre d'arrangement pourrions-nous trouver ? »

Il réfléchi un moment. Puis son sourcil s'est levé et un sourire est apparu. « D'accord. 750 dollars de l'heure. » *Gulp.* Sa tactique d'intimidation a fonctionné. Mais au moins, je savais que son temps était à vendre... donc je voulais en savoir plus.

« Et pour 750 dollars de *l'heur*e, tu te poserais avec moi et tu me montrerais comment tu gérerais mes annonces, c'est bien ça ? »

« Oui. »

« Et, je serais celui qui fait tout ? Genre, tu me guiderais sur quoi faire et tu superviserais pendant que je le fais, puis tu expliquerais pourquoi tu le fais de cette manière ? »

« Oui. »

« Et tu es sûr que tu peux rendre mes annonces plus rentables ? ...et me montrer des trucs plus avancés aussi, n'est-ce pas ? »

« Oui. Enfin. Si tu veux me payer 750 dollars de l'heure, on peut faire ce que tu veux. C'est ton argent », a-t-il dit, en riant à moitié. Cela ressemblait plus à « *C'est ton enterrement* ».

J'ai marqué une pause. « D'accord. Je le ferai. On se rencontrera une heure par semaine. Tu me donneras des devoirs et j'étudierai entre les appels. Ça te va ? »

« Ça me va. Mais tu dois payer les quatre premières heures d'avance. »

C'est donc ce que j'ai fait. J'ai misé trois mille dollars sur la parole de ce gars selon laquelle il savait ce qu'il faisait. *Oups.* Mais chaque semaine par la suite, je me suis présenté. Et comme un bon étudiant, j'arrivais avec des notes et des questions prêtes. J'enregistrais également et revoyais chaque appel car je ne voulais rien manquer.

Les deux premiers appels, il était aux commandes et je regardais. Aux appels trois et quatre, il m'a mis au volant. Aux appels cinq et six, ça a fait tilt. J'ai compris comment il prenait des décisions et quelles données il suivait. Aux septième et huitième appels, j'ai réalisé que je n'avais plus besoin de son aide. J'avais appris à gérer les annonces payantes, du moins sur Facebook, comme un pro. Et, si je devais faire une supposition, c'était parce que j'avais appris cela... d'un pro.

Dans ce chapitre, nous explorons une manière moins évidente mais bien meilleure d'utiliser les agences pour obtenir plus de prospects. Allons-y.

 Copyright © 2024 par ACQUISITION.COM LLC. NON DESTINÉ À LA DISTRIBUTION.

Comment les agences veulent que tu penses qu'elles fonctionnent

Les agences de publicité sont des entreprises de services de génération de prospects. Tu les paies pour gérer les annonces payantes, faire du démarchage ou créer et distribuer du contenu.

Par exemple, imaginons que tu veuilles publier du contenu vidéo gratuit. Mais tu ne sais rien sur la création de contenu vidéo ou sur sa distribution. Tu aurais besoin d'apprendre à choisir des sujets vidéo, à enregistrer des vidéos, à les éditer, à créer des miniatures et à rédiger des titres. Ou tu aurais besoin d'embaucher des personnes qui s'en occupent. C'est là que l'agence intervient. Ils disent qu'ils ont déjà embauché et formé des personnes pour faire ce genre de choses. Ils promettent donc des résultats plus rapides, meilleurs et plus économiques que ce que tu pourrais obtenir seul. Et dès que j'ai eu assez d'argent, cela m'a semblé assez convaincant.

Après ma première expérience avec une agence, que j'ai mentionnée précédemment et qui s'est plutôt bien passée, j'ai décidé d'en utiliser davantage. Mais mon expérience avec les dix agences suivantes a été *différente* parce que je les ai utilisées « correctement ». Chacune se déroulait un peu comme cela :

Étape 1 : Ils m'enthousiasmaient avec toutes les nouvelles pistes qu'ils apportaient.

Étape 2 : Je passais par un processus d'intégration qui semblait précieux (et qui l'était parfois).

Étape 3 : Ils attribuaient leur « meilleur » commercial senior à mon compte.

Étape 4 : Je voyais quelques résultats.

Étape 5 : IIls déplaçaient mon commercial senior vers un nouveau client…

Étape 6 : Un commercial junior commençait à gérer mon compte. Mes résultats souffraient.

Étape 7 : Je me plaignais

Étape 8 : Le commercial senior revenait de temps en temps pour me réconforter.

Étape 9 : Les résultats continuaient à souffrir. Et finalement, j'annulais.

Étape 10 : Je cherchais une autre agence et répétais le cycle infernal.

Étape 11 : Pour la milliardième fois - je commençais à me demander pourquoi je n'obtenais pas de résultats comme la première fois.

Pour être clair, comme l'introduction de ce chapitre le montre, les agences peuvent jouer un rôle précieux dans la croissance de l'entreprise. Mais pas de la manière dont elles veulent que tu le croies. Je ne veux pas que quelqu'un d'autre tombe dans le même piège. En fait, j'espère que tout l'argent que j'ai gaspillé contribue également à réduire ta taxe d'ignorance. Alors continue à lire.

Il est franchement ridicule que cela m'ait pris autant d'années pour comprendre que j'avais en fait utilisé une agence de la *bonne* manière… la première fois ! Mais maintenant, après avoir joué à leur jeu tant de fois,

Copyright © 2024 par ACQUISITION.COM LLC. NON DESTINÉ À LA DISTRIBUTION. **211**

je pense avoir percé le code « comment utiliser une agence ». Et cela ne vient pas du tout de jouer à leur jeu. Cela vient de jouer à un autre. Et ce chapitre explique tout en trois étapes :

1) Engager une agence versus le faire soi-même

2) Comment j'utilise les agences maintenant. Et comment tu peux le faire, toi aussi.

3) Comment choisir la bonne agence.

Engager une agence versus le faire soi-même

D'abord, clarifions les choses. Les bonnes agences coûtent de l'argent. Donc, si tu n'as pas d'argent, les agences ne sont pas une option. Tu dois apprendre par des essais et des erreurs. Et ce n'est pas grave. Nous commençons tous comme ça. Mais si tu as de l'argent, je te suggère d'utiliser les agences pour deux choses : apprendre de nouvelles méthodes et découvrir de nouvelles plateformes.

Si je veux apprendre de nouvelles façons de créer du contenu, de faire de la prospection ou des publicités payantes, alors j'engage des agences qui offrent de nouvelles approches. Elles ont déjà commis les grandes erreurs. Donc, au lieu de perdre du temps à comprendre par moi-même, je passe directement à la partie « gagner de l'argent ». J'aime la partie « gagner de l'argent ».

J'utilise également des agences lorsque je veux commencer à faire de la publicité sur une plateforme que je ne comprends pas. Je gagne de l'argent plus rapidement car elles effectuent la configuration initiale et la maintenance pour moi, et parce que je les fais m'enseigner comment le faire.

Engager une agence consiste à investir dans des compétences importantes que tu ne peux vraiment pas apprendre ailleurs. C'est-à-dire, à moins que tu ne passes par tous les essais et les erreurs pour l'apprendre par toi-même. Et si tu l'as fait, tu perds le temps et l'attention que tu aurais pu utiliser pour apprendre d'autres choses importantes qui font évoluer ton entreprise. Et faire évoluer ton entreprise, c'est l'objectif principal.

Étape Action : Dès que tu as assez d'argent pour engager une bonne agence, commence à explorer. Si tu suis le reste des étapes de ce chapitre, tu récupéreras tout ton investissement… et même plus.

Comment j'utilise les agences maintenant. Et comment tu peux le faire, toi aussi.

Je suis devenu un peu plus sophistiqué que l'histoire que j'ai racontée au début. Voici comment j'utilise les agences maintenant. Plutôt que de croire au mensonge selon lequel « je n'aurai jamais à apprendre cela parce qu'ils peuvent le faire », je commence chaque relation avec une agence avec un objectif et une date limite pour le réaliser. Je commence en disant :

« Je veux faire ce que vous faites dans mon entreprise, mais je ne sais pas comment. J'aimerais travailler avec vous pendant 6 mois pour apprendre comment vous le faites. De plus, je paierai un supplément pour que vous expliquiez pourquoi vous prenez les décisions que vous prenez et les étapes que vous suivez pour les prendre. Ensuite,

 Copyright © 2024 par ACQUISITION.COM LLC. NON DESTINÉ À LA DISTRIBUTION.

une fois que j'aurai une bonne idée de comment tout cela fonctionne, je commencerai à former mon équipe. Et une fois qu'ils pourront le faire assez bien, jj'aimerais passer à une formule de consulting moins onéreuse. De cette façon, vous pouvez encore nous aider si nous rencontrons des problèmes. Êtes-vous opposé à cela ? »

Selon mon expérience, la plupart des agences ne sont pas opposées à cela. Et si cela ne leur convient pas, c'est OK. Passe simplement à l'agence suivante. Mais, avant de commencer à renvoyer tout le monde, sois prêt à négocier. À un certain prix, cela en vaut la peine pour les deux parties. Vive le capitalisme !

C'est ainsi que j'utilise les agences maintenant. Par exemple, quand je voulais maîtriser YouTube, j'ai réellement engagé deux agences. La première, c'était pour me tenir engagé dans la création de vidéos pendant qu'ils faisaient quelques travaux préliminaires sur la plateforme elle-même. La deuxième, que j'ai engagée (à 4 fois le prix), c'était vraiment pour nous enseigner les idées approfondies derrière la création du meilleur contenu possible. Et une fois que nos vidéos ont surpassé les leurs, nous sommes passés à du consulting uniquement.

J'ai utilisé cette méthode maintes et maintes fois. J'engage une agence « assez bonne » pour apprendre les bases d'une nouvelle plateforme. Ensuite, j'engage une agence plus « élite » pour apprendre comment la maximiser, *et je ne peux que recommander cette stratégie.*

Si tu es franc au sujet de tes intentions et que l'agence est d'accord, tu obtiens le meilleur des deux mondes. Tu obtiens de meilleurs résultats à court terme parce qu'ils (probablement) en savent plus que toi. Et tu obtiens de meilleurs résultats à long terme parce que tu apprends à le faire toi-même ou que ton équipe apprend à le faire pour toi. *Tu passes également le maximum de temps avec leurs meilleurs représentants.*

N'oublie pas, tu n'obtiens qu'une *fraction* de l'attention de l'agence, donc les résultats se détériorent chaque fois qu'ils obtiennent de nouveaux clients. Pendant ce temps, ton équipe s'améliore de plus en plus car elle reste concentrée sur toi à plein temps. Compare les résultats de ton équipe à ceux de l'agence jusqu'à ce que tu les surpasses. Ensuite, mets fin à la relation et investis l'argent dans la mise en oeuvre de tout ce que tu viens d'apprendre.

Étape Action : Lorsque tu trouves une agence avec laquelle travailler (étape suivante), établis des termes avec eux et des délais pour toi-même. Utilise le modèle ci-dessus comme guide. Et n'hésite pas à négocier un peu pour que cela fonctionne.

> ## Note de l'Auteur : Oui, il y a une place pour les agences
>
> Pour être clair, je possède toujours des actions dans un logiciel d'agence, ALAN. Donc, je ne suis pas contre les agences. Je partage simplement comment j'ai réussi avec elles. Y a-t-il des grandes entreprises qui utilisent d'énormes agences publicitaires ? Bien sûr. Mais ce n'est pas pour elles que j'écris. Pour la plupart des gens, dépenser 10 000 $, 50 000 $ ou 100 000 $ pour une agence est un coût important. C'est ainsi que j'ai obtenu le meilleur retour en travaillant avec elles. De plus, certaines personnes ne veulent jamais apprendre, et pour ces personnes, les agences sont formidables. Personnellement, je veux toujours apprendre, c'est pourquoi j'utilise les agences de cette manière.

Comment choisir la bonne agence

Après avoir travaillé avec de nombreuses mauvaises agences et quelques bonnes, j'ai établi une liste des points communs entre toutes les bonnes. Ce n'est pas le dernier mot sur ce qui fait une bonne agence mais ce sont des éléments utiles qui ont fonctionné pour moi.

Voici ce que je recherche :

1) Quelqu'un que je connais a obtenu de bons résultats en travaillant avec eux. Si tu ne connais une agence que par le biais de ses publicités payantes ou de ses prospections à froid... elle n'est probablement pas aussi bonne que celles qui comptent uniquement sur le bouche-à-oreille (et les meilleures le font).

2) Des entreprises renommées ont obtenu de bons résultats en travaillant avec eux. Je ne connais peut-être pas personnellement les entreprises, mais si je les reconnais, c'est un bon signe.

3) Une liste d'attente. Lorsque la demande pour un service dépasse l'offre, ils sont probablement assez bons.

4) Un processus de vente clair qui met l'accent sur la définition d'attentes <u>réalistes</u>. Pas d'entourloupe.

5) Aucune astuce à court terme. Ils parlent de stratégie à long terme. Ils donnent également des échéanciers clairs pour la configuration, la mise à l'échelle et les résultats.

6) Ils me disent exactement ce qu'ils attendent de moi, quand ils en ont besoin et comment ils l'utilisent.

7) *Ils* suggèrent un calendrier régulier de réunions et offrent plusieurs moyens de me tenir informé de leurs progrès.

8) Ils fournissent et disposent de moyens clairs de suivi afin que je sache comment les coûts se comparent aux résultats.

9) Ils font une bonne offre :

   a) <u>Résultat rêvé</u> : est-ce qu'ils promettent ce que je veux ?

   b) <u>Probabilité perçue de réalisation</u> : combien d'autres personnes comme moi ont-elles atteint cela ?

   c) <u>Délai</u> : combien de temps cela prendra-t-il ?

   d) <u>Effort et sacrifice</u> : qu'est-ce qu'ils exigent de moi lorsque je travaille avec eux ? Que vais-je devoir abandonner ? Est-ce que je peux maintenir cela pendant longtemps ?

10) Ils sont chers. Toutes les bonnes agences sont chères... mais toutes les agences chères ne sont pas bonnes. Donc, parle avec autant d'agences que nécessaire. Et utilise cette liste comme guide pour trouver les bonnes.

...si une agence coche ces cases, elle vaut la peine d'être considérée.

Conseil de Pro : Parle à plusieurs agences pour être un meilleur client

Être un client informé *aide tout le monde*. Alors, avant d'acheter, informe-toi. Parle à cinq ou dix agences pour apprendre comment elles travaillent. Au début, tu apprendras beaucoup de nouvelles choses. Mais avec le temps, la différence entre les meilleures et les moins bonnes deviendra évidente. *Maintenant*, tu peux prendre une décision éclairée. Si l'agence ne répond pas à mes besoins, mais que j'aime les personnes, je leur demanderai de me recommander une autre agence. Une bonne agence spécialisée te dirigera vers d'autres bonnes agences qui offrent ce que tu veux. Ce sont quelques-unes de mes recommandations préférées.

Étape Action : Même si une agence accepte tes conditions, parle avec quelques autres avant de prendre une décision. Compare-les en utilisant la checklist ci-dessus, puis choisis la meilleure pour toi.

Conclusion

Bien que ce ne soit pas le modèle d'agence « traditionnel », *les deux parties* en bénéficient. Elles obtiennent un client qu'elles n'auraient pas eu autrement. Et nous acquérons une compétence lucrative pour la vie. Dans l'histoire au début du chapitre, cela m'a coûté huit heures et 6000 $ pour apprendre une compétence qui *m'a rapporté des millions*. Cela te semble-t-il valoir le coup ? Ça devrait.

Pour que cette méthode d'agence fonctionne à grande échelle, tu dois compter sur une bonne période où tu paies l'agence et ton équipe *pour faire la même chose*. Tu dois te donner un peu d'espace pour obtenir des résultats de l'agence, apprendre ce qu'ils font *et* former ton équipe... tout en même temps. Oui, cela coûte beaucoup d'argent. Et oui, cela en vaut totalement la peine quand tu fais les choses correctement.

Et tu peux le faire correctement. Après que les agences ont affecté un employé de bas niveau à mon compte pour la millionième fois, ça a enfin fonctionné. Cela ne peut pas être *aussi* difficile que ça. Au début, cela a pris environ un an pour que mon équipe soit meilleure qu'une agence. En m'améliorant, cela est passé à dix mois, puis huit. Et maintenant, j'ai compris. Je peux rendre mon équipe aussi bonne, voire meilleure que l'agence en moins de six mois ou même moins. Et chaque fois que je veux apprendre une nouvelle méthode ou une nouvelle plateforme, je répète le processus.

Plus tu t'améliores, moins cela coûte cher, et plus tu gagnes d'argent. C'est drôle, cela ressemble beaucoup à la publicité.

Prochaines étapes :

1) Décide si recourir à une agence a du sens pour toi en ce moment.

2) Parle à de nombreuses agences pour avoir une idée du marché. Ne sois pas radin.

3) Utilise le cadre d'accord que j'ai décrit.

4) Fixe une échéance claire pour te forcer (et ton équipe) à apprendre les compétences.

5) Utilise les deux équipes jusqu'à ce que la tienne les batte régulièrement.

6) Passe à une consultation réduite jusqu'à ce que tu aies l'impression de leur enseigner au lieu qu'ils ne t'enseignent... puis évince-les.

Maintenant que nous savons comment tirer profit du monde à haut risque des agences, explorons le générateur de prospects qui m'a rapporté le plus d'argent. Nous recrutons une armée d'entreprises qui peuvent nous fournir encore plus de prospects - *les affiliés*.

Copyright © 2024 par ACQUISITION.COM LLC. NON DESTINÉ À LA DISTRIBUTION.

BONUS GRATUIT : Checklist des critères à rechercher dans une agence

Si tu souhaites connaître la meilleure façon d'utiliser les agences plutôt que d'être utilisé par elles, j'ai préparé une formation gratuite pour toi. Tu peux la regarder gratuitement sur : Acquisition.com/training/leads. Elle comprend des fichiers de balayage et d'autres surprises. Comme toujours, tu peux également scanner le QR code ci-dessous si tu n'aimes pas taper dans la barre de recherche.

Copyright © 2024 par ACQUISITION.COM LLC. NON DESTINÉ À LA DISTRIBUTION.

Copyright © 2024 par ACQUISITION.COM LLC. NON DESTINÉ À LA DISTRIBUTION.

#4 Affiliés et partenaires

« Rien ne crée des amis comme l'argent »

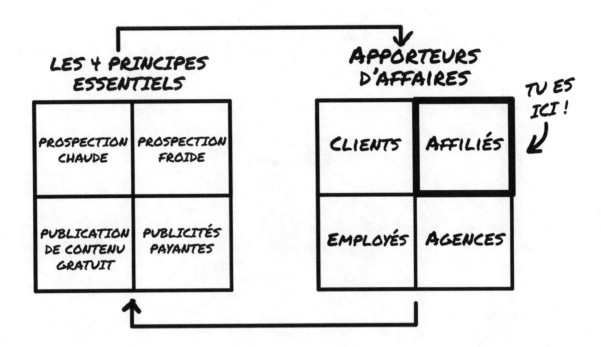

1er décembre 2018

Je n'avais aucune idée de comment se déroulerait le lancement de Prestige Labs. Je ne savais pas si nos clients l'aimeraient. Je ne savais pas si la technologie que nous avions développée fonctionnerait. Je ne savais pas si les paiements seraient effectués à temps. Je ne savais pas si notre entrepôt commettrait des erreurs de commandes.

Mais je savais qu'une préparation d'une année entière avait été consacrée à ce lancement. Nous avions mis tout ce que nous avions pour créer un produit de première classe. Nous avons dépensé plus d'un million de dollars pour développer sur mesure un logiciel d'affiliation et pour la formation. De plus, nous avons acheté 3 millions de dollars de stock pour des ventes qui pourraient ne jamais se concrétiser. Il a fallu toutes les compétences entrepreneuriales que je possédais pour concrétiser Prestige Labs. Et, en quelques heures seulement, nous allions le déployer auprès de nos affiliés propriétaires de salle de sport. Je me sentais comme un enfant la veille de Noël. Et si cela ne fonctionnait pas, *ce ne serait pas faute d'efforts.*

Copyright © 2024 par ACQUISITION.COM LLC. NON DESTINÉ À LA DISTRIBUTION.

Note de l'Auteur : Épisode 98 du podcast « The Game » intitulé « I Remember »

Si tu veux remonter dans le temps, tu peux entendre le « moi jeune » parler de mes pensées/préoccupations la veille du lancement. Tu peux être là avec moi. C'est l'épisode 98 de mon podcast <u>« The Game » avec Alex Hormozi</u>, intitulé « I Remember ». C'était avant que je ne connaisse le succès qu'il allait devenir. Pour le trouver, il te suffit d'aller là où tu écoutes des podcasts et de rechercher « Alex Hormozi », et il apparaîtra.

The Game w/ Alex Hormozi
Alex Hormozi

Jour du lancement…

J'ai terminé la présentation de deux heures en sueur. *C'est fait.*

J'ai "vendu" l'opportunité de commercialiser ma gamme de compléments alimentaires dans leurs salles de sport. Je formerais les nouveaux affiliés pour promouvoir Prestige Labs dans leurs salles de sport. Ainsi, pour que cela fonctionne, ils devraient suivre la formation et l'utiliser. Mais, si c'était le cas, tout le monde en profiterait. Je n'avais aucune idée si cela fonctionnerait.

Trois semaines plus tard…

Nous avons réalisé 150 000 $ de ventes au *total.* Pendant ce temps, 3 000 000 $ de produits étaient stockés dans un entrepôt climatisé… *Ça n'a pas marché.*

À ce rythme, en incluant les coûts d'exploitation et les paiements d'affiliés, il faudrait cinq ans pour atteindre le seuil de rentabilité. Même si nous pouvions tenir bon, notre produit haut de gamme expirerait bien avant cela. Nous étions pratiquement foutus. Je me sentais misérable. C'était terrible. Qui suis-je pour penser que nous vendrions *tout ça* ? J'ai *juste gaspillé* des MILLIONS. *Comment ai-je pu être si stupide ?*

Mais… à la quatrième semaine… quelque chose de fou s'est produit…

BOOM ! 100 000 $ le lundi.

BOOM ! 110 000 $ le mardi.

BOOM ! 92 000 $ le mercredi.

Nous avons réalisé plus de 450 000 $ de ventes rien que la quatrième semaine. La tendance a continué. 429 000 $... 383 000 $... 411 000 $... 452 000 $. Nous avons atteint une moyenne de plus de 300 commandes par jour avec plus de 400 affiliés actifs. Les commandes continuaient d'affluer. Jetez un coup d'œil à la capture d'écran de notre rapport interne ci-dessous. Il montre, de gauche à droite, les revenus <u>par semaine</u>. Je ne pouvais pas croire les résultats. Parfois, je n'arrive toujours pas à y croire.

	04/05/19	04/12/19	04/19/19	04/26/19	05/03/19
Bénéfice brut	$429,112	$383,717	$411,848	$404,838	$452,204
Bénéfice net	$407,164	$358,073	$391,197	$384,119	$429,982
Remboursements	$21,948	$25,644	$20,651	$20,719	$22,222
Nombre de commandes	2266	2052	2084	2124	2367
Taille moyenne des commandes	$189	$187	$198	$191	$191
Affiliés actifs	428	409	416	437	444

La meilleure partie, c'est que je n'ai pas du tout fait de publicité ou de vente pour les produits. Pas d'annonces payantes. Pas d'équipe de vente. Rien. Les affiliés ont tout fait - et la machine à affiliés que j'ai créée continue toujours d'imprimer de l'argent à ce jour. Alors, si cela t'intéresse, reste à l'écoute, car je vais te montrer exactement comment je l'ai créée.

Comment fonctionnent les affiliés

Un **affilié** est un générateur de prospects. C'est une entreprise indépendante qui recommande à son public d'acheter *tes* produits. Les affiliés ressemblent à des recommandations de l'extérieur, mais sont bien différents en réalité. Premièrement, ils ont leurs propres entreprises et font leur propre publicité. Deuxièmement, ils acceptent de proposer *tes* produits à *leur* public engagé en échange d'argent, de produits gratuits, ou les deux.

Maintenant, pour recruter des affiliés, tu fais de la publicité et ensuite, tu leur fais des offres, *tout comme tu le ferais avec des clients*. Cependant, les affiliés exigent un type d'offre unique. Au lieu d'offrir ton produit, tu proposes un moyen rapide, simple et facile de gagner des commissions en le promouvant. Cela peut signifier littéralement des millions de prospects engagés pour ton entreprise. Ainsi, les affiliés deviennent l'un des moyens les plus efficaces pour obtenir des prospects à fort impact.

Copyright © 2024 par ACQUISITION.COM LLC. NON DESTINÉ À LA DISTRIBUTION.

Pourquoi tu veux une armée d'affiliés

Chaque affilié que tu recrutes ajoute une autre *source* de prospects et de clients. Donc, recruter, activer puis intégrer une armée d'affiliés provoque une croissance spectaculaire, rapidement. C'est bien. C'est ce que l'on veut.

Compare ces deux scénarios :

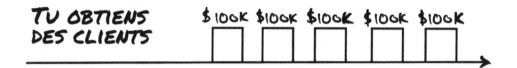

Scénario n°1 : Tu vends dix *clients* par mois pour une valeur de 10 000 $ chacun. Ton entreprise est plafonnée à 100 000 $ par mois. En douze mois, tu as généré 1,2 million de dollars. En supposant aucune autre publicité, ton entreprise *atteint un plafond*. Faible effet de levier.

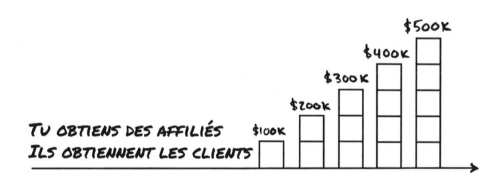

Scénario n°2 : Avec le même effort, tu recrutes dix *affiliés* par mois. Chaque mois, ces affiliés t'amènent *un* client de 10 000 $. Maintenant, chaque mois, tu ajoutes un revenu supplémentaire de 100 000 $. En douze mois, tu as généré *7,8 millions de dollars*. Et cela augmente *chaque mois par la suite*. Même travail, plus d'argent. Effet de levier élevé.

Utilisons ALAN, ma société de logiciels que j'ai développée avec des affiliés, pour montrer comment cela fonctionne dans le monde réel :

ALAN a grandi avec trois niveaux d'affiliés :

1) Des super-affiliés d'agences qui ont apporté des prospects d'agences.

2) Des agences qui ont apporté des prospects d'entreprises locales.

3) Des entreprises locales qui ont apporté des prospects finaux

 Copyright © 2024 par ACQUISITION.COM LLC. NON DESTINÉ À LA DISTRIBUTION.

Un super-affilié ramenait dix agences par mois. Les dix agences amenaient environ cinquante entreprises locales par mois. Ces entreprises locales apportaient environ 2500 prospects par mois. ALAN travaillait ces prospects pour environ 5 $ chacun. Un beau total de 12 500 $ *par mois*.

Mais cela ne s'arrêtait pas là. Chaque super-affilié amenait *plus* d'agences qui amenaient plus d'entreprises locales qui amenaient *plus* de prospects chaque mois par la suite. Ainsi, chaque super-affilié que nous avons signé rapportait 12 500 $ le premier mois, 25 000 $ le deuxième, 37 500 $ le troisième, et ainsi de suite. Avec seulement quelques super-affiliés d'agence, nous avons atteint 1 700 000 $ par mois dans les six mois suivant le lancement. *C'est* pourquoi tu veux une armée d'affiliés. Alors, construisons-en une.

Comment construire une armée d'affiliés en six étapes

Les affiliés sont parmi les moyens les plus avancés d'obtenir des prospects engagés. Premièrement, tu dois les convaincre de faire de la publicité pour les produits de quelqu'un d'autre. Deuxièmement, tu dois les convaincre de faire de la publicité pour tes produits. Troisièmement, tu dois *les pousser à continuer de faire de la publicité* pour en faire une source de prospects à long terme. Cela semble être beaucoup. Et c'est le cas. Mais j'ai une bonne nouvelle…

J'ai construit deux entreprises avec des affiliés : ALAN et Prestige Labs. Ensemble, elles ont généré plus de 75 000 000 $ de revenus grâce à plus de 5000 affiliés. Et les stratégies d'affiliation que je partage ont fonctionné pour moi. Elles peuvent donc fonctionner pour toi. Je vais détailler chaque étape.

Étape 1 : Trouve Tes Affiliés Idéaux

Étape 2 : Fais-leur une Offre

Étape 3 : Qualifie-les

Étape 4 : Détermine Leur Rémunération

Étape 5 : Mets-les à la Publicité

Étape 6 : Maintiens-les à la Publicité

C'est tout. Plongeons-y.

Copyright © 2024 par ACQUISITION.COM LLC. NON DESTINÉ À LA DISTRIBUTION.

Étape 1 : Trouve tes affiliés idéaux

L'affilié idéal possède une entreprise avec un public chaleureux composé de personnes semblables à tes clients. Commence à dresser une liste de ces entreprises. Si aucune ne te vient à l'esprit, réponds à ces questions à propos de tes meilleurs clients :

Qu'achètent-ils ? → *Qui propose ces produits ?*

Où vont-ils ? → *Quelles entreprises se trouvent dans ces zones géographiques ?*

Qu'aiment-ils faire ? → *Qui propose ces services ?*

Si c'est en direct vers le consommateur – les employeurs de tes clients pourraient devenir d'excellents affiliés :

Pour quels types d'entreprises travaillent-ils ? Quels types d'emploi occupent-ils ?

En résumé... *Qui possède mes prospects ?*

Par exemple, lorsque j'ai lancé ALAN, les propriétaires d'agences étaient mes affiliés idéaux. J'ai donc dressé une liste de 200 produits et services pour les agences et les entreprises qui les proposaient. Après un peu de travail, j'ai réalisé qu'ils s'inscrivaient assez nettement dans des catégories : **logiciels, produits, équipements, services, groupes auxquels ils appartenaient et événements auxquels ils participaient**. Chaque fois que je crée une nouvelle « liste d'opportunités » pour des affiliés, je commence par ces catégories. Remarque : Si tu trouves une entreprise qui appartient à plusieurs catégories, il y a de fortes chances qu'elle ait de nombreux prospects intéressants pour toi et qu'elle puisse devenir un excellent affilié.

Maintenant que je connaissais les entreprises qui avaient mes prospects, je savais exactement où concentrer mes efforts publicitaires. Ce n'était pas compliqué, alors ne cherche pas midi à quatorze heures.

Étape Action : Crée une feuille avec chacune de ces questions et catégories. Cherche en ligne pour les remplir. Si tu as des difficultés, appelle tes clients et demande-leur ! Résultat final : crée une liste de prospects de tes affiliés potentiels les plus prometteurs.

Étape 2 : Fais-leur une offre

Nous faisons l'offre aux affiliés et la promouvons de la même manière que toute autre offre. Nous appelons notre public, montrons nos éléments de valeur, puis nous les incitons à agir. Mais les affiliés ne s'inscriront avec nous que si nous leur donnons une raison forte. Heureusement, c'est assez simple. Puisque les affiliés sont des entreprises, ou qu'ils lancent une entreprise en s'inscrivant, nous leur offrons une nouvelle façon de *gagner de l'argent*. Commençons par l'appel.

<u>Appel</u> :

Les appels pour les affiliés potentiels incluent souvent :

- Les propriétaires d'entreprises affiliées eux-mêmes - *À L'ATTENTION DES PROPRIÉTAIRES DE SPAS*

- Les clients de l'affilié - *Travaillez-vous avec des professionnels occupés qui passent toute la journée en réunions ?*

- Les résultats promis par les entreprises affiliées - *Aux héros qui soulagent le stress des autres...*

- Les produits et services fournis par les affiliés - *Si vous vendez des lotions ou des huiles parfumées, c'est pour vous...*

- À nos propres clients - *Connaissez-vous quelqu'un qui possède un spa ?*

Maintenant que nous pouvons attirer l'attention d'un affilié potentiel, rendons leur l'inscription intéressante…

<u>Éléments de valeur</u>

Il existe un nombre illimité de techniques pour montrer de la valeur, mais toutes les offres lucratives suivent une structure similaire. C'est une bonne nouvelle, nous n'avons pas besoin de réinventer la roue. La plupart des offres lucratives pour les affiliés montrent de la valeur de cette manière :

Gagnez plus d'argent avec vos clients actuels et obtenez plus de prospects que votre offre actuelle (<u>résultat souhaité</u>*)... avec une forte probabilité de réussite car vos clients veulent déjà le produit (*<u>probabilité perçue de réalisation</u>*)... sans avoir besoin de créer, livrer ou d'assurer le support client pour le produit vous-même (*<u>effort et sacrifice</u>*)... afin que vous puissiez commencer à le vendre dès demain (*<u>délai</u>*).*

Étape Action : Explorez les différents éléments de valeur et remplissez les blancs. Je n'irai pas plus loin sur ce point car nous l'avons déjà abordé. Tu dois simplement faire des *affiliés* le client à qui tu fais de la publicité.

Maintenant que nous avons suscité l'intérêt potentiel de l'affilié pour notre offre, passons à la qualification.

Étape 3 : Qualifie-les

Les affiliés potentiels deviennent des affiliés réels lorsqu'ils comprennent et acceptent tes conditions. Et, tout comme avec les clients, nous voulons les faire gagner le plus rapidement possible. Nous mettons en place nos conditions pour les pousser à gagner le plus rapidement possible.

Je le fais en les incitant à investir. Je préfère qu'ils investissent leur temps, leur argent *et* dans le produit lui-même. Tout peut fonctionner. Mais, neuf fois sur dix, *s'ils paient, ils prêteront attention.*

Copyright © 2024 par ACQUISITION.COM LLC. NON DESTINÉ À LA DISTRIBUTION.

Voici les deux façons dont je fais investir mes affiliés et les fais gagner : en les rendant clients et en les rendant experts. Plongeons dans chaque aspect.

 JE VEUX VENDRE TES PRODUITS !

 ÉTHIQUEMENT, TU DOIS L'ACHETER POUR POUVOIR LE VENDRE.

Méthode n°1 : Fais-en un client :

Fais leur acheter et, de préférence, utiliser le produit maintenir leur statut d'affilié.. C'est le plus faible investissement barrière qui a fonctionné pour moi. J'ai constaté que plus un affilié investissait d'argent dans ton produit, plus il gagnait d'argent. Cela devrait avoir du sens. S'ils ne croient pas suffisamment en ton produit pour l'acheter, ils ne devraient probablement pas le vendre. Tu peux leur dire que c'est ce que j'ai dit.

Conseil de Pro : Achats en gros

Si tu as besoin de gagner plus d'argent par affilié, tu peux exiger qu'ils achètent en gros. Cela a été crucial pour le succès des affiliés de Prestige Labs. Une fois qu'ils ont acheté un gros package directement, ils ont commencé à concrétiser et à gagner. Un plus gros investissement leur a finalement rapporté (et nous aussi) plus d'argent. Si tu as des produits physiques, essaye les achats en gros. Si ta société propose une gamme de produits, comme c'est le cas de Prestige Labs, expérimente avec des gros packages.

Voici comment formuler l'offre : « *Alors, tu veux quelque chose de plus ou juste le* minimum *requis ?* » En présentant un achat minimum, ils achèteront au moins cela. Et plus souvent que tu ne le penses, ils achèteront *plus* que le minimum. Badaboum.

 Copyright © 2024 par ACQUISITION.COM LLC. NON DESTINÉ À LA DISTRIBUTION.

Manière n°2 : Fais d'eux des experts

Je les fais payer pour l'intégration et la formation qui les certifie en tant qu'experts du produit. Si tu leur fais acheter un produit pour devenir affilié, tu peux utiliser cela comme crédit pour une certification. En d'autres termes, la certification est *incluse avec* les produits qu'ils ont achetés. Maintenant, en plus de rendre l'affilié utile, les certifier fait deux choses. Premièrement, cela couvre certains coûts de publicité. Deuxièmement, cela signifie que je peux me permettre une intégration et une formation appropriées pour. chaque. affilié.

Combien devrais-je facturer ? Je recommande 10 à 20 % de ce que gagne en moyenne un affilié actif au cours des douze premiers mois. Donc, si ton affilié moyen gagne 40 000 $ par an en vendant tes produits, facture de 4 000 à 8 000 $ pour les intégrer et les former. Trop bas, et tu ne les inciteras pas à s'investir. Trop élevé et tu n'auras pas assez d'affiliés. J'ai constaté que 10 à 20 % maximise le nombre de personnes devenant affiliés *actifs*. Si tu débutes et que tu as des produits physiques, utilise la stratégie d'achat en gros du Conseil de Pro. Sinon, tu peux utiliser la stratégie du chapitre sur l'approche chaleureuse et augmenter l'investissement minimum toutes les 5 inscriptions jusqu'à trouver le bon compromis.

Étape Action: Fais de tes affiliés des clients, des experts ou les deux (ma méthode préférée). Si tu n'obtiens pas suffisamment de personnes pour commencer, réduis l'engagement. Si tu n'obtiens pas suffisamment de personnes pour suivre, augmente-le.

Étape 4 : Détermine combien les rémunérer

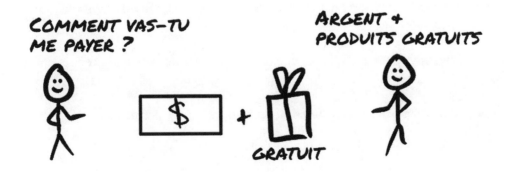

Le premier plus grand défi à résoudre avec les affiliés est de les convaincre. Mais le deuxième plus gros problème est de les maintenir convaincus. Et peu importe comment on le traite, maintenir tes affiliés convaincus dépend de la façon dont tu les récompenses pour la promotion de tes produits. Je préfère récompenser les personnes qui font ce que j'aime avec de l'argent et des articles gratuits, surtout si elles me font d'abord gagner de l'argent. Parlons-en donc.

Lorsque je cherche des moyens de rémunérer les affiliés, je me penche sur deux aspects fondamentaux :

1) Ce pour quoi ils sont rémunérés

2) Combien ils sont rémunérés

1. Ce pour *quoi* ils sont rémunérés :

Avant de faire des calculs de rémunération pour les affiliés, je me pose une question simple. Que dois-je *précisément* demander à l'affilié de faire ? Une fois identifié, c'est *pour cela* que je les rémunère. Ensuite, plus souvent qu'autrement, le montant de leur rémunération et la fréquence de paiement se résolvent d'elles-mêmes. Je rémunère les affiliés pour deux choses fondamentales : les nouveaux clients et les clients récurrents. Avec le temps, si tu suis mieux tes métriques, tu peux également les rémunérer pour des étapes *avant* qu'une personne ne devienne cliente. Par exemple, pour les lead magnets téléchargés, les rendez-vous fixés ou toute autre action qui se transformera de manière fiable en vente pour toi.

2. *Combien* ils sont rémunérés :

Je suggère de rémunérer les affiliés en fonction de ton Coût maximal autorisé pour Acquérir un Client (CAC).

Exemple : choisir ton CAC maximal autorisé. Disons que nous vendons un produit à usage unique pour 200 $ et qu'il coûte 40 $ à expédier. Cela nous donne 160 $ pour rémunérer l'affilié et faire fonctionner l'entreprise. Si nous voulons un ratio LTGP*:CAC** de 3:1, alors trois parts vont à l'entreprise – 120 $. Et une part, 40 $, va à l'affilié. Cela signifie que nous paierons jusqu'à 40 $ pour qu'un affilié acquière un nouveau client.

Mais voici où les choses deviennent intéressantes. Je donnais auparavant toute la somme (le CAC complet). Je suppose que je le fais toujours, mais je suis devenu plus sélectif quant à qui je le donne. Tous les affiliés ne se valent pas. Je suggère donc d'avoir une structure de rémunération à trois niveaux. En utilisant l'exemple ci-dessus, avec un CAC maximal autorisé de 40 $, une structure de rémunération à trois niveaux pourrait ressembler à ceci :

• Niveau 1 : 25 % du CAC = 10 $ de paiement - Toute personne qui accepte mes conditions initiales est éligible.

    o Exemple : Ils s'inscrivent et achètent des produits ou une certification.

• Niveau 2 : 50 % du CAC = 20 $ de paiement - Une fois qu'ils activent.

---

*   *Lifetime Gross Profit* : Bénéfice Brut à Vie

**   *Customer Acquisition Cost* : Coût d'Acquisition Client

 Copyright © 2024 par ACQUISITION.COM LLC. NON DESTINÉ À LA DISTRIBUTION.

o Exemple : *terminer effectivement la certification qu'ils ont achetée*, effectuer un nombre spécifique de publications et de prospections, lancer une campagne, etc. Cela leur offre une belle récompense (le double de la rémunération) pour l'activation.

- Niveau 3 : 100 % du CAC = 40 $ de paiement - Une fois qu'ils <u>maintiennent</u> un certain niveau de performance.

o Exemple : ils conservent cinq clients par mois en abonnement.

Cette méthode étagée a également un effet secondaire caché et très rentable. La rémunération <u>moyenne</u> est *bien inférieure* à ton CAC maximal autorisé. Cela signifie que si nous réservons les rémunérations maximales pour les meilleurs affiliés, alors nous pouvons conserver le profit « restant ». Nous pouvons utiliser l'argent restant pour organiser d'énormes concours, faire de la publicité pour attirer davantage d'affiliés, encourager les étoiles montantes, etc. Ou, je suppose, nous pouvons simplement le mettre dans nos poches.

Par exemple, si 20 % des ventes proviennent du niveau 1, 20 % du niveau 2 et 60 % du niveau 3, ta rémunération combinée est de 30 $ au lieu de ton CAC maximal autorisé de 40 $. Cela signifie que ton ratio LTGP : CAC vient de passer de 3:1 à 4:1. Et souvent, réduire les coûts marketing de 33 % peut se traduire par une augmentation de 10 % à 20 % du bénéfice net à la fin de l'année. Un énorme bond en avant.

Conseil de Pro : Payer avec des produits si possible « Vends-en 3 pour en obtenir gratuitement »

Tout le monde aime les choses gratuites. Souvent, plus que ce que cela leur coûterait pour l'obtenir. Récompenser la performance avec des produits est un moyen économique et efficace de les maintenir dans la course. Ils le valorisent au prix de détail, mais cela ne te coûte que ton coût. Un arbitrage agréable de la valeur.

Établis des paliers de vente et récompense tes affiliés avec des produits ou un crédit pour le coût au détail. À des niveaux inférieurs, tu peux même les récompenser *exclusivement* avec des articles gratuits. Par exemple : Si tes affiliés t'envoient de nombreux clients pour des massages, il est tout à fait acceptable de récompenser tes affiliés avec des massages gratuits. À faible volume, un massage vaut souvent plus pour eux que de leur envoyer un chèque de 30 $ (ton coût). Mais à mesure que les affiliés t'envoient plus de clients, ils opteront généralement pour plus d'argent. Après tout, échanger 100 massages devient irréaliste.

Chez Prestige Labs, j'offrais à quiconque vendait plus de trois forfaits par mois un pack gratuit d'une valeur de 200 $ de leur choix. Cela faisait également de chaque affilié un athlète sponsorisé. Ils recevaient des produits gratuits à vie tant qu'ils maintenaient trois clients par mois. Je l'appelais « Vends-en trois pour l'obtenir gratuitement ».

Copyright © 2024 par ACQUISITION.COM LLC. NON DESTINÉ À LA DISTRIBUTION. **229**

Étape Action : Détermine ce que tu veux payer à tes affiliés pour que tu puisses planifier combien, avec quoi, et à quelle fréquence les payer.

Étape 5 : Mets-les à la publicité - lancement

Comme pour les personnes qui recommandent, la valeur que les affiliés obtiennent de toi détermine à quel point ils font de la publicité pour tes produits. Alors, *traite-les comme des clients.* Offre-leur quelque chose de bien, rapidement. Et rien ne le fait mieux pour les affiliés que de grands lancements et beaucoup d'argent.

Voici comment fonctionnent les lancements :

Les affiliés font de la publicité pour ton lead magnet principal ou ton offre de base à leur public *avant qu'ils ne puissent l'acheter.* Ils postent. Ils font du démarchage chaleureux. Ils diffusent des annonces payantes. Ils peuvent même faire du démarchage à froid. Ils font autant de publicité que possible jusqu'au jour du lancement. Lorsque le produit est disponible, ils le vendent à tous les prospects engagés qu'ils ont rassemblés. Certains vendent en tête-à-tête, certains font des présentations à l'ensemble du groupe. Et d'autres rendent simplement le produit disponible.

Alors, si tu prévois de faire des lancements pour activer tes affiliés, ce que tu devrais faire, autant les faire bien. J'utilise la méthode du chuchoter-teaser-crier. Je ne me souviens plus où j'ai entendu cela pour la première fois, mais le nom est resté. C'est parti pour le lancement.

Avant de commencer le lancement, n'oublie pas : *les bons lancements requièrent du travail préalable.* Fais donc tout le travail pour eux. Ensuite, ils n'auront plus qu'à brancher et jouer. Analysons chaque phase du lancement, et je te donnerai un exemple de lancement de mon livre pour illustrer chaque point. Remarque : voici comment tu lances *n'importe quoi*, pas seulement des affiliés. Je l'ai inclus dans la section sur les affiliés parce que je n'ai pas trouvé de meilleure façon d'activer les affiliés que les lancements.

Chuchoter : *Pense à « appels accrocheurs ».* Comme une publicité, la clé de la phase de chuchotement est la curiosité. Garde le produit lui-même mystérieux et suggère à quel point c'est une grosse affaire. Garde les chuchotements courts. Et points bonus si tu montres les coulisses de la création de ton produit.

Si tu as quelque chose en préparation, tu peux commencer la phase de chuchotement plusieurs années à l'avance. Plus tu commences à chuchoter tôt, plus cela devient une grosse affaire pour ton public. Nous commençons tôt parce que, plus quelque chose semble prendre du temps, plus un public lui accorde de la valeur. Par exemple, toutes choses étant égales par ailleurs, un public accordera plus de valeur à un produit qui a pris dix ans à être créé qu'à un produit qui a pris dix jours. Alors, *montre ton travail.*

Rappelle-toi : la curiosité vient du désir de savoir ce qui se passe ensuite. Alors, insère des questions sur le produit dans leur esprit. Nous devons leur parler de quelque chose dont ils veulent en savoir plus, puis dire... *pas encore.*

Par exemple, pendant la phase chuchotement du lancement de mon livre : j'ai publié du contenu, contacté des amis, envoyé des e-mails à ma liste et informé les affiliés potentiels des mises à jour importantes du livre. J'ai montré à quel stade j'étais dans la rédaction. J'ai pris des photos en coulisses de l'impression des brouillons. J'ai montré les nombreuses versions des structures que j'ai dessinées. J'ai partagé des vidéos de moi en train d'éditer le livre tôt le matin et tard le soir, etc. Tout cela a suscité la curiosité de ceux qui veulent des prospect et les a incité à *prêter attention.*

Étape Action : Commence à chuchoter toutes les quatre à six semaines jusqu'à ce que tu aies soixante jours d'avance. Ensuite, chuchote toutes les deux à trois semaines jusqu'à ce que tu aies trente jours d'avance. Ensuite, commence à teaser...

Teaser : Pense *aux « Éléments de valeur ».* Il est temps de commencer à satisfaire toute la curiosité que tu as créée pendant la phase de chuchotement. Révèle ton produit, rends la date du lancement publique et commence à montrer les éléments de valeur. Utilise le cadre Quoi - Qui - Quand du chapitre sur les annonces payantes.

Par exemple, pendant la phase de teasing de mon lancement de livre : j'ai été plus précis et j'ai révélé plus d'informations « hard » sur le livre. J'ai commencé à faire de la publicité sur la façon dont le livre satisfaisait le résultat rêvé de leads illimités. De faire moins de travail et de le faire plus rapidement que ce qu'ils pouvaient imaginer. J'ai également montré des dizaines d'exemples exploitant le potentiel du livre.

Étape Action : Commence à teaser une fois par semaine jusqu'à quatorze jours avant. Ensuite, tease deux fois par semaine jusqu'à trois jours avant. Trois jours avant, il est temps de crier sur tous les toits.

Copyright © 2024 par ACQUISITION.COM LLC. NON DESTINÉ À LA DISTRIBUTION.

Crier : *Pense « Appel à l'action ».* Donne à ton audience des actions spécifiques à entreprendre lors du lancement du produit. Commence maintenant à marteler l'audience avec des bonus, la rareté, l'urgence et des garanties autour d'être « les premiers ». Tu cries pour exposer ton offre au plus grand nombre de personnes possible.

Par exemple, la phase de cri lors du lancement de mon livre : j'ai donné des appels à l'action spécifiques. Des rappels brefs, clairs et simples pour s'inscrire au lancement du livre. J'ai rappelé à tous les avantages exclusifs réservés à ceux qui achetaient pendant le lancement.

Étape Action : Crie au moins deux fois par jour à partir de trois jours avant. Le jour J, commence à crier toutes les quelques heures jusqu'à deux heures avant. Ensuite, crie toutes les trente minutes jusqu'au lancement du produit.

Conseil de Pro : Sorties de films

Le meilleur exemple concret de chuchoter - teaser - crier est celui des sorties de films. Ils diffusent des bandes-annonces de cinq secondes un an avant. Puis une de trente secondes quatre-vingt-dix jours avant. Ensuite, des bandes-annonces plus longues à mesure que la date approche. Ils suscitent la curiosité, puis l'intérêt, puis l'action.

Étape Action : Incite tes affiliés à lancer. Mets-leur à disposition tout ce dont ils ont besoin pour faire la phase chuchoter - teaser - crier correctement. Ils font la publicité. Tu obtiens des prospects engagées. Tout le monde est rémunéré.

Copyright © 2024 par ACQUISITION.COM LLC. NON DESTINÉ À LA DISTRIBUTION.

Étape 6 : Maintiens-les à la publicité

La stratégie que nous utilisons pour faire en sorte qu'ils *commencent* à faire de la publicité diffère de celle que nous utilisons pour les pousser à *continuer* à en faire. Dans un monde idéal, tu vends une fois à un affilié et ils envoient des prospects engagés à vie. L'intégration nous y amène.

J'ai trois façons dont tu peux intégrer ton produit dans leur offre. Je les classe de la plus facile à la plus difficile. Premièrement, tu peux les inciter à offrir ton lead magnet à chaque achat de leurs produits. Deuxièmement, tu peux les convaincre de vendre séparément ton lead magnet à leur audience. Troisièmement, tu peux les inciter à vendre directement ton offre principale.

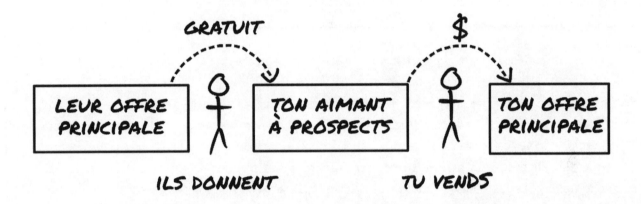

Ils offrent gratuitement ton lead magnet, ce qui rend leur offre principale plus précieuse sans coût supplémentaire. Ensuite, tu fais une vente incitative pour ton offre principale et chaque offre ultérieure.

1) Tu incites les affiliés à offrir ton lead magnet gratuitement lorsqu'une personne achète leurs produits. L'idée ici est que ton lead magnet rende l'offre de l'affilié plus précieuse. Cela leur permet de facturer davantage *et* d'obtenir plus de prospects qu'ils ne pourraient le faire sans cela. N'oublie pas, les meilleurs lead magnets offrent un essai gratuit ou un échantillon de ton offre, révèlent un problème, ou proposent une étape unique d'une solution à plusieurs étapes. Voici des exemples de chacun :

Échantillons et essais : Disons que je vends des massages et que je recrute le studio de coaching personnel à côté comme affilié. Maintenant, chaque personne qui achète un entraînement personnel chez eux obtient un massage gratuit de ma part. Le studio de coaching personnel a maintenant une offre plus forte pour laquelle ils peuvent facturer davantage, et nous obtenons plus de prospects pour les massages. Tout le monde est gagnant.

Révéler un problème : Au lieu d'offrir un massage gratuit, nous proposons une évaluation de la posture gratuite ou à prix réduit avec chaque forfait d'entraînement qu'ils vendent. Les évaluations et les réductions ajoutent moins de valeur à l'offre de l'affilié, mais certaines personnes le feront quand même. Et pour être clair, après avoir évalué le client, tu lui fais une offre pour résoudre les problèmes que tu as révélés.

Copyright © 2024 par ACQUISITION.COM LLC. NON DESTINÉ À LA DISTRIBUTION.

<u>Une étape dans un processus à plusieurs étapes</u> : Disons que tu as un plan de traitement en trois parties : massage, étirements et ajustements. Les personnes qui obtiennent une valeur suffisante d'une étape craindront de manquer les autres étapes. Plus elles pensent que les autres étapes les aideront à résoudre leur problème plus important, plus elles seront susceptibles de les acheter. Ton affilié offrirait gratuitement la première étape de ton processus à plusieurs étapes. Tu ferais une vente incitative avec les prospects à partir de là.

<u>Ce que j'ai fait</u>. Nous avons incité les affiliés de salle de sport à offrir une consultation nutritionnelle gratuite à chaque nouveau membre. Ensuite, nous faisions une vente incitative de nos produits lors de la consultation. Ils peuvent annoncer qu'ils incluent des consultations nutritionnelles pour obtenir plus de prospects, et ils peuvent facturer davantage pour la valeur ajoutée. Et nous avons l'occasion de vendre ces prospects. Tout le monde est gagnant.

Conseil de Pro : Lead magnet sous marque blanche

Une de mes stratégies préférées est de les laisser utiliser les lead magnets que j'ai déjà créés pour mon public, pour le leur. Assure-toi simplement que tes affiliés sont d'accord avec la manière dont tu apportes de la valeur et comprennent ton appel à l'action. Au maximum, quelques ajustements dans le texte rendront ton lead magnet fonctionnel pour eux. Par exemple, pour les salles de sport, j'ai créé des plans alimentaires, des listes de courses et des instructions de préparation des repas sous marque blanche (sans logo). Je les ai donnés aux salles de sport pour les utiliser comme lead magnet pour leurs clients. Tout ce qu'ils avaient à faire était de mettre leur logo dessus, et voilà, leur public a pu bénéficier de tout mon travail instantanément. Et nous avons tous les deux obtenu plus de prospects.

Ils vendent leur offre principale. Ensuite, ils font une vente incitative avec ton lead magnet.
Ensuite, tu fais une vente incitative avec ton offre principale et chaque offre suivante.

2) Les affiliés vendent ton Lead Magnet. Fondamentalement, l'affilié peut vendre tout ce qui est à toi et qui transforme leurs clients en tes clients. Cela pourrait être un livre, un événement, un service, un logiciel, un échantillon de produit, etc. De plus, donner à tes affiliés tout l'argent provenant de la vente d'un lead magnet *que tu fournis* ne devient que du profit sans aucun travail pour eux – une proposition attrayante pour

 Copyright © 2024 par ACQUISITION.COM LLC. NON DESTINÉ À LA DISTRIBUTION.

toute entreprise. Ton argent provient de la vente de ton produit principal pour plus que ce qu'il t'a coûté de fournir ton lead magnet. Et si tu le fais de cette manière, tu n'as pas besoin de partager d'argent avec eux sur ton offre principale. Une autre situation gagnant-gagnant.

Exemple : ils vendent chacune de ces choses que nous avons offertes gratuitement à l'étape précédente. Ils vendent ton massage à un prix réduit. Ils vendent ton évaluation (que tu pourrais faire en tête-à-tête ou sous forme de groupe comme un atelier). Ils vendent la première étape de ta solution en plusieurs étapes.

Ce que j'ai fait. Les salles de sport vendaient une consultation nutritionnelle avec nous et gardaient l'argent. Ils pouvaient peut-être facturer 99 $ ou 199 $ pour vendre une heure de notre temps. Si nous étions malins, nous les laisserions garder tout l'argent. Si nous le faisons, ils nous enverront encore plus de prospects. Ensuite, nous vendrions nos produits supplémentaires pendant la consultation.

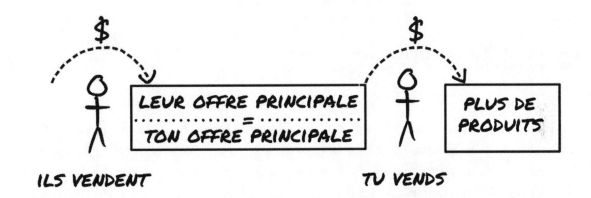

... ensuite, vous partagez l'argent. Soit vous partagez l'argent initial, tout l'argent pour une période donnée, ou tout l'argent indéfiniment. Je préfère payer indéfiniment afin que mes affiliés restent motivés à conserver mes clients à long terme. Et, je ne limite jamais les paiements.

3) Les affiliés vendent ton offre principale. Un affilié vend directement ton offre principale à ses clients et ajoute une autre source de revenus sans travail supplémentaire. Pour certains affiliés, c'est leur seule source de revenus ! De nombreuses entreprises proposent cette structure soit comme une nouvelle opportunité commerciale, soit en complément de l'activité existante de l'affilié. De toute façon, tout ce que tu vends, ils peuvent le vendre. Lorsque tu fais cela, l'affilié obtient un pourcentage plus élevé de ton bénéfice brut à vie, mais tu n'as rien d'autre à faire que de livrer.

Exemple : ils vendent l'intégralité de ton forfait massage. Ils vendent l'intégralité de ton programme ou de tes services. Ils regroupent leurs services avec tes services payants et facturent un prix encore plus élevé.

Ce que j'ai fait. Nous avons appris aux salles de sport à organiser des consultations nutritionnelles avec des produits sous marque blanche. Ensuite, nous leur avons appris à vendre nos compléments directement à leurs membres et nous avons partagé l'argent.

Copyright © 2024 par ACQUISITION.COM LLC. NON DESTINÉ À LA DISTRIBUTION.

Les trois stratégies fonctionnent. Elles sont simplement différentes. Après des tests, nous continuons à utiliser la Stratégie 1 (deux fois par an lors d'un grand événement) et la Stratégie 3 de manière continue. Cela étant dit, de nombreuses entreprises similaires dans notre portefeuille utilisent la Stratégie 2. Je partage simplement ce qui a fonctionné pour nous.

<u>L'idée principale</u> : L'intégration est la stratégie à long terme pour utiliser les affiliés et obtenir un flux de prospects durable. Traite les affiliés comme des clients. Fais en sorte que ton offre ait du sens pour leur entreprise. Rends-la tellement attrayante qu'ils se sentiraient bêtes de dire non.

Étape Action : Intègre-toi avec tes affiliés en choisissant si tu veux qu'ils offrent gratuitement ton lead magnet, qu'ils le vendent ou qu'ils vendent directement ton offre principale.

Voilà les six étapes pour recruter une armée d'affiliés. Maintenant que nous avons abordé cela, laisse-moi te donner trois études de cas réelles pour bien ancrer ces concepts.

Trois études de cas que tu peux modéliser

<u>Étude de cas #1 : une entreprise de services : services nationaux de préparation fiscale</u>

L'entreprise de mon ami, évaluée à 50 millions de dollars, se spécialise dans la création de SARL, l'ouverture de comptes bancaires et dans les articles de constitution. Il se concentre sur les personnes qui lancent leur entreprise pour la première fois. Cependant, il ne cherche pas à concurrencer Legalzoom. Au lieu de cela, il l'a construit en partenariat avec des personnes formant de nouveaux entrepreneurs. Sa stratégie est simple : aider ces personnes à vendre plus en vendant également ses propres produits. Ainsi, il offre à chaque client affilié la configuration gratuite d'une SARL. Te souviens-tu du « lead magnet de coût élevé » de la Section II ? C'est l'un de ceux-là.

Lancement : Il organise un grand séminaire de lancement devant les audiences de ses affiliés pour lancer les choses. Les gens acceptent volontiers son offre gratuite de création de SARL. C'est son lead magnet.

Intégration : Une fois que les affiliés voient le succès du lancement, ils intègrent son lead magnet dans leur offre principale. Ensuite, l'équipe de mon ami prend contact par téléphone *avec les clients que les affiliés lui apportent gratuitement.*

Voici comment il gagne de l'argent. Il leur vend ce dont ils auront besoin ensuite. Les services dont ils auront besoin pour démarrer leur entreprise : comptabilité, préparation fiscale, etc.

Il n'a pas dépensé un dollar en publicités. Ses vrais coûts publicitaires se résument à deux choses. Premièrement, la livraison de son lead magnet gratuit (la configuration de la SARL). Et deuxièmement, le paiement d'un pourcentage de chaque première vente aux affiliés qui les ont envoyés. C'est tout. Et tout le monde est gagnant.

Étude de cas #2 les produits physiques : Prestige Labs, ma société de compléments alimentaires

Nous vendons aux propriétaires de salles de sport chez Gym Launch et nous les formons sur la manière de faire de la publicité et de vendre leurs abonnements de salle de sport. Prestige Labs propose une gamme de compléments pour les adultes actifs. Cela fait de Gym Launch un partenaire parfait pour Prestige Labs. Il dispose d'une communauté de propriétaires de salles de sport qui ont également des clients adultes actifs. Ainsi, lorsque Gym Launch vend à un nouveau propriétaire de salle de sport, ils présentent les nouveaux propriétaires de salles de sport à Prestige Labs. Ensuite, l'équipe de Prestige Labs suit la stratégie de « lancement puis intégration » ci-dessus. (Nous faisons vraiment cela).

Lancement : Nous fournissons aux propriétaires de salles de sport des supports publicitaires afin qu'ils puissent réengager leurs clients actuels et passés. Nous nous concentrons sur une approche chaleureuse et publions du contenu gratuit pour un challenge gratuit de 28 jours. Lorsqu'ils participent au défi gratuit, les propriétaires de salles de sport leur vendent des compléments à utiliser avec le programme. Le propriétaire de la salle de sport obtient plus de clients. Il gagne de l'argent. Nous gagnons de l'argent. Tout le monde gagne.

Intégration : Après le lancement, nous leur apprenons à vendre des compléments à chaque nouveau membre de la salle de sport. Ainsi, lorsque de nouveaux clients achètent un forfait d'adhésion, le propriétaire de la salle de sport organise une consultation nutritionnelle. Lors de la consultation nutritionnelle, le propriétaire de la salle de sport leur vend des compléments d'une valeur de 50 $ à 1000 $. Donc, si une salle de sport inscrit vingt clients par mois et parvient à convaincre soixante-dix pour cent d'entre eux d'acheter des compléments, nous obtenons quatorze nouveaux clients par mois par salle de sport. Cela ne semble peut-être pas beaucoup, mais lorsque tu multiplies 4000 salles de sport par 14 nouvelles ventes par mois par salle de sport par une commande moyenne de 200 $, cela représente beaucoup d'argent chaque mois.

Étude de cas #3 d'une entreprise locale : Chiropracteurs

Les chiropracteurs recherchent de nouveaux patients. Et l'une de nos entreprises partenaires leur enseigne à utiliser une stratégie d'affiliation pour les obtenir. Leur modèle est simple : aller vers des entreprises à fort volume qui ont des personnes ayant besoin d'ajustements. Une salle de sport convient parfaitement. Voici ce qu'ils font.

Lancement : Ils incitent le propriétaire de la salle de sport à promouvoir un atelier de trois heures où ils présentent des exercices et des postures correctes pour tirer davantage de leurs entraînements. Le propriétaire de la salle de sport promeut l'atelier gratuitement ou le vend pour 29 $ à 99 $ par personne. Le chiropracteur partage l'argent avec le propriétaire de la salle de sport. Astuce : si tu donnes à l'affilié (le propriétaire de la salle de sport dans ce cas) 100 % de l'argent, il voudra le faire plus souvent. Donc, si une salle de sport attire trente personnes pour 99 $, elle réalise un bénéfice de 2970 $ pour zéro travail, hormis quelques e-mails et publications. Lors de l'atelier, le chiropracteur fait une présentation subtile de ses services et obtient un groupe de nouveaux patients. Facile comme bonjour.

Copyright © 2024 par ACQUISITION.COM LLC. NON DESTINÉ À LA DISTRIBUTION.

Intégration : À long terme, le chiropracteur convainc le propriétaire de la salle de sport d'inclure un à deux ajustements de posture avec chaque nouvelle adhésion que la salle de sport signe. Cela augmente la valeur de l'adhésion à la salle de sport par rapport à celle du gars d'à côté. De plus, cela montre que la salle de sport accorde une priorité à la santé et à la sécurité de ses membres (une grande préoccupation pour les débutants). Gagnant-gagnant. Désormais, chaque nouveau membre de la salle de sport devient un prospect que le chiropracteur peut suivre. Ils répètent ce processus avec trente salles de sport et obtiennent plus de patients qu'ils ne peuvent en gérer.

Conseil de Pro : Les employés sont aussi des prospects

Les entreprises qui embauchent beaucoup de personnes font d'excellents affiliés. C'est ÉNORME pour les entreprises vendant directement aux consommateurs et c'est *largement* sous-exploité.

<u>Exemple</u> : Chaque nouvel employé dans une entreprise reçoit un massage gratuit dans son kit d'intégration. Ou bien, tu peux offrir des massages gratuits à leurs employés pendant la pause déjeuner. C'est gratuit. C'est facile. Et de nombreuses entreprises veulent apporter une valeur ajoutée à leurs équipes. Ils obtiennent une valeur gratuite, tu obtiens des prospects gratuits. Et comme ils ne sont probablement pas dans le même secteur que toi, il n'y a aucun risque de 'concurrence' avec eux. Les employeurs peuvent donc être parmi les affiliés les plus faciles à intégrer.

Coûts et retours

« Les affiliés ne peuvent pas fonctionner pour mon entreprise, » dit le perdant.
« Je dois faire en sorte que les affiliés fonctionnent pour mon entreprise, » dit le gagnant.
Sois un gagnant.

Lors du calcul des rendements avec d'autres méthodes, nous avons comparé le bénéfice brut à vie (LTGP) avec le coût d'acquisition d'un client (CAC). Donc, nous dépensons de l'argent pour acquérir des clients et les clients, dans une entreprise rentable, nous rapportent plus d'argent. Les affiliés fonctionnent différemment. Nous dépensons de l'argent pour obtenir des affiliés, c'est vrai. Mais nous ne récupérons pas vraiment beaucoup d'argent directement des affiliés eux-mêmes. Au lieu de cela, l'argent que nous dépensons pour obtenir un affilié revient *des clients qu'ils nous apportent*. Ainsi, pour calculer les rendements, nous comparons le coût pour obtenir un affilié avec le bénéfice brut de *tous* les clients qu'ils envoient à notre entreprise.

Exemple :

- Disons que nous possédons une entreprise de widgets qui se développe avec des affiliés.

- Cela nous coûte 4000 $ en publicité pour obtenir un affilié. CAC = 4000 $

- Notre affilié moyen vend 10 000 $ de widgets par mois et reste pendant 12 mois.

  o (10 000 $ par mois) x (12 mois) = 120 000 $ de ventes totales

- Les widgets ont une marge brute de 75 %. En d'autres termes, ils coûtent 25 % du prix de détail à fabriquer.

  o (120 000 $ de ventes totales) x (25 % de coût des marchandises) = 30 000 $ de coût total des marchandises

  o (120 000 $ de ventes totales) - (30 000 $ de coût total des marchandises) = 90 000 $ de bénéfice brut provenant de tous les clients que l'affilié apporte

- Nous payons aux affiliés 40 % du bénéfice brut :

  o (90 000 $ de bénéfice brut) x (40 % de paiement) = 36 000 $ à l'affilié en paiement.

- Voici le bénéfice brut qu'il nous reste après les coûts des marchandises et les paiements :

  o (120 000 $ au total) - (30 000 $ de coûts) - (36 000 $ de paiements) = 54 000 $ restants

- Trouvons notre ratio LTGP à CAC pour les affiliés :

  o (54 000 $ de bénéfice brut restant) / (4000 $ pour obtenir un affilié) = 12,5 : 1

  … Pas mal du tout.

Si tu te souviens plus tôt, nous devons *être au moins* à 3:1 pour avoir une entreprise décente. Comme dans l'exemple, nous voulons que le ratio soit encore plus élevé que cela (5:1, 10:1+). Maintenant, si nous avions ces chiffres, nous ferions simplement *plus*. Mais si ton ratio LTGP : CAC réel est inférieur à 3, voici les trois façons de l'améliorer :

1) Réduire le CAC : Obtiens des affiliés *pour moins cher* (en améliorant tes annonces, ton offre et ton processus de vente).

2) Augmenter le LTGP et réduire le CAC : Fais en sorte que plus de personnes *activent* (en créant un processus de lancement).

3) Augmenter le LTGP : Rends-les *plus rentables* (en améliorant ton processus d'intégration).

Copyright © 2024 par ACQUISITION.COM LLC. NON DESTINÉ À LA DISTRIBUTION.

Avec les affiliés, tu as maintenant au moins deux niveaux de clients. Tes clients et les personnes qui te ramènent des clients. Et si tu as des super-affiliés, tu ajoutes un troisième niveau, les personnes qui te ramènent les personnes qui te ramènent des clients ! Cela ajoute de la complexité, mais si tu peux le gérer, cela en vaut la peine.

Maintenant que tu comprends comment utiliser les affiliés pour faire de la publicité et comment les rendre plus rentables, ramenons tout à la maison.

Conclusion

Comme les recommandations, les affiliés ne sont pas une méthode publicitaire que tu peux simplement « faire ». Ce sont des personnes qui font de la publicité pour ton produit dans l'intérêt des deux parties. Tu mets en place les quatre principes essentiels pour les attirer, et si tu veux qu'ils t'apprécient, *alors traite-les comme des clients*. Parce que, à bien des égards, c'est ce *qu'ils sont*. Et si tu leur offres plus de valeur que ce que cela leur coûte pour l'obtenir (surtout les coûts cachés), ils te fourniront plus de prospects que tu ne pourras en gérer.

Comme nous l'avons appris plus tôt, il y a deux façons de créer une entreprise cumulative. Tu peux trouver plus de personnes qui n'arrêtent jamais d'acheter ton produit, ou tu peux trouver plus de personnes qui n'arrêtent jamais de le vendre pour toi. Les recommandations sont la première option. Les affiliés sont l'échelle.

En théorie, une fois que tu as créé une armée d'affiliés, tu n'as plus jamais besoin de faire de la publicité. Ils continuent à te fournir des prospects mois après mois. La principale raison, c'est que cela a du sens pour eux. La manière dont tu fais des affaires, ton leadership et la valeur de ton produit entrent tous en jeu. Tu es aussi bon que la bienveillance que tu as envers tes partenaires affiliés. Si tout est bien orchestré, vous devriez tous les deux en tirer profit. Ils devraient être en mesure de dépenser davantage pour acquérir des clients grâce à une offre plus attrayante, des bénéfices plus élevés, ou les deux. Et en retour, tu obtiens des prospects plus engagés. Alors pourquoi tout le monde ne le fait-il pas ? Ils ne savent pas que c'est possible. Ils ne savent pas comment. Ou ils ne veulent pas. C'est aussi simple que ça. Heureusement nous avons résolu ces trois problèmes en même temps.

N'oublie pas, *la publicité fonctionne toujours*, c'est simplement une question d'efficacité. Donc, une fois que tu commences, continue jusqu'à ce que ça marche.

Copyright © 2024 par ACQUISITION.COM LLC. NON DESTINÉ À LA DISTRIBUTION.

Étapes action

Fais de la publicité pour ton offre affiliée jusqu'à ce que tu obtiennes dix à vingt affiliés. Obtiens des résultats avec ces affiliés et utilise leurs retours pour corriger les imperfections de ton offre, tes conditions, tes lancements et ta stratégie d'intégration. Ensuite, élargis à grande échelle en transformant leurs résultats en ta première série de lead magnets affiliés.

BONUS GRATUIT : BONUS pour construire ton armée d'affiliés

Comme tu peux le voir, je suis un grand adepte de la création de programmes d'affiliation lorsqu'ils sont bien faits. Pour t'aider à « le faire correctement » dès la première tentative, j'ai créé une formation vidéo approfondie pour toi. Tu peux l'obtenir gratuitement sur : Acquisition.com/training/leads. Et comme toujours, tu peux également scanner le QR code ci-dessous si tu n'aimes pas taper dans la barre de recherche.

Copyright © 2024 par ACQUISITION.COM LLC. NON DESTINÉ À LA DISTRIBUTION.

Conclusion de la Section IV :
Obtenir des générateurs de prospects

« La dernière compétence que tu n'auras jamais besoin d'apprendre est comment amener d'autres personnes à faire tout ce dont tu as besoin. »

Nous mettons en œuvre les quatre principes essentiels pour obtenir des prospects engagés : l'approche chaleureuse, la publication de contenu, la prospection à froid et les annonces payantes. Et nous les utilisons pour obtenir deux types de prospects engagés : ceux qui deviennent des clients ou ceux que nous transformons en générateurs de prospects. Les générateurs de prospects se déclinent en quatre catégories : ceux qui recommandent, les employés, les agences et les affiliés.

Chacun d'eux a des atouts clés :

- Les recommandations de clients ont le plus grand potentiel de croissance exponentielle à faible coût.
- Les employés ont ton influence directe et font fonctionner ton entreprise en ton nom.
- Les agences enseignent des compétences que tu gardes à jamais et que tu peux transférer à ton équipe.
- Les affiliés, une fois lancés, peuvent fonctionner entièrement de manière autonome.

Tu peux soit faire de la publicité, soit laisser d'autres personnes le faire. Et il y a plus de « personnes extérieures » que de toi. *Tu obtiens plus de prospects pour le travail que tu fais lorsque tu as de l'aide.* Donc, si tu veux obtenir une tonne de prospects, c'est la voie à suivre.

Tu as peut-être la tête qui tourne. Maintenant que tu comprends ces méthodes publicitaires, tu vois des prospects partout où tu regardes. *Nous avons tellement de façons de croître !* Et tu aurais raison. Mais... tu ne sais pas sur laquelle te concentrer.

Toutes ces méthodes de prospection peuvent soutenir une stratégie réussie de génération de prospects, et je les ai placées dans l'ordre de ce qui se produit naturellement. Si tu commences seul, tu as tendance à obtenir tes premières recommandations avant de commencer à constituer une grande équipe. Et lorsque tu commences à constituer une grande équipe (employés), tu commenceras probablement à chercher de l'aide professionnelle (agences). Et seulement lorsqu'un chef d'entreprise maîtrise la gestion de ses employés, il a généralement le courage d'essayer de gérer des personnes en dehors de son entreprise (affiliés). En tout cas, il faut oublier l'idée que tout va fonctionner dès la première fois.

Si tu penses que tu vas devenir millionnaire la première année où tu te lances seul, tu te trompes probablement. C'est très peu probable. Et une obsession pour « devenir riche rapidement » garantira probablement que cela n'arrive jamais. Les gens essaient des raccourcis pendant une décennie jusqu'à ce qu'ils réalisent qu'ils auraient dû *choisir une stratégie et s'y tenir pendant une décennie.* Si tu fais cela, le succès est inévitable. Une fois que tu trouves quelque chose qui fonctionne pour toi, reste fidèle à ton choix.

Ce sont les meilleurs mots d'encouragement que je puisse offrir. Plus tu joues le jeu, plus tu t'amélioreras et plus tu connaîtras le succès. Ne renonce pas ou ne change pas de méthode après quelques échecs. C'est normal de perdre au début. En fait, je m'attends à percer une nouvelle source de prospects en trois à six

Copyright © 2024 par ACQUISITION.COM LLC. NON DESTINÉ À LA DISTRIBUTION.

mois (et ce n'est pas ma première expérience). Donc, si tes attentes sont plus rapides que ça, penses-tu que tes attentes soient raisonnables ?

Nous avons abordé beaucoup de choses ici. Cette section explique comment tu évolues : en faisant appel à d'autres personnes pour t'aider. Elles sont le maillon manquant. Chacune a sa propre stratégie et ses meilleures pratiques. Utilise ce qui s'applique à toi maintenant.

Cela nous amène à la Section V : Se lancer. Je veux tout assembler pour toi de manière claire afin que tu saches *exactement quoi faire ensuite*. Ensemble, nous éliminerons les prospects comme goulot d'étranglement dans ton entreprise pour toujours. En avant !

Copyright © 2024 par ACQUISITION.COM LLC. NON DESTINÉ À LA DISTRIBUTION.

Section V : Se lancer

« Ce n'est pas la fin. Ce n'est même pas le début de la fin. Mais c'est peut-être la fin du commencement. »
— *Winston Churchill*

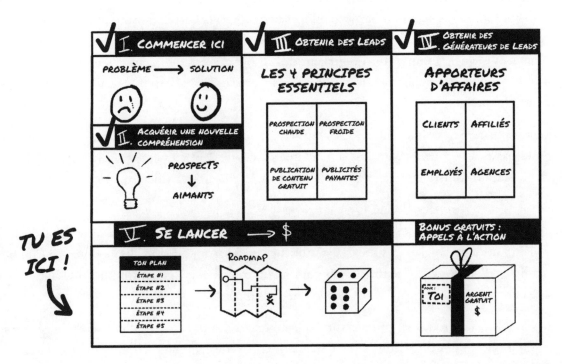

Juin 2017. Trois mois après avoir tout perdu de nouveau et avoir basculé Gym Launch vers la licence.

« Hey Leila, qu'est-ce que tu en penses ? » ai-je demandé.

« Qu'y a-t-il? »

Je lui ai donné mon téléphone.

> « M. et Mme Hormozi, *nous vous invitons cordialement à un événement privé pour les entrepreneurs générant huit chiffres et plus. Faites-moi savoir si cela vous intéresse.* »

« Cela semble cool », dit-elle. « ... mais nous ne faisons pas huit chiffres ? »

J'ai fait semblant de ne pas l'entendre. « Tu veux y aller ? »

« Bien sûr. C'est inclus dans nos frais de mentorat ? »

« Attends une seconde, je vais demander. »

Une réponse par e-mail est arrivée un moment plus tard :

> *Non, c'est un frais supplémentaire. C'est un événement de deux jours limité à dix personnes dans un complexe privé.*

Copyright © 2024 par ACQUISITION.COM LLC. NON DESTINÉ À LA DISTRIBUTION.

« Non » ai-je dit.

« Hm. On peut se permettre d'y aller ? » *Ouch.*

« Peu importe. On ne peut pas se permettre de ne pas y aller. »

10 jours, un long vol et un court trajet en voiture plus tard...

Nous y sommes arrivés. La rencontre des « jeunes branchés ». J'avais un objectif, apporter autant de valeur que possible à tout le monde dans la pièce. Mais dès que je suis entré, j'ai su que je n'étais pas à la hauteur. Je reconnaissais presque tout le monde là-bas. Ils étaient célèbres dans le monde de la publicité. Ils parlaient tous lors d'événements importants. Signaient des autographes. Gagnaient des millions. Puis, il y avait moi. Je n'étais pas un entrepreneur à huit chiffres. J'étais un gamin de Baltimore qui payait juste pour respirer l'air de tout le monde.

Une fois que tout le monde s'est installé, nous avons eu une brève discussion sur les règles de la maison, puis nous sommes passés aux choses sérieuses. Cette manière de faire était en net contraste avec les grandes scènes, les systèmes audio tonitruants, les lumières clignotantes et autres artifices que les « vrais » événements ont.

Le premier orateur était prêt à commencer. Il avait un « man bun » et des vêtements amples de style yoga. Il ressemblait à un hippie. Mais ensuite, il a commencé en disant qu'il ne réalisait « que » 3 000 000 de dollars par mois... *est-ce bien réel !?* Je me sentais comme un imposteur. Les chiffres qu'il partageait avec une attitude si décontractée me stupéfiaient. *Comment est-ce possible ?*

Il a poursuivi son discours en utilisant toutes sortes de jargons commercial, publicitaire et technologique. Il pointait des graphiques et des diagrammes vertigineux. Je suis venu ici pour en apprendre davantage sur la publicité, mais je me sentais de plus en plus bête à chaque seconde. Je reconnaissais suffisamment de mots pour réaliser que je ne savais rien d'utile à leur sujet. Sa présentation me dépassait complètement. J'ai commencé à transpirer à grosses gouttes. Leila a pris ma main. Nous nous sentions tous les deux stressés et dépassés.

Il a terminé et a finalement ouvert la séance de *questions-réponses. Excellent.* Mais les questions étaient toujours du même niveau que sa présentation. *Non, je suis toujours condamné.* Puis, une voix maladroite s'est fait entendre. « Euh... Quels cours suivez-vous pour apprendre toutes ces choses ? » Maintenant, on parle. Je me suis penché en avant. Stylo à la main. Sa réponse a changé ma vie :

« À ce stade, je n'attends pas de tirer quelque chose de nouveau des cours. Je dois apprendre en faisant. Et je 'fais' en consacrant un pourcentage de mes revenus à tester de nouvelles campagnes, de nouveaux canaux, de nouvelles pages, ou simplement des idées folles. Et j'apprends quelque chose à chaque fois que je teste, donc l'argent est bien dépensé. Chaque fois qu'un de ces tests est un succès, et certains le sont, c'est vraiment important. J'apprends quelque chose d'incroyable et je gagne bien plus d'argent que ce que j'ai dépensé. Cela rehausse la barre pour mon entreprise et, plus important encore, pour moi-même. Alors que ce soit 1%, 5% ou 10%, mettez *un certain pourcentage de votre budget publicitaire de côté pour essayer de nouvelles choses sans attendre un retour.* Considérez cela comme un investissement dans votre éducation. »

 Copyright © 2024 par ACQUISITION.COM LLC. NON DESTINÉ À LA DISTRIBUTION.

J'ai senti des frissons me traverser comme si une sorte de démon du jugement avait quitté mon corps. Il m'a donné la permission d'échouer.

Rien de tout cela n'est magique. S'il peut le faire, je le peux aussi.

***

La semaine suivante, j'ai *triplé* mon budget publicitaire. Oui, c'était un peu agressif. Mais ma mentalité avait complètement changé. Soit je ferais plus, soit je m'améliore grâce à mes erreurs :

Notre entreprise est passée de 400 000 $ en juin à 780 000 $ en juillet. À partir de là, mes coûts pour acquérir des clients sont devenus trop élevés. Alors j'ai essayé de nouvelles audiences. La plupart ont échoué. Puis, un succès. Boum, nous avons dépassé le million pour atteindre 1,2 million, puis 1,5 million de dollars par mois.

Ensuite, j'ai réalisé que nous ne suivions pas nos leads engagés... du tout. Nous avons testé les e-mails. Ça n'a pas marché. Nous avons testé les appels téléphoniques. Rien. Ensuite, nous avons essayé les envois de SMS. Bam, nous avons atteint 1,8 million le mois suivant.

À partir de là, nous avons testé les publicités payantes comme des fous. Nous en avons créé beaucoup plus *et* nous avons mis davantage l'accent sur leur valeur de production. Boum. Nous avons dépassé les 2,5 millions de dollars par mois.

Ensuite, nous avons lancé notre programme d'affiliation et ajouté un autre 1,5 million de dollars par mois. Cela nous a propulsés au-delà de 4 millions de dollars par mois. Des années plus tard, notre portefeuille génère maintenant plus de 16 000 000 de dollars par mois.

Alors teste jusqu'à ce que tu trouves quelque chose qui fonctionne. Passe à l'action massive. Reste concentré. Mise davantage dessus jusqu'à ce que cela atteigne ses limites. Puis teste jusqu'à ce que tu trouves la prochaine chose qui fonctionne et mise davantage dessus.

Prendre ces initiatives est le seul moyen de débloquer l'entreprise que tu veux et la vie qui va avec. Et peut-être, vaincre aussi ton démon du jugement.

Alors désormais...

Tu gagnes ou tu apprends.

Copyright © 2024 par ACQUISITION.COM LLC. NON DESTINÉ À LA DISTRIBUTION.

Le début de la fin

Ta rapidité à gagner gros dépend de la vitesse à laquelle tu apprends les compétences pour gagner gros. Obtenir plus de leads engagés avec les compétences de la publicité est un excellent début pour gagner plus d'argent. En fait, si tu gagnes, ne serait-ce qu'une petite somme d'argent, plus de leads engagés te feront gagner encore plus. Et malheureusement, ces compétences prennent du temps à s'apprendre. Donc, je partage mes expériences pour te faire gagner des *années*. Pour réduire l'écart entre pas d'argent et plus d'argent. Il est temps de passer à l'action.

Contenu de la section « Se lancer »

Cette dernière section comprend trois chapitres. Ils sont courts et concis, tout comme notre temps ensemble.

Dans le premier chapitre, publicité dans la vraie vie, je vais te présenter ma seule grande règle publicitaire. Ensuite, je te donnerai mon plan publicitaire personnel en une page que tu pourras utiliser pour obtenir plus de *leads* engagés, dès aujourd'hui.

Dans le chapitre suivant, tout mettre en place, je vais te présenter la feuille de route pour passer de tes premiers leads à ta machine à *leads de 100 millions de dollars.*

Enfin, une décennie en page, je vais résumer tout ce que nous avons appris en points pour montrer à quel point nous avons progressé ensemble. Ensuite, pour t'accompagner, je partagerai une parabole qui m'a aidé même dans mes moments les plus difficiles.

 Copyright © 2024 par ACQUISITION.COM LLC. NON DESTINÉ À LA DISTRIBUTION.

La publicité dans la vraie vie : Ouvert à l'objectif

Si un peu est bien, plus est mieux.

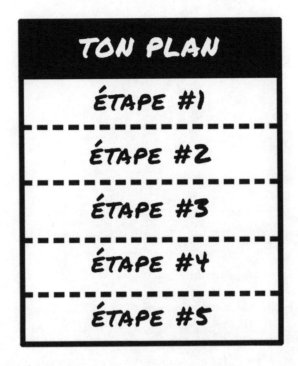

Juin 2014.

Lorsque j'ai lancé ma première salle de sport, j'ai utilisé les mêmes annonces payantes que j'avais utilisées dans la salle de sport de Sam il y a longtemps. Et ça a fonctionné, pendant un certain temps. Avec le temps, les coûts ont commencé à augmenter. J'obtenais moins de prospects pour le même montant. Mais j'avais toujours besoin de plus de clients. Je ne savais pas quoi faire.

J'ai parlé à un mentor qui gérait une chaîne de salons de bronzage pour avoir quelques conseils. Il a dit : « avant toutes ces choses sophistiquées sur internet, les tracts étaient très efficaces pour nous, tu devrais essayer cela ». Alors, nous avons essayé. Nous en avons imprimé 300. Le jour suivant, nous les avons placés sur les voitures dans les zones proches de la salle de sport. Un jour s'est écoulé. Rien. Le lendemain, le téléphone a sonné. *Enfin !*

« Hey, tu as mis un tract sur ma voiture... » Mon cœur battait la chamade. *Ça a fonctionné !*

« ... oui, oui, je l'ai fait ! Comment puis-je... » Mais avant que je puisse finir, il m'a interrompu.

« ... ouais, tu as rayé ma Mercedes... » *Mince.* « ... tu vas devoir payer pour... » J'ai paniqué et j'ai raccroché le téléphone. Il a rappelé. J'ai laissé sonner. Il n'a jamais rappelé. C'était le seul appel que j'ai reçu grâce aux tracts. Aucun prospect. Rien.

Univers : 1. Alex : 0.

Copyright © 2024 par ACQUISITION.COM LLC. NON DESTINÉ À LA DISTRIBUTION.

Quelques semaines plus tard.

Je suis assis dans le hall de ma salle de sport, attendant que des clients tombent du ciel. S Me sentant ennuyé, et un peu frustré, j'ai appelé le mentor ayant eu la « brillante idée » de distribuer des tracts.

« Salut Alex, comment ça va ? »

« Euh, pas trop bien. »

« Oh, que se passe-t-il ? »

« Nous avons distribué les tracts comme vous l'aviez dit. »

« Oh oui, combien de prospects avez-vous obtenu avec ça ? »

« Aucun. »

« Hmm... c'est étrange. » Il a fait une pause. « Quelle était la taille de votre test ? »

« Que voulez-vous dire ? »

« Vous savez, combien en avez-vous distribué ? »

« J'en ai distribué 300 », ai-je dit d'un ton rancunier.

« Zut, vous en avez seulement mis 300 ? Il est difficile de savoir si quelque chose fonctionne avec un si petit nombre... Moi, je teste avec 5000. Ensuite, quand nous trouvons un gagnant, nous en mettons 5000 par jour, tous les jours, pendant un mois... »

Cinq mille ? Il teste avec près de dix-sept fois plus que l'ensemble de ma « campagne ». Et il le fait en <u>une seule journée</u>. J'avais l'impression d'être la personne qui dit que l'exercice ne fonctionne pas après être allée à la salle de sport une fois. Et je déteste cette personne.

« ... Je veux dire, quel genre de réponse pensiez-vous obtenir ? » dit-il en riant. « Si nous obtenons la moitié d'un pour cent, c'est décent. Si nous obtenons un pour cent, c'est un gagnant. Avec 300 tracts, la moitié d'un pour cent serait comme une personne et demie. Cela rend assez difficile de savoir si vous avez un gagnant ou non. »

Je n'avais rien à dire. Il avait raison. *Je me sentais idiot.*

Je doute qu'il se souvienne de l'appel. Mais cela m'a marqué. Je me suis promis que je ne laisserais jamais l'effort être la raison pour laquelle quelque chose ne fonctionne pas pour moi. Cela pourrait être autre chose. L'offre. Le texte. L'image. Le ciblage. Le support. La plateforme. La position de la lune. Mais pas mes efforts.

Ces 300 modestes tracts m'ont enseigné une grande leçon. J'ai fait la bonne chose, mais pas assez souvent. Il me manquait ce qui peut être décrit en un seul mot : le volume.

Neil Strauss a dit une fois : « Le succès se résume à faire la chose évidente pendant une période exceptionnellement longue sans se convaincre qu'on est plus intelligent qu'on ne l'est. » L'action correcte en quantité insuffisante échoue toujours. La plupart des gens, moi compris, s'arrêtent trop tôt. Nous n'en faisons *pas assez*.

La plupart des gens sous-estiment considérablement le volume nécessaire pour faire fonctionner la publicité. Ils ne font pas la moitié, ni le tiers de ce qui est nécessaire. En fait, ils en font beaucoup moins. Je faisais 1/1500e du niveau d'effort nécessaire pour faire fonctionner une campagne de tracts - *je ne le savais tout simplement pas.*

J'entends cela tout le temps. « Alex, j'ai contacté 100 personnes au cours des six dernières semaines, je n'ai eu qu'un seul client, ça ne marche pas. » Réponse : « Vous avez fait 1/42 de la quantité de travail nécessaire. C'était 100 par jour, pas 100 au fil du temps. »

La plupart des gens ne comprennent pas que la publicité est un jeu d'entrées et de sorties. Pour eux, les sorties semblent échapper à leur contrôle. Leurs faibles entrées d'effort leur donnent une production de leads engagés faible et peu fiable.

Cela prend fin maintenant. Tu investis des efforts publicitaires. Ton rendement est constitué de leads engagés. Point final. Maintenant, nous sommes parfaitement clairs sur les actions que tu effectues (les quatre principes). Et comme nous l'avons appris en maximisant les quatre principes, il te suffit d'en faire davantage et de le faire mieux qu'auparavant. Nous avons commencé avec la règle des 100, mais lorsque tu en fais la norme, tu es prêt à passer au niveau supérieur avec...

La règle des 100 en mode stéroïdes - Ouvert à l'objectif

Une chaîne de salles de sport qui réussissait permettait à ses responsables commerciaux de fixer leurs propres horaires. Mais il y avait une condition : ils devaient inscrire cinq nouveaux membres par jour, quoi qu'il arrive.

Ainsi, s'ils y parvenaient avant le déjeuner, ils pouvaient partir tôt. Mais s'ils mettaient 18 heures, ainsi soit-il. Ils appelaient ce type d'horaire de travail « ouvert à l'objectif ».

J'ai constaté que les entrepreneurs et vendeurs d'élite dans divers secteurs appliquaient une variante de « ouvert à l'objectif ». C'est comme la règle des 100... mais pour les grands. Tu ne t'engages pas simplement à faire quelque chose un nombre spécifique de fois... tu t'engages à travailler jusqu'à atteindre un nombre spécifique de résultats, quoi qu'il arrive. Cela signifie que tu débloques un tout nouveau niveau d'effort que tu n'avais même pas réalisé avoir. Cela peut signifier ne faire quelque chose que cinquante fois pour obtenir le résultat souhaité. Ou, comme avec les flyers, cinq mille fois, chaque jour, pendant des *années.*

Si tu veux amener ta publicité au niveau supérieur, travaille jusqu'à ce que le travail soit fait. Abandonne l'idée de « faire de ton mieux ». À la place, fais ce qui est nécessaire. Et parfois, cela signifie que ton meilleur doit simplement s'améliorer.

Copyright © 2024 par ACQUISITION.COM LLC. NON DESTINÉ À LA DISTRIBUTION.

Comment je mets en œuvre « Ouvert à l'objectif » pour moi-même

Si je devais choisir les trois habitudes qui m'ont le mieux servi dans ma vie, ce serait :

1) Se lever tôt (de 4 à 5 heures du matin) - Conseil de Pro, cela signifie en réalité *se coucher tôt...*

2) Se mettre directement au travail - Pas de rituels. Pas de routines. Je bois du café et je me mets au travail.

3) Pas de réunions avant midi - Pas d'interruptions. Rien du tout. Temps de travail entièrement concentré.

Pour être clair, je ne pense pas qu'il y ait de magie à se lever tôt. Mais je pense qu'il y a de la magie dans une longue période de travail ininterrompu, immédiatement après une longue période de sommeil ininterrompu. Après tout, ce sont les heures les plus productives que je puisse accomplir... sans rien qui se mette sur mon chemin... Chaque. Jour. Comment peux-tu perdre ?

Et comme j'ai une bonne idée de ce que je peux faire en une journée, je fixe en conséquence mon objectif quotidien. Ensuite, seulement après mon bloc dédié au travail, je m'occupe des urgences, je parle aux gens et je gère les autres tâches quotidiennes.

Se lever tôt, se mettre directement au travail et travailler 8 heures d'affilée ont été ma « pile d'habitudes » à retour sur investissement le plus élevé. De loin. Si tu choisis d'essayer, j'espère que cela te servira aussi bien que cela m'a servi (ou mieux).

Et pour ceux d'entre vous qui pensent « Attends ! C'est plus de douze heures de travail par jour ! » Tu as raison. Je joue pour gagner. Mais si cela te submerge au début, je comprends. Réduis simplement quelques heures, puis progresse. Certains jours sont difficiles, mais je me rappelle toujours :

« Fais plus que ce qu'ils font, et tu auras plus que ce qu'ils ont. »

 Copyright © 2024 par ACQUISITION.COM LLC. NON DESTINÉ À LA DISTRIBUTION.

Alex Hormozi ✔
@AlexHormozi

À chaque fois que j'ai le moral en baisse au point où je me dis « pourquoi est-ce que je m'embête ? »

J'essaie juste de me rappeler "c'est là que la plupart des gens s'arrêtent, et c'est pourquoi ils ne gagnent pas"

Étant donné que mon travail consiste généralement à « acquérir plus de clients » dans la plupart de mes entreprises, la publicité est ce sur quoi je me concentre. Ce livre, par exemple, a été écrit exclusivement pendant cette période dédiée à l'ouverture à l'objectif. Pourquoi ? Parce que c'est un atout qui peut m'apporter plus d'entreprises.

Alors, si tu vas suivre ma pile d'habitudes à haut rendement, tu voudras un plan d'action clair pour ce temps. Voici le plan publicitaire le plus simple que je puisse te donner.

Checklist de publicité d'une page

Étape n°1 : Choisis le type de prospect engagé à obtenir : Clients, Affiliés, Employés ou Agences

Étape n°2 : Choisis la Règle des 100 ou Ouvert à l'Objectif. Engage-toi dans tes actions publicitaires quotidiennes.

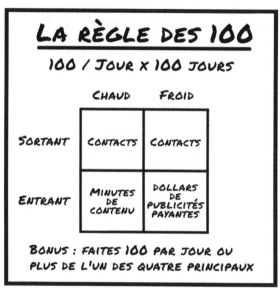

Étape n°3 : Remplis la checklist publicitaire pour cette action quotidienne.

Checklist publicitaire quotidienne	
Qui :	Toi-même
Quoi :	Ton offre ou lead magnet
Où :	Plateforme
À qui :	Public/Liste
Quand :	8 premières heures
Pourquoi :	Obtenir X leads engagés ou générateurs de leads
Comment :	Prospection chaude/froide, contenu, publicités
Combien :	100 ou jusqu'à ce que tu atteignes ton objectif
Combien de fois :	# de suivis / temps de reciblage
Combien de temps :	100 jours ou jusqu'à ce que tu atteignes ton objectif

Étape n°4 : Effectue cette action quotidienne jusqu'à ce que tu aies suffisamment d'argent pour payer quelqu'un d'autre pour le faire.

Étape n°5 : Lorsque c'est le cas, retourne à l'étape 1. Fais des employés ton nouveau type de prospect cible. Et répète les étapes 1 à 4 jusqu'à ce que tu aies l'aide dont tu avais besoin. Ensuite, mets de nouveau à l'échelle.

 Copyright © 2024 par ACQUISITION.COM LLC. NON DESTINÉ À LA DISTRIBUTION.

Conclusion

Beaucoup de pages. Tellement d'idées. Nous sommes presque à la fin. Mais, tu n'as pas plus de leads. Qu'est-ce qui se passe ? Réponse : Lire ne suscite pas l'intérêt des gens pour les choses que tu vends... la publicité le fait.

Si tu ne dis à personne ce que tu vends, alors tu n'intéresses personne pour les choses que tu vends. Point final. Ce chapitre a exposé le plan pour faire de la publicité de la manière la plus simple possible :

- Travaille « ouvert à l'objectif ».
- Structure ta journée pour te rendre le plus « ouvert à l'objectif» possible
- Crée et engage-toi à cet objectif avec la checklist publicitaire d'une page.

Beaucoup négligent la planification, voire pire, ils rédigent un plan de cent pages qui ne sert jamais. Alors, évite le gaspillage atroce de temps qu'est l'écriture de pages de bêtises. Exploite la puissance de détailler tes étapes d'action sur une seule page. Cela ne laisse que peu de place aux excuses, aux distractions et aux illusions. Soit tu as fait les choses, soit tu ne les as pas faites. Tu peux remplir ta checklist publicitaire d'une page en environ cinq minutes. Et une fois que la vérité nue te regarde en face, tout ce qu'il te reste à faire, c'est de *le faire*.

BONUS GRATUIT : Checklist publicitaire téléchargeable

Tu peux regarder une formation supplémentaire et télécharger cette checklist à remplir toi-même sur Acquisition.com/training/leads. Comme toujours, tu peux également scanner le QR code ci-dessous si tu n'aimes pas taper dans la barre de recherche.

SCANNE MOI

Copyright © 2024 par ACQUISITION.COM LLC. NON DESTINÉ À LA DISTRIBUTION.

Copyright © 2024 par ACQUISITION.COM LLC. NON DESTINÉ À LA DISTRIBUTION.

La feuille de route - Tout mettre en place

De zéro à 100 000 000 $

« Le Chef doit viser haut, voir grand, juger large, tranchant ainsi sur le commun qui se débat dans d'étroites lisières. »
— *Charles de Gaulle*
Président français pendant la Seconde Guerre mondiale

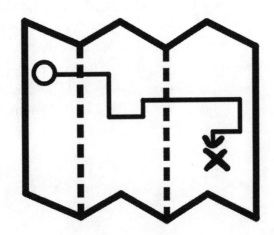

Pour arriver là où tu veux aller, il est utile de savoir ce qui t'attend. Ainsi, dans ce chapitre, je décris les phases que tu traverseras en faisant évoluer ta publicité. Acquisition.com utilise cette feuille de route pour faire évoluer nos entreprises du portefeuille de quelques millions par an à plus de 100 000 000 $. Ces niveaux t'aideront à identifier où tu te trouves sur l'échelle publicitaire afin que tu saches quoi faire pour passer au niveau suivant.

Niveau 1 : *Tes amis connaissent les produits que tu vends.* Pour commencer à obtenir des prospects engagés, tu fais une offre à un avatar sur une plateforme. Le moment où tu obtiens des prospects engagés est le moment où tu peux commencer à gagner de l'argent. Pour moi, cela a commencé par contacter *tout ceux* que je connaissais.

Action principale : Prospection chaude.

Niveau 2 : *Tu informes <u>systématiquement</u> <u>tout ceux que tu connais</u> de ce que tu vends.* Tu connais les éléments exacts pour obtenir un prospect engagé avec ta méthode publicitaire choisie. Et, en mettant à l'échelle ces éléments, tu obtiens des clients *de manière cohérente.* Cependant, les clients réguliers proviennent de la maximisation de ta capacité de travail personnelle. Pour moi, en plus des approches chaleureuses, j'ai maximisé ma capacité de travail personnelle avec des publicités payantes, en utilisant une étude de cas comme lead magnet. Mais avec le recul, j'aurais aimé commencer par publier du contenu gratuit. Donc, je te suggère cela.

Copyright © 2024 par ACQUISITION.COM LLC. NON DESTINÉ À LA DISTRIBUTION.

Actions principales : Faites autant de prospection chaleureuse et publie autant de contenu que possible de manière constante.

Niveau 3 : *Tu fais appel à des employés pour t'aider à faire davantage de publicité.* Tu as maximisé tes entrées publicitaires personnelles, mais pas la plateforme. Et si tu veux plus de prospects engagés, cela ne peut signifier qu'une chose : faire plus. Pour moi, j'ai embauché un vidéaste et un acheteur média pour prendre en charge la plupart du travail sur les publicités payantes.

Action principale : Tu embauches des personnes pour faire de la publicité rentable en ton nom.

Niveau 4 : *Ton produit est assez bon pour obtenir des recommandations régulières.* Tu continues à construire une bonne volonté et vise à obtenir 25 % ou plus de tes clients grâce aux recommandations. Maintenant, tu es prêt à relancer ta publicité. Mais pour que cela fonctionne, tu dois être plus sérieux dans l'embauche d'une équipe pour que cela se produise. C'est à ce moment-là que j'ai réalisé que mes annonces étaient désactivées mais que je recevais toujours des recommandations chaque semaine. Alors, j'ai mis les bouchées doubles sur les recommandations. J'ai construit une bonne volonté en utilisant les retours de mes clients pour mettre à jour mon produit toutes les deux semaines. J'ai également lancé un programme de recommandation solide avec de gros avantages en même temps.

Actions principales : Concentre-toi sur ton produit jusqu'à ce que tu obtiennes des recommandations régulières, puis reviens à la mise à l'échelle de ta publicité avec une équipe plus importante. C'est là que la plupart des gens font erreur. Ils laissent leur produit glisser et ne récupèrent jamais.

Niveau 5 : *Tu fais de la publicité à plusieurs endroits, de plusieurs manières, avec plus de personnes.* Tout d'abord, tu élargis vers de nouveaux publics sur ta meilleure plateforme. Ensuite, tu crées des annonces avec tous les emplacements et types de médias pris en charge par la plateforme. Et, après que ton équipe soit en mesure d'obtenir des résultats réguliers, tu agrandis à nouveau ton équipe pour ajouter : *une autre plateforme, un générateur de prospects ou une activité faisant partie des quatre principes.*

Pour moi, j'ai fait d'une pierre deux coups. J'ai étendu mes publicités payantes pour inclure des affiliés potentiels. Et cela a ouvert la voie à mes programmes d'affiliation.

Action principale : Fais de la publicité de manière rentable en utilisant au moins deux méthodes sur plusieurs plateformes.

Niveau 6 : *Tu embauches des experts.* Tes cadres développent des connaissances spécifiques à une méthode publicitaire ou une plateforme sans toi. Et tu ne cherches pas du potentiel. Tu cherches des leaders expérimentés spécialisés exactement dans ce que tu veux. Nous avons atteint un plafond ici.

Il m'a fallu trois ans pour comprendre deux choses. D'abord, que j'avais besoin de cadres vétérans ayant une expérience adaptée à mes problèmes. Et deuxièmement, qu'ils avaient besoin d'incitations plus fortes. Mais au moment où j'ai réalisé cela, j'avais vendu ces entreprises. Une fois que j'ai lancé Acquisition.com, j'ai compris la puissance d'élargir le gâteau pour inciter davantage de bonnes personnes à s'investir dans la victoire. C'est ainsi que nous avons dépassé les 100 M$ puis les 200 M$ de revenus de portefeuille, et au-delà.

Copyright © 2024 par ACQUISITION.COM LLC. NON DESTINÉ À LA DISTRIBUTION.

<u>Action principale</u> : Recrute des cadres aguerris et des chefs de département pour prendre en charge de nouvelles activités publicitaires et canaux.

Conseil de Pro : Engage de l'expérience, pas du potentiel

J'ai tenté des approches de prospection froide deux fois avant que cela ne fonctionne la troisième fois. La principale différence : la personne que j'ai embauchée pour la gérer. D'abord, j'ai essayé avec quelqu'un de l'extérieur ayant de l'expérience, cela a échoué. Ensuite, j'ai essayé en interne sans expérience, cela a échoué. Enfin, j'ai embauché en interne avec de l'expérience, et cela a fonctionné. Comme il s'agit d'une machine opérationnelle complexe axée sur les personnes, la personne que tu embauches pour gérer l'équipe compte beaucoup. Choisis l'expérience. Ils devraient en savoir plus que toi. <u>Si tu n'apprends rien d'eux lors de l'entretien, tu as la mauvaise personne.</u>

Niveau 7 : Je reviendrai éditer ce chapitre une fois que j'aurai atteint un milliard. Je te le promets, je t'enverrai les leçons dès que je les aurai. Tu as ma parole.

<u>Derniers points</u> : Je sais que cela semble parfait. Mais ça ne l'est jamais. Le vrai business est *compliqué*. Cela demande beaucoup pour trouver les audiences, les lead magnets, les méthodes et les plateformes qui fonctionnent le mieux. Et tu ne peux découvrir ce qui fonctionne que si tu essaies. Donc, tu dois essayer beaucoup de choses différentes, de nombreuses façons différentes, pendant assez longtemps pour en être sûr.

Personne ne peut jamais savoir exactement la meilleure chose à faire. Mais je sais ceci : plus tu fais de la publicité, plus de gens découvrent ce que tu vends. Plus de personnes connaissent ce que tu vends, plus de personnes l'achèteront. C'est la clé de la machine à leads de 100 millions de dollars.

La machine à leads de 100 millions de dollars et plus

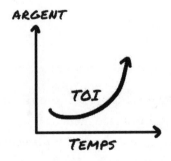

Plongeons dans ton avenir. Ton entreprise génère un chiffre d'affaires annuel de 100 000 000 $ ou plus. Il est bon d'avoir une vision claire de ce à quoi ressemble la machine de 100 millions de dollars. Jetons un coup d'œil, veux-tu ? Tout d'abord et avant tout, ta publicité tourne à plein régime...

Copyright © 2024 par ACQUISITION.COM LLC. NON DESTINÉ À LA DISTRIBUTION.

- Ton équipe média diffuse une tonne de contenu gratuit, sous toutes les formes médiatiques, sur de nombreuses plateformes.
- Tu proposes régulièrement des offres à ton audience chaleureuse pour obtenir plus de clients ou d'affiliés.
- Ton audience affamée rend *tout* ce que tu lances *immédiatement* rentable.
- Des équipes gèrent et développent des publicités payantes rentables sur plusieurs plateformes.
- Ton équipe de prospection à froid t'apporte plus de clients.
- Tu as un responsable d'affiliation qui lance et intègre tous les nouveaux affiliés.
- Des recruteurs *et* des agences de recrutement t'apportent plus de générateurs de leads.
- Ton produit est tellement bon que le tiers de tes clients t'apportent plus de clients.
- Ton équipe de direction assure toute cette croissance sans toi.
- Et... *tu as plus de leads engagés que tu ne peux en gérer.*

Combien de temps cela prend-il ? Pour les propriétaires d'entreprise qui savent quoi faire, cela peut prendre de cinq à dix ans. Bâtir quelque chose de formidable, même si tu sais exactement quoi faire, prend du temps. Beaucoup aiment vanter le « succès du jour au lendemain », mais regarder les backstages raconte une histoire différente. Il a fallu à ma femme et *moi plus de dix ans de nos meilleurs efforts* pour dépasser les premiers 100 millions de dollars de valeur nette. Plus tes objectifs sont grands, plus tes horizons temporels doivent être longs. Tu veux jouer à des jeux où, si tu attends, tu gagnes.

Alex Hormozi ✔
@AlexHormozi

L'entrepreneuriat n'est pas pour
les âmes sensibles
La charge est lourde et la route
est longue

 Copyright © 2024 par ACQUISITION.COM LLC. NON DESTINÉ À LA DISTRIBUTION.

BONUS GRATUIT : TUTORIEL BONUS - Évoluer de 0 à 100 millions de dollars et plus

Parfois, il est utile d'entendre une narration de ce à quoi ressemble chaque étape. Si tu sais ce qui vient ensuite, tu peux commencer à te préparer dès aujourd'hui. J'ai enregistré un tutoriel gratuit où je t'aide à identifier où tu en es et ce qui vient ensuite pour que tu puisses gagner. Tu peux télécharger gratuitement le tutoriel sur, tu l'as deviné, Acquisition.com/training/leads. Comme toujours, tu peux également scanner le QR code ci-dessous si tu n'aimes pas taper dans la barre de recherche.

Copyright © 2024 par ACQUISITION.COM LLC. NON DESTINÉ À LA DISTRIBUTION.

Une décennie en une page

«La simplicité est la sophistication ultime» – *Leonardo Da Vinci*

Nous avons abordé beaucoup de choses. Et je pense qu'organiser ce que nous avons appris en un seul endroit aide à bien assimiler l'information. J'ai donc créé cette liste «sur le coin d'une serviette en papier» de ce que nous avons abordé et pourquoi.

1) Comment définir un prospect à partir de maintenant. Maintenant, tu sais ce que tu recherches : des prospects engagés, pas seulement des prospects.

2) Comment transformer des prospects en prospects engagés avec une offre ou un lead magnet. Et comment les créer.

3) Les *Quatre Principes* - les seules quatre façons de faire savoir aux gens ce que nous vendons.

   a) Comment contacter les personnes qui nous connaissent : *leur demander si elles connaissent quelqu'un.*

   b) Comment publier publiquement : *accrocher, retenir, récompenser. Donner jusqu'à ce qu'ils demandent.*

   c) Comment contacter des inconnus : *listes, personnalisation, grande valeur rapide, volume.*

   d) Comment diffuser des publicités payantes à des inconnus : ciblage, accroches, *Quoi-Qui-Quand, appels à l'action, acquisition financée par le client.*

4) Maximiser les Quatre Principes : *Plus Mieux Nouveau*

   a) Qu'est-ce qui m'empêche de faire ce que je fais actuellement à dix fois le volume ? Ensuite, résoudre cela.

   b) Trouver la contrainte dans notre publicité. Puis tester jusqu'à ce qu'on libère la contrainte. Puis faire *plus* jusqu'à ce qu'on trouve une nouvelle contrainte.

5) Les Quatre Générateurs de Prospects : *Clients, Employés, Agences et Affiliés*

   a) Comment inciter les clients à recommander à d'autres clients

   b) Comment inciter les employés à faire évoluer ta publicité sans toi

   c) Comment inciter une agence à t'enseigner de nouvelles compétences

   d) Comment lancer et intégrer des affiliés

6) Lorsque tu fais de la publicité dans le monde réel : *La Règle des 100 et l'Ouverture à l'Objectif*

   a) Le plan publicitaire d'une page en cinq étapes pour obtenir plus de prospects *aujourd'hui.*

7) Les sept niveaux d'annonceurs et la machine à prospects de *100 millions de dollars en action.*

Copyright © 2024 par ACQUISITION.COM LLC. NON DESTINÉ À LA DISTRIBUTION.

Comme je l'ai promis au début, le résultat de ces points est d'obtenir plus de prospects engagés, meilleurs, moins chers et fiables. J'espère que ce livre t'aura été utile. J'espère qu'à la suite de cette lecture, tu sauras comment obtenir plus de prospects que tu n'en as actuellement. Et j'espère avoir levé le voile sur le mystère derrière l'obtention de prospects.

De plus, comme tu es l'un des rares à finir ce que tu commences, je tiens à te laisser un cadeau en partant : une fable qui m'a aidé dans mes moments les plus difficiles.

Le dé à plusieurs faces

Imagine que toi et un ami jouez à un jeu de lancer de dés. Chacun de vous se voit attribuer un dé. L'un des dés a 20 faces. L'autre en a 200. Sur chaque dé, seule une face est verte. Et le reste est rouge.

Le but du jeu est simple : *lancer vert autant de fois que possible.*

Les règles du jeu sont les suivantes :

- *Tu ne peux pas voir combien de faces tu as. Tu peux seulement voir si tu as lancé rouge ou vert.*
- *Si tu lances vert : l'une de tes faces rouges devient verte, et tu peux relancer.*
- *Si tu lances rouge : rien ne se passe, et tu peux relancer.*
- *Le jeu se termine lorsque tu arrêtes de lancer. Et si tu arrêtes de lancer, tu perds.*

Que fais-tu ?

Tu lances le dé. Lorsque tu obtiens rouge, tu prends le dé et tu le relances. Lorsque les autres obtiennent vert, tu prends ton dé et tu le relances. Lorsque tu obtiens vert, tu prends le dé et tu le relances. Tu te répètes constamment une chose. « Plus je lance, plus j'obtiens de verts. » Au début, tu obtiens vert de temps en temps. Mais à mesure que davantage de côtés rouges deviennent verts, les verts se produisent plus fréquemment. Avec suffisamment de lancers, obtenir vert devient la règle plutôt que l'exception.

Que fait ton ami ?

Il lance quelques fois et obtient rouge à chaque fois. Il te voit lancer un vert et se plaint que tu dois avoir un dé avec moins de faces. Il pense que c'est la seule raison qui explique que tu aies pu obtenir vert avant lui. Et même si c'était le cas, tu as aussi lancé beaucoup plus de fois. Alors, quelle est la vraie raison de l'obtention de plus de verts ?

Copyright © 2024 par ACQUISITION.COM LLC. NON DESTINÉ À LA DISTRIBUTION.

Dans les deux cas, il lance quelques fois par frustration et obtient un vert. Mais ensuite, il se plaint du temps que cela a pris. Il a passé plus de temps à te regarder et à se plaindre qu'à réellement jouer. Pendant ce temps, tu as réussi ta série de verts. C'est tellement plus facile pour toi, se dit-il. *Tu obtiens des verts à chaque fois ! Ce jeu est truqué, alors à quoi bon ? Il abandonne.*

***

Alors, qui a eu le dé avec 20 faces ? Qui a eu le dé avec 200 faces ? Si tu comprends le jeu, tu vois que, une fois que tu lances assez de fois, <u>le dé que tu as ne compte plus.</u>

- Un dé avec moins de faces pourrait obtenir vert plus tôt.
- Un dé avec plus de faces pourrait obtenir vert plus tard.
- Mais, un dé avec un côté vert a *toujours* une chance d'obtenir vert... *si tu le lances.*
- Chaque dé atteint sa série de verts lorsqu'il est assez lancé.

Nous recevons tous un dé à faces multiples. En regardant les autres joueurs, tu n'as aucune idée s'il s'agit de leur 100e lancer ou de leur 100 000e. Tu ne sais pas à quel point les autres joueurs sont « bons » quand ils commencent, tu peux seulement voir à quel point ils réussissent *maintenant*. Mais, si tu comprends le jeu, tu sais aussi que cela *n'a pas d'importance.*

Certains commencent à jouer tôt. D'autres commencent beaucoup plus tard. Les autres restent sur la touche en se plaignant de la chance des autres joueurs. Peut-être, mais ils ont plus de chance parce qu'ils jouent. Et quand ils obtiennent rouge, ce qui arrive, ils n'abandonnent pas. Ils relancent.

Apprendre à faire de la publicité ressemble beaucoup au jeu du dé à faces multiples. Tu ne sais pas si cela fonctionnera tant que tu n'essaies pas. Et quand tu commences à faire de la publicité, tu obtiendras probablement rouge lors de tes premiers lancers. Mais si tu essaies assez de fois, *tu obtiendras du vert.* Et lorsque cela fonctionne, tu as une meilleure chance de le *refaire* fonctionner.

Plus tu le fais, plus c'est facile. Tu commences à comprendre le jeu. Peu importe le nombre de joueurs ou le nombre de faces du dé que tu as, tu commences à voir les deux seules certitudes :

1) Plus tu lances, meilleur tu deviens.

2) Si tu abandonnes, tu perds.

Alors voici ma promesse finale :

<u>Tu ne peux pas perdre si tu n'abandonnes pas.</u>

Copyright © 2024 par ACQUISITION.COM LLC. NON DESTINÉ À LA DISTRIBUTION. **265**

Copyright © 2024 par ACQUISITION.COM LLC. NON DESTINÉ À LA DISTRIBUTION.

Bonus gratuits : Appels à l'action

Si c'est gratuit, c'est pour moi !

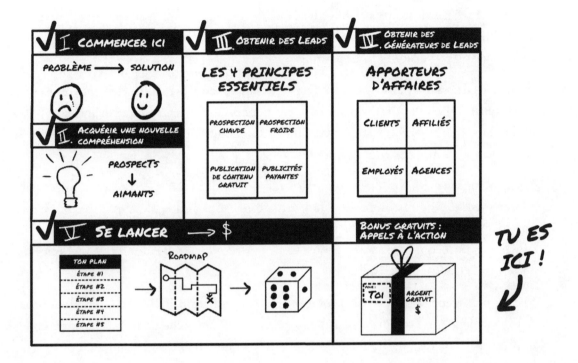

Je vais te donner plein de trucs gratuits dans une seconde, alors reste à l'écoute.

Le Dr. Kashey (mon éditeur) et moi avons passé plus de 3 500 heures sur ce livre. Nous avons écrit plus de 650 pages et réalisé 19 versions avec des cadres, des thèmes et des points de focalisation variés. Mais au final, les changements n'ont laissé que les informations les plus essentielles. Nous avons passé en revue 127 pages de modèles dessinés à la main pour sélectionner ceux qui ont été inclus dans le livre. Tout cela pour dire que j'espère que ce travail aboutira à la croissance de l'entreprise de tes rêves.

Quand je regarderai ma vie en arrière, ces livres figureront parmi les choses dont je serai le plus fier. Je ne pourrais pas l'écrire avec autant de ferveur si je ne pensais pas que les gens le liraient. Et autant je m'efforce à être l'homme qui travaillerait aussi dur même si personne ne s'en souciait, je n'en suis pas encore là. Ton soutien et ta positivité font une différence pour moi. Alors merci du fond du cœur de me permettre de faire le travail qui a du sens pour moi. J'en suis éternellement reconnaissant.

Si tu es nouveau dans la #mozination, bienvenue. Nous croyons en de grandes ambitions et en les associant à la générosité et à la patience. Et j'ai un objectif personnel dans cet esprit de générosité : *mourir en n'ayant rien laissé à donner.*

Copyright © 2024 par ACQUISITION.COM LLC. NON DESTINÉ À LA DISTRIBUTION.

Si tu es toujours avec moi, merci. Je veux te fournir quelques extras.

1) Si tu as du mal à savoir à qui vendre, j'ai publié un chapitre appelé « Your First Avatar » entre ce livre et le précédent. Considère-le comme le 'single' d'un album de musique. Tu peux l'obtenir gratuitement sur Acquisition.com/avatar. Il te suffit de saisir ton adresse e-mail, et nous te l'enverrons.

2) Si tu as du mal à savoir quoi vendre, tu peux aller sur Amazon ou là où tu achètes des livres et rechercher « Alex Hormozi » et « l'Offre 100M$ ». Cela devrait te mettre sur la bonne voie. La version numérique est disponible à la vente au prix le moins cher que la plateforme me permet de fixer tout en le répertoriant toujours comme un livre.

3) Si tu as du mal à convaincre les gens d'acheter, mon prochain livre portera sur la persuasion et les ventes. Il est peut-être déjà sorti au moment où tu lis ceci. Il s'appellera soit $100M Sales, soit Persuasion. Je n'ai pas encore décidé. Mais si tu cherches mon nom, tu pourras voir s'il y a d'autres livres qui sont sortis à ce moment-là.

4) Si tu veux un emploi chez Acquisition.com ou dans l'une de nos entreprises partenaires, nous adorons recruter des membres de la #mozination. Nous aimons le faire car nous avons constaté que nos meilleurs rendements proviennent de l'investissement dans des personnes exceptionnelles. Va sur Acquisition.com/careers/open-jobs, et tu pourras voir toutes les offres d'emploi dans toutes nos entreprises et notre portefeuille.

5) Si ton entreprise génère plus d'un million de dollars d'EBITDA (bénéfice), nous serions ravis d'investir dans ton entreprise pour t'aider à croître. C'est tellement gratifiant de savoir que nos entreprises partenaires ont grandi bien plus et plus rapidement que la mienne parce qu'elles ont évité les *erreurs que j'ai commises*. Si tu veux que nous jetions un coup d'œil sous le capot et voir si nous pouvons t'aider, va sur Acquisition.com. Envoyer tes informations est rapide et facile.

6) Pour obtenir les téléchargements gratuits du livre et les formations vidéos qui l'accompagnent, va sur Acquisition.com/training/leads.

7) Si tu aimes écouter des podcasts et que tu veux en entendre plus, mon podcast au moment de cette rédaction est classé parmi les cinq premiers en entrepreneuriat et les quinze premiers en affaires aux États-Unis. Tu peux y accéder en recherchant « Alex Hormozi » sur la plateforme sur laquelle tu écoutes ou en allant sur Acquisition.com/podcast. J'y partage des histoires utiles et intéressantes, des leçons précieuses et les modèles mentaux essentiels sur lesquels je m'appuie chaque jour.

8) Si tu aimes regarder des vidéos, nous investissons beaucoup de ressources dans notre formation gratuite, disponible pour tous. Nous avons l'intention de la rendre meilleure que tout ce qui est payant, et nous te laissons décider si nous avons réussi. Tu peux trouver nos vidéos sur YouTube ou là où tu regardes des vidéos en recherchant « Alex Hormozi ».

9) Et si tu aimes les vidéos de courte durée, jette un coup d'œil au contenu que nous diffusons quotidiennement sur Acquisition.com/media. Tu verras tous les endroits où nous publions et tu pourras choisir ceux que tu préfères.

Copyright © 2024 par ACQUISITION.COM LLC. NON DESTINÉ À LA DISTRIBUTION.

Et enfin, merci encore. Sois l'une de ces personnes généreuses et **partage cela avec d'autres entrepreneurs en laissant un commentaire.** Cela représenterait beaucoup pour moi. Je t'envoie des ondes positives pour la création d'entreprise depuis mon bureau. J'y passe beaucoup de temps, alors ce sont beaucoup d'ondes. Que ton désir soit plus grand que tes obstacles.

J'espère te rencontrer, ainsi que ton entreprise, bientôt. Ad astra.

Alex Hormozi, Fondateur, Acquisition.com

Made in the USA
Las Vegas, NV
20 July 2024

92631711R00153